TRILOGIE NEW-YORKAISE

Titres originaux :
City of Glass, Ghosts, The Locked Room
(Sun & Moon Press, 1985 et 1986)
© Paul Auster, 1985 et 1986
© Actes Sud, 1987 et 1988
pour la traduction française

© Actes Sud, 1991
pour la présentation

Illustration de couverture :
Earle Horter
The Chrysler Building under construction, 1931,
Whitney Museum of American Art
Tous droits réservés

Photo 4e de couverture :
Paul Auster
© Gamma, Ulf Andersen, 1990

PAUL AUSTER

TRILOGIE NEW-YORKAISE

romans traduits de l'américain
par Pierre Furlan

CITÉ DE VERRE

REVENANTS

LA CHAMBRE DÉROBÉE

Préface de Jean Frémon
Lecture de Marc Chénetier

BABEL

PRÉFACE

LE POIDS DU CORPS

Je me souviens d'un dessin humoristique paru dans un journal italien, il montrait un personnage anonyme qui se regarde dans la glace d'une armoire en se tenant le menton dans une attitude de perplexité. Et la légende disait à peu près cela : "Mon Dieu ! Mais ce n'est pas moi, j'ai dû me perdre dans la foule !"

Ce sont des choses qui arrivent, nous ne nous reconnaissons plus, nous nous pinçons pour nous éveiller d'un rêve, mais c'est en rêve que nous nous pinçons. A chaque instant, nous faisons des gestes qui ne sont pas les nôtres, nous prononçons des mots qui appartiennent à d'autres, nous imitons les intonations ou les expressions de ceux qu'inconsciemment nous désirons être. Essayer d'être un autre est une façon de devenir soi-même. Avec un peu de constance, il est possible d'y parvenir. Et se reconnaître dans un autre est certainement aussi troublant que de ne pas se reconnaître soi-même. "Une minute nous sommes une chose et la suivante une autre chose", dit Paul Auster, ou encore : "Là où je ne suis pas est l'endroit où je suis moi-même." Quand Quinn quitte son observatoire (une poubelle qui ne manque pas de connotations littéraires) il passe devant la glace d'une boutique et croit y voir un autre que lui. Le personnage d'un livre peut-il être le même au début et à la fin du livre ? Y aurait-il un livre, y aurait-il une histoire sans cette distance, cette subtile transformation d'une identité ?…

Chaque jour nous prenons part à des histoires qui semblent avoir été inventées par quelques fantaisistes qui se disent écrivains, qui se travestissent sous des noms d'emprunt pour mieux nous abuser. Ces gens nous font croire qu'ils inventent leurs histoires, qu'elles sont le fruit de leur imagination, comme ils disent, mais ce n'est pas vrai. A côté des histoires qu'ils inventent, il y a aussi des histoires qu'ils ont vécues ou qui ont été vécues par d'autres, des histoires dont ils ont été le témoin, des histoires qu'ils ont lues, qu'ils ont entendues, qu'on leur a racontées et dans lesquelles nous sommes impliqués malgré nous. Et les histoires sont d'étranges miroirs déformants.

Comme ces profils perdus dans deux miroirs qui se font face, nous voyons notre image s'éloigner ou se rapprocher sur le visage de nos parents, de nos enfants… J'ai vu un jour l'une des choses les plus troublantes qui soient : un agrandissement photographique à échelle humaine d'un adulte de soixante ans tenant par la main un agrandissement photographique de l'enfant qu'il était à six ans.

Qui est qui ? *Who's who ?* Où sont nos pères, où sont nos fils ? Dans tous les livres de Paul Auster, des fils cherchent leur père, des pères cherchent leur fils, des fils meurent ou disparaissent, des pères se suppriment ou menacent la vie de leur fils, des fils sont rejetés, des fils sont adoptés par des pères qui ne sont pas les leurs. Des personnages changent de vie, changent de tête, changent de nom, prennent la place d'un autre. Des personnages renoncent, abandonnent, disparaissent, larguent les amarres, un fantasme de fuite, de dépossession, d'échec, que l'écriture tout à la fois nourrit et combat.

New York est le lieu de cette errance, de ces filatures, de ces enquêtes, la trame orthogonale des rues de la ville semble le canevas sur lequel des itinéraires inédits viennent se broder comme le nouvel épisode d'une histoire sur la page quadrillée d'un cahier d'écolier.

"Passer au crible le chaos, pour y trouver une lueur de cohérence", dit Quinn. New York est ce crible. La cohérence est-elle l'impalpable qui s'échappe, l'eau du fleuve, ou les pépites que le tamis retient entre ses mailles ? Fomenter des coïncidences, voilà la tâche du romancier, des pépites dans l'eau, des rencontres dans New York, l'intersection des destinées.

Le fait du hasard est le croisement de séries indépendantes et quand il se produit, il paraît inévitable, il a toutes les allures de la nécessité ; quand il se répète il commence à dessiner du sens, à forger un destin et la trame sur laquelle il se dessine risque de ressembler à la grille d'une prison.

Et l'on voit alors des personnages, comme enserrés par une série logique qui se referme sur eux, tenter d'échapper, disparaître au coin d'une rue comme le fil de la brodeuse repasse sous la toile avant de ressortir on ne sait où. L'arbitraire, l'aléatoire veulent reprendre l'avantage. "Tout est donc possible", lit-on à la fin de *Revenants*, le deuxième volet de la *Trilogie*, par exemple quitter New York pour la Chine, emblème du bout du monde. "Disons donc que c'est la Chine et tenons-nous-en là", dit le narrateur. En Chine au début du siècle, à l'apparition des premières voitures automobiles, on recommandait aux conducteurs la plus grande prudence, les Chinois, superstitieux, étaient toujours persuadés d'être suivis par un fantôme, ils tentaient de se précipiter sous les roues des voitures pour faire écraser le fantôme qui les importunait. Plusieurs Chinois, dit-on, y perdirent la vie, combien de fantômes on ne sait pas (entre un fantôme mort et un fantôme vivant la différence est des plus subtiles, tous des revenants), en revanche maint conducteur d'automobile s'est senti depuis lors mystérieusement suivi.

Ces trois livres ne sont pas une seule et même histoire qui se poursuivrait sur trois volumes. Ils se suivent et cependant ils sont autonomes, ils se ressemblent et ils diffèrent, ils sont les reflets l'un de l'autre, les fantômes l'un de l'autre. C'est comme si la même histoire était racontée trois fois mais par une autre personne ou par la même personne parvenue à un autre moment de sa propre destinée, de sa propre conscience.

Le premier volume oscille entre la comédie et le drame psychologique, il joue sur les rebondissements et les masques, il emprunte une part de sa tension au thriller, il entrecroise par jeu des codes connus. Le second est une fable, plus distanciée, une parabole usant d'une langue plus composée. Avec le troisième volume apparaît un narrateur qui s'exprime à la première personne, il vient nous déclarer qu'il est l'auteur des deux premiers livres, les projetant ainsi au rang de métaphores, de fiction dans la fiction tandis que ce que nous sommes en train de lire devient de ce fait même réalité. Et du coup le ton change complètement : assez joué, quelqu'un vous parle, vous parle sans détour de choses qui existent : le désir de se fixer et le désir de se perdre ; l'amour d'une femme et d'un enfant… Et le narrateur nous dit implicitement que ce n'est pas avec des jeux de miroir, des coïncidences, des citations, des clins d'œil, des allusions à d'autres livres qu'on construit une œuvre mais avec sa chair, sa vie et ses désirs. Portant les deux valises qui contiennent les écrits de Fanshawe, il remarque qu'elles pèsent le poids d'un homme. Un livre pèse ce que pèse son auteur, voilà ce que nous dit le narrateur, il admet que l'ambiguïté est l'air qu'il respire, il lève le masque et met tout son poids dans la balance.

Poids du corps, disent les professeurs de danse pour rappeler qu'il doit mentalement et effectivement se porter sur la pointe du pied afin de charger le pas de gravité sans lui ôter rien de sa grâce.

JEAN FRÉMON

CITÉ DE VERRE

1

C'est un faux numéro qui a tout déclenché, le téléphone sonnant trois fois au cœur de la nuit et la voix à l'autre bout demandant quelqu'un qu'il n'était pas. Bien plus tard, lorsqu'il pourrait réfléchir à ce qui lui était arrivé, il en conclurait que rien n'est réel sauf le hasard. Mais ce serait bien plus tard. Au début, il y a simplement eu l'événement et ses conséquences. Quant à savoir si l'affaire aurait pu tourner autrement ou si elle avait été entièrement prédéterminée dès le premier mot qui sortit de la bouche de l'étranger, ce n'est pas le sujet. Le sujet, c'est l'histoire même, et ce n'est pas à elle de dire si elle a un sens ou pas.

Pour ce qui est de Quinn, peu de choses nous retiendront. Qui il était, d'où il venait et ce qu'il faisait n'ont pas grande importance. Nous savons, entre autres, qu'il avait trente-cinq ans. Nous savons qu'il avait jadis été marié, qu'il avait un jour été père et qu'à présent sa femme et son fils étaient tous les deux morts. Nous savons aussi qu'il écrivait des livres. Pour être précis, nous savons qu'il écrivait des romans policiers. Ces ouvrages étaient signés du nom de William Wilson, et il les produisait au rythme d'environ un par an, ce qui lui procurait assez d'argent pour vivre modestement dans un petit appartement de New York. Comme chaque roman ne lui prenait pas plus de cinq ou six mois, il avait le loisir d'utiliser le restant de l'année à sa guise. Il lisait un grand nombre d'ouvrages, il regardait des tableaux, il allait au cinéma. L'été, il suivait le base-ball à la télévision ; l'hiver, il fréquentait l'opéra. Mais ce qu'il aimait par-dessus tout, c'était marcher. Presque chaque jour, qu'il pleuve ou qu'il vente, qu'il fasse chaud ou froid, il quittait son appartement pour déambuler dans la ville – sans savoir vraiment où il allait, se déplaçant simplement dans la direction où ses jambes le portaient.

New York était un espace inépuisable, un labyrinthe de pas infinis, et, aussi loin qu'il allât et quelle que fût la connaissance qu'il eût de ses quartiers et de ses rues, elle lui donnait toujours la sensation qu'il était perdu. Perdu non seulement dans la cité mais tout autant en lui-même. Chaque fois qu'il sortait marcher il avait l'impression de se quitter lui-même, et, en s'abandonnant au mouvement des rues, en se réduisant à n'être qu'un œil qui voit, il pouvait échapper à l'obligation de penser, ce qui, plus que toute autre chose, lui apportait une part de paix, un vide intérieur salutaire. Autour de lui, devant lui, hors de lui, il y avait le monde qui changeait à une vitesse telle que Quinn était dans l'impossibilité de s'attarder bien longtemps sur quoi que ce soit. Le mouvement était l'essence des choses, l'acte de placer un pied devant l'autre et de se permettre de suivre la dérive de son propre corps. En errant sans but, il rendait tous les lieux égaux, et il ne lui importait plus d'être ici ou là. Ses promenades les plus réussies étaient celles où il pouvait sentir qu'il n'était nulle part. Et c'était finalement tout ce qu'il avait jamais demandé aux choses : être nulle part. New York était le nulle part que Quinn avait construit autour de lui-même et il se rendait compte qu'il n'avait nullement l'intention de le quitter à nouveau.

Autrefois, Quinn avait été plus ambitieux. Lorsqu'il était jeune homme, il avait publié plusieurs livres de poèmes, écrit des pièces de théâtre, des essais de critique littéraire, et il s'était astreint à plusieurs traductions de longue haleine. Mais il avait brusquement tout abandonné. Une partie de lui-même était morte, disait-il à ses amis, et il ne voulait pas qu'elle revînt le hanter. C'était alors qu'il avait adopté le nom de William Wilson. Quinn n'était plus cette partie de lui qui pouvait écrire des livres et, même si à bien des égards Quinn restait encore en vie, il n'existait plus pour personne sauf pour lui-même.

Il avait continué à écrire parce que c'était la seule chose qu'il se sentait capable de faire. Les romans policiers lui avaient paru une solution raisonnable. Il ne lui était guère difficile d'inventer les intrigues compliquées qu'il leur fallait, et il écrivait bien, souvent malgré lui, comme sans effort. Puisqu'il ne se considérait pas l'auteur de ce qu'il rédigeait, il n'en éprouvait pas la responsabilité et n'était donc pas obligé d'en prendre la défense en son for intérieur. William Wilson, après tout, n'était qu'une invention, et même s'il était né de Quinn il menait désormais une vie indépendante. Quinn le traitait avec déférence, parfois même avec admiration, mais il n'allait jamais jusqu'à croire que William Wilson et lui-même fussent le même homme. C'est pour cela qu'il restait caché derrière le masque de son pseudonyme. Il avait un agent littéraire mais ne l'avait jamais rencontré. Leurs contacts se limitaient à des lettres, et, pour les besoins de la cause, Quinn avait loué une boîte numérotée au bureau de poste. Il en allait de même avec l'éditeur qui lui versait tous ses honoraires, dûs et droits d'auteur par l'intermédiaire de l'agent. Aucun des livres de William Wilson ne portait de photographie de l'auteur ni de notice biographique. William Wilson ne figurait dans aucun annuaire d'écrivains, n'accordait pas d'interviews, et c'était la secrétaire de son agent qui répondait à tout son courrier. Pour autant qu'il pût en juger, personne n'avait percé son secret. Au début, lorsque ses amis avaient appris qu'il avait abandonné l'écriture, ils lui demandaient comment il comptait vivre. Il leur racontait à tous la même chose : il avait reçu de sa femme un legs à gérer. Mais la vérité c'était que sa femme n'avait jamais eu d'argent. Et la vérité c'était qu'il n'avait plus d'amis.

Tout cela remontait à plus de cinq ans, déjà. Il ne pensait plus guère à son fils et, depuis peu, il avait décroché du mur la photo de sa femme. Il lui arrivait bien, de loin en loin, d'éprouver à nouveau subitement la sensation qu'il avait connue en portant le petit garçon de trois ans, mais il ne s'agissait pas vraiment d'une pensée, et ce n'était même pas un souvenir. C'était une sensation physique, une empreinte que le passé avait laissée dans son corps et sur laquelle il n'avait aucune prise. Ces moments survenaient moins souvent, à présent, et, au total, il lui semblait que pour lui les choses avaient commencé à changer. Il ne souhaitait plus être mort. En revanche, on ne pouvait pas dire qu'il était content d'être vivant. Mais, au moins, il n'en éprouvait pas de déplaisir. Il était vivant et ce que ce fait avait de têtu s'était mis peu à peu à le fasciner – comme s'il avait réussi à se survivre, comme s'il menait en quelque sorte une vie posthume. Il ne dormait plus la lampe allumée et, depuis plusieurs mois, maintenant, il ne se souvenait plus d'aucun de ses rêves.

Il faisait nuit. Quinn était au lit, fumant une cigarette, écoutant la pluie qui venait battre contre la fenêtre. Il se demandait quand ça s'arrêterait et si le lendemain matin il aurait envie d'entreprendre une grande ou une petite promenade. Sur l'oreiller, près de lui, reposait un exemplaire des *Voyages* de Marco Polo, ouvert, pages imprimées vers le bas. Depuis qu'il avait terminé le dernier roman de William Wilson, deux semaines plus tôt, il se languissait. Son narrateur, le détective privé Max Work, avait élucidé une série compliquée de crimes, reçu un bon nombre de raclées, plusieurs fois échappé de justesse à la mort, et Quinn se sentait assez épuisé par ses efforts. Au fil des ans, Work s'était beaucoup rapproché de Quinn. Alors que William Wilson restait pour lui un être abstrait, Work était devenu de plus en plus vivant. Dans cette trinité que formait désormais Quinn, Wilson avait un peu la fonction de ventriloque, Quinn servait de marionnette et Work était la voix pleine de vie qui donnait un but à l'entreprise. Même si Wilson n'était qu'une illusion, il justifiait l'existence des deux autres. Même s'il n'était pas réel, il constituait le pont grâce auquel Quinn accédait de lui-même à Work. Et, petit à petit, Work était devenu une présence dans la vie de Quinn, son frère intérieur, son camarade de solitude.

Quinn prit à nouveau le Marco Polo et se remit à lire la première page. "Pour que notre livre soit droit et véritable, sans nul mensonge, nous vous donnerons les choses vues comme vues, et les entendues comme entendues. Aussi, tous ceux qui liront ou écouteront ce récit doivent le croire parce que ce sont toutes choses véritables." Au moment même où Quinn commençait à réfléchir au sens de ces phrases et à retourner dans sa tête les belles assurances qu'elles contenaient, le téléphone retentit. Bien plus tard, lorsqu'il fut en mesure de reconstituer les événements de cette nuit-là, il se rappela avoir regardé le réveil, avoir vu qu'il était minuit passé et s'être demandé pourquoi on l'appelait à cette heure. Très probablement, se dit-il, une mauvaise nouvelle. Il sortit du lit, alla tout nu jusqu'au téléphone et souleva le combiné à la deuxième sonnerie.

— Oui ?

Il y eut une longue pause à l'autre bout et Quinn pensa un moment qu'on avait raccroché. Puis, comme de très loin, lui parvint le son d'une voix qui ne ressemblait à aucune autre qu'il eût jamais entendue. Elle était à la fois mécanique et remplie de sentiment, à peine plus forte qu'un chuchotement et pourtant parfaitement audible, et si égale dans son ton qu'il ne pouvait dire si elle appartenait à un homme ou à une femme.

— Allô ? fit la voix.

— Qui est-ce ? demanda Quinn.

— Allô ? répéta la voix.

— J'écoute, dit Quinn. Qui est-ce ?

— Est-ce Paul Auster ? demanda la voix. Je voudrais parler à M. Paul Auster.

— Il n'y a personne ici qui s'appelle ainsi.

— Paul Auster. Le détective de l'agence Auster.

— Désolé, dit Quinn. Vous devez avoir un faux numéro.

— C'est une affaire très urgente, dit la voix.

— Je ne peux rien faire pour vous, répondit Quinn. Il n'y a pas de Paul Auster ici.

— Vous ne comprenez pas, reprit la voix. Il ne reste plus de temps.

— Dans ce cas, je vous conseille de refaire votre numéro. Ici, ce n'est pas un cabinet de détective.

Quinn raccrocha. Debout sur le plancher froid, il baissa les yeux vers ses pieds, ses genoux, son pénis flasque. Un court instant il regretta d'avoir été si brusque avec son interlocuteur. Il aurait pu être intéressant, pensa-t-il, de se prendre un peu de jeu avec lui. Peut-être aurait-il découvert quelque chose de l'affaire en question – qui sait s'il n'aurait même pas pu apporter quelque aide. "Je dois apprendre à penser plus vite debout", se dit-il.

Comme la plupart des gens, Quinn ne savait presque rien du monde du crime. Il n'avait jamais assassiné personne, jamais rien volé et ne connaissait ni assassin ni voleur. Il n'était jamais entré dans un commissariat, n'avait jamais rencontré de détective privé, n'avait jamais parlé à un criminel. Tout ce qu'il en savait, il l'avait appris dans des livres, des films et des journaux. Il ne considérait pourtant pas cela comme un handicap. Ce qui l'intéressait, dans les histoires qu'il écrivait, ce n'était pas leur relation au monde mais leur relation à d'autres histoires. Même avant de devenir William Wilson, Quinn avait été un lecteur assidu de romans policiers. Il savait que la plupart d'entre eux étaient mal écrits et qu'en général ils ne résistaient pas au plus faible des examens critiques, mais malgré tout il y avait en eux une forme qui l'avait séduit. Il lui fallait vraiment tomber sur un spécimen d'une rare médiocrité, incroyablement mauvais, pour refuser de le lire. Alors que ses goûts dans les autres domaines de lecture étaient rigoureux au point de paraître bornés, il n'exerçait dans ce genre-là pratiquement aucune discrimination. Lorsqu'il était dans une disposition favorable, il pouvait en lire dix ou douze d'affilée sans effort.

C'était une sorte de faim qui s'emparait de lui, l'envie irrépressible d'un mets particulier, et il ne s'arrêtait pas avant d'avoir mangé tout son soûl.

Ce qui lui plaisait, dans ces livres, c'était leur sens de l'abondance et de l'économie. Dans un bon roman policier rien n'est perdu, il n'y a pas de phrase ni de mot qui ne soient pas significatifs. Et même s'ils ne le sont pas en fait, ils le sont potentiellement, ce qui revient à la même chose. Le monde du livre s'anime et foisonne de possibilités, de secrets et de contradictions. Comme toute chose vue ou dite, même la plus petite, la plus banale, peut influer sur le dénouement de l'histoire, rien ne doit être négligé. Tout devient essentiel ; le centre du livre se déplace avec chaque événement qui le pousse en avant. Le centre en est donc partout et on ne peut en dessiner la circonférence avant que le livre n'ait pris fin.

Le détective est quelqu'un qui regarde, qui écoute, qui se déplace dans ce bourbier de choses et d'événements à l'affût de la pensée, de l'idée qui leur donnera une unité et un sens. En fait, l'écrivain et le détective sont interchangeables. Le lecteur voit le monde à travers les yeux de l'enquêteur, percevant la profusion des détails comme s'il les rencontrait pour la première fois. Il s'est éveillé aux choses qui l'entourent comme si elles pouvaient lui parler, comme si par l'attention qu'il leur porte désormais elles pouvaient se charger d'une signification qui dépasse le simple fait de leur existence. Détective privé. En anglais *private eye*, ce qui s'entendait aussi *private I* et comportait donc trois sens pour Quinn. D'abord ce *I* était la lettre symbolisant l'Investigateur. Mais c'était aussi le simple *I* signifiant "je", le petit bourgeon de vie dans un corps pourvu de souffle. C'était aussi l'œil *(eye)* de l'écrivain, l'œil de l'homme qui jette son regard sur le monde et exige que le monde se révèle à lui. Il y avait désormais cinq ans que Quinn vivait sous l'emprise de ce jeu de mots.

Depuis déjà longtemps il avait évidemment cessé de se penser comme réel. Pour autant qu'il vécût encore dans le monde c'était seulement de loin, à travers le personnage imaginaire de Max Work. Il était nécessaire que son détective fût réel. Le genre de ces livres l'exigeait. Alors que Quinn s'était permis de disparaître, de se retirer dans les confins d'une vie bizarre et hermétique, Work continuait à vivre dans le monde des autres. Et plus Quinn semblait s'évanouir, plus la présence de Work dans ce monde s'affirmait. Tandis que Quinn était enclin à se sentir déplacé dans sa propre peau, Work était agressif, avait la repartie facile et se sentait chez lui où qu'il pût se trouver. Les choses qui étaient problématiques pour Quinn étaient celles-là mêmes que Work tenait pour négligeables et il traversait le tohubohu de ses aventures avec une facilité et une indifférence qui ne manquaient jamais d'impressionner son créateur. Ce n'était pas exactement que Quinn aurait voulu être Work, ou même lui ressembler, mais il se sentait rassuré de faire comme s'il était Work lorsqu'il écrivait ses livres, de savoir qu'il avait la capacité d'être Work si un jour il le décidait, ne serait-ce que dans sa tête.

Cette nuit-là, lorsque enfin il glissa dans le sommeil, Quinn voulut imaginer ce que Work aurait dit à l'étranger au téléphone. Dans un rêve qu'il oublia plus tard, il se retrouva seul dans une pièce, déchargeant un pistolet contre un mur blanc et nu.

La nuit suivante, Quinn fut pris au dépourvu. Il avait cru l'incident clos et ne s'attendait pas que l'étranger rappelât. En fait, il était assis sur la cuvette des w.-c., en train de sortir un étron, lorsque le téléphone sonna. Il était un peu plus tard que la nuit précédente, peut-être une heure moins dix ou douze. Quinn était juste arrivé au chapitre qui relate le voyage de Marco Polo de Pékin à Amoy et il tenait le livre ouvert sur ses genoux tout en faisant ses affaires dans la minuscule salle de bains. La sonnerie du téléphone survint comme un dérangement non équivoque. Pour répondre promptement, il lui faudrait se lever sans s'essuyer et il répugnait à traverser ainsi l'appartement. D'un autre côté, s'il finissait à sa vitesse habituelle, il n'arriverait pas assez tôt au téléphone. Pourtant, Quinn sentit qu'il n'était pas disposé à bouger. Le téléphone n'était pas son objet préféré et il avait plus d'une fois envisagé de s'en débarrasser. Ce qui lui déplaisait le plus, c'était la tyrannie de cet appareil. Car non seulement il avait le pouvoir de l'interrompre contre son gré, mais Quinn finissait inévitablement par céder à ses ordres. Il décida, cette fois, de résister. Au troisième appel de la sonnerie son intestin était vidé. Au quatrième il avait réussi à s'essuyer. Au cinquième il avait remonté son pantalon, quitté la salle de bains et il traversait calmement l'appartement. Il répondit au sixième, mais il n'y avait personne à l'autre bout. Celui qui appelait avait raccroché.

La nuit suivante il était prêt. Etalé sur son lit, examinant les pages du *Sporting News*, il attendait que l'inconnu appelât une troisième fois. De temps à autre, quand ses nerfs le lâchaient, il se levait et arpentait l'appartement. Il mit un disque – l'opéra de Haydn, *Le Monde de la lune* – qu'il écouta du début à la fin. Il attendit et attendit. A deux heures et demie, il finit par abandonner et s'endormit.

Il attendit encore la nuit suivante et celle d'après. Il était sur le point de laisser tomber son plan en voyant qu'il s'était trompé dans toutes ses hypothèses, lorsque le téléphone sonna à nouveau. C'était le 19 mai. Il se souviendrait de cette date parce que c'était l'anniversaire de mariage de ses parents – ou aurait dû l'être, si ses parents avaient été en vie – et parce que sa mère lui avait dit un jour qu'il avait été conçu la nuit de ses noces. C'était quelque chose qui lui avait toujours plu – cette possibilité de préciser si exactement le premier instant de son existence – et, au fil des ans, il en était venu à célébrer confidentiellement, ce jour-là, son propre anniversaire. Cette fois, le téléphone sonna un peu plus tôt que les deux autres nuits – il n'était même pas onze heures – et, en soulevant le combiné, Quinn supposa qu'il s'agissait de quelqu'un d'autre.

— Allô ? dit-il.

A nouveau il y eut un silence à l'autre bout. Quinn sut aussitôt que c'était l'inconnu.

— Allô ? dit-il à nouveau. Que puis-je pour vous ?

— Oui, répondit enfin la voix. Le même chuchotement mécanique, le même ton désemparé. Oui, il le faut maintenant sans délai.

— Que faut-il ?

— Parler. Tout de suite. Parler tout de suite. Oui.

— Et à qui voulez-vous parler ?

— Toujours à la même personne. Auster. A celui qui s'appelle Paul Auster.

Cette fois Quinn n'hésita pas. Il savait ce qu'il allait faire et, maintenant que le moment était venu, il le fit.

— C'est lui-même, dit-il. C'est Auster qui vous parle.

— Enfin. Enfin je vous ai trouvé.

Il pouvait entendre le soulagement dans la voix, le calme tangible qui semblait soudain s'en emparer.

— C'est vrai, dit Quinn. Enfin.

Il fit une courte pause pour laisser les mots pénétrer autant chez lui que chez l'autre. "Que puis-je pour vous ?"

— J'ai besoin d'aide, dit la voix. Il y a grand danger. On dit que vous êtes le meilleur pour faire ce genre de choses.

— Ça dépend des choses que vous voulez dire.

— Je veux dire la mort. Je veux dire la mort et le meurtre.

— Ce n'est pas vraiment ma partie, répondit Quinn. Je ne m'occupe pas de tuer les gens.

— Non, dit la voix avec irritation. Je veux dire l'inverse.

— Quelqu'un va vous tuer ?

— Oui, me tuer. C'est ça. Je vais être assassiné.

— Et vous voulez que je vous protège ?

— Oui, que vous me protégiez. Et que vous trouviez celui qui va le faire.

— Vous ne savez pas qui c'est ?

— Si, je le sais. Bien sûr que je le sais. Mais je ne sais pas où il est.

— Pouvez-vous m'en parler ?

— Pas maintenant. Pas au téléphone. Il y a grand danger. Il faut que vous veniez ici.

— Demain, ça vous va ?

— Bien. Demain. De bonne heure, demain. Le matin.

— Dix heures ?

— Bien. Dix heures.

La voix donna une adresse dans la 69e rue, côté est.

— N'oubliez pas, monsieur Auster. Vous devez venir !

— Ne vous inquiétez pas, répondit Quinn. J'y serai.

2

Le lendemain matin Quinn se réveilla plus tôt qu'il ne l'avait fait depuis des semaines. Il but son café, beurra un toast, parcourut les résultats de base-ball dans le journal (les *Mets* avaient encore perdu, deux à un, à la suite d'une erreur dans la neuvième reprise), et pendant tout ce temps-là il ne lui revint nullement à l'esprit qu'il allait se présenter à son rendez-vous. Même cette expression, *son rendez-vous*, lui semblait bizarre. Ce n'était pas le sien, c'était celui de Paul Auster. Et qui donc était cet homme, Quinn n'en avait aucune idée.

Pourtant, le temps passant, il se surprit en train d'imiter assez bien quelqu'un qui s'apprête à sortir. Il débarrassa la table de la vaisselle du petit déjeuner, jeta le journal sur le divan, entra dans la salle de bains où il se doucha et se rasa, passa dans la chambre enveloppé de deux serviettes, ouvrit le placard et choisit ce qu'il allait porter ce jour-là. Il se découvrit un penchant pour une veste et une cravate. Quinn n'avait pas mis de cravate depuis les enterrements de sa femme et de son fils, et il ne pouvait même pas se rappeler s'il en possédait encore une. Elle était pourtant bien là, suspendue dans les vestiges de sa garde-robe. Il écarta la chemise blanche qui lui paraissait trop habillée et en choisit une autre, à carreaux gris et rouges, qui irait avec la cravate grise. Il s'habilla dans une sorte de transe.

C'est seulement en posant sa main sur le bouton de la porte qu'il commença à se douter de ce qu'il faisait. "C'est comme si je sortais", se dit-il. "Mais, si je sors, où vais-je précisément ?" Une heure plus tard, lorsqu'il descendit de l'autobus n° 4 au coin de la 70ᵉ rue et de la 5ᵉ avenue, il n'avait toujours pas répondu à cette question. D'un côté il vit le parc, verdoyant sous le soleil matinal, avec des ombres nettes et fugitives ; de l'autre, le bâtiment de la collection Frick, blanc et austère, comme livré à la mort. Il songea un instant au tableau de Vermeer, *Le Soldat et la Jeune Fille souriant*, en s'efforçant de se souvenir de l'expression du visage de la jeune fille, de la position exacte de ses mains autour du verre, du dos rouge de l'homme sans visage. Mentalement il entrevit la carte géographique de couleur bleue accrochée au mur, il revit le flot de lumière se déversant par la fenêtre, si semblable à l'éclat du soleil qui l'entourait en cet instant. Il marchait. Il traversait la rue et se dirigeait vers l'est. Arrivé à Madison Avenue, il prit à droite, continua vers le sud tout un pâté de maisons, puis tourna à gauche et vit où il était. "Il semble que je sois arrivé", se dit-il. Debout devant l'immeuble, il fit une pause. Il avait soudain l'impression que ça n'avait plus d'importance. Il se sentait remarquablement calme, comme si tout lui était déjà arrivé. En ouvrant la porte qui menait au hall d'entrée il se donna un dernier conseil. "Si tout cela se passe en réalité, dit-il, il faut que je garde les yeux ouverts."

C'est une femme qui lui ouvrit la porte de l'appartement. Curieusement, Quinn ne s'y était pas attendu et il en fut décontenancé. Déjà les choses se passaient trop vite. Avant même qu'il ait pu intégrer la présence de cette femme, se la décrire et s'en faire une impression, elle lui parlait et le forçait à répondre. D'emblée, donc, il perdait du terrain et s'enfonçait derrière lui-même. Plus tard, lorsqu'il aurait le temps de réfléchir à ces événements, il arriverait à nouer les fils de sa rencontre avec cette femme. Mais ce serait le travail du souvenir ; et les choses remémorées, il le savait, avaient tendance à déformer les choses telles qu'elles avaient été mises en mémoire. Par conséquent, il ne pouvait jamais être certain d'aucune d'entre elles.

La femme avait trente, peut-être trente-cinq ans ; taille moyenne tout au plus ; hanches un peu larges, ou voluptueuses, selon le point de vue ; cheveux bruns, yeux marron, et dans ces yeux un regard à la fois réservé et vaguement séducteur. Elle avait une robe noire et un rouge à lèvres très rouge.

— Monsieur Auster ? Elle esquissa un sourire et sa tête se pencha de façon interrogative.

— C'est exact, dit Quinn. Paul Auster.

— Je suis Virginia Stillman, dit-elle pour commencer. La femme de Peter. Il vous attend depuis huit heures.

— Le rendez-vous était pour dix heures, déclara Quinn en jetant un coup d'œil à sa montre. Il était exactement dix heures.

— Il ne tenait pas en place, expliqua-t-elle. Je ne l'ai jamais vu ainsi. Il ne supportait pas d'attendre.

Elle ouvrit la porte à Quinn. Lorsqu'il franchit le seuil pour entrer dans l'appartement, il éprouva un soudain passage à vide, comme si son cerveau s'était arrêté. Il avait bien eu l'intention d'emmagasiner les détails de ce qu'il voyait, mais c'était une tâche qui était en quelque sorte au-delà de ses possibilités du moment. L'appartement émergea autour de lui en une vision confuse. Il voyait bien que c'était un lieu aux vastes dimensions, comportant peut-être cinq ou six pièces, et qu'il était richement meublé, avec beaucoup d'objets d'art, des cendriers d'argent et, aux murs, des toiles dans des cadres finement travaillés. Mais ce fut tout. Rien qu'une impression globale – et pourtant il était là et regardait ces choses de ses propres yeux.

Il se retrouva assis sur un canapé, seul dans la salle de séjour. C'est alors qu'il se souvint que Mme Stillman lui avait demandé d'attendre pendant qu'elle allait chercher son mari. Mais il y avait combien de temps ? Sans doute guère plus d'une minute ou deux. Pourtant, à en juger par l'angle de la lumière qui entrait par les fenêtres, il devait être près de midi. Il ne lui vint quand même pas à l'idée de consulter sa montre. Le parfum de Virginia Stillman flottait autour de lui et il se mit à imaginer à quoi elle ressemblait lorsqu'elle était déshabillée. Puis il se demanda quelles auraient été les pensées de Max Work, à sa place. Il décida d'allumer une cigarette. Il rejeta la fumée dans la pièce. Il aimait bien la voir sortir de sa bouche en bouffées, se disperser, puis réapparaître lorsque les rayons de lumière s'emparaient d'elle.

Il entendit derrière lui quelqu'un entrer dans la pièce. Il se leva du canapé et se retourna, s'attendant à voir Mme Stillman. Mais c'était un jeune homme tout habillé de blanc, avec des cheveux d'une blondeur presque blanche comme ceux d'un enfant. En cet instant Quinn pensa fugitivement, avec malaise, à son propre enfant mort. Puis, aussi soudainement qu'elle lui était venue, cette pensée s'évanouit.

Peter Stillman traversa la pièce et prit place dans un fauteuil de velours rouge en face de Quinn. Il ne dit pas un mot en se dirigeant vers son siège. Il ne fit rien non plus pour montrer qu'il avait remarqué la présence de Quinn. L'acte de se déplacer d'un point à un autre semblait requérir toute son attention, comme si le fait de ne pas penser à ce qu'il faisait allait le réduire à l'immobilité. Quinn n'avait jamais vu quelqu'un se mouvoir ainsi et il sut aussitôt que c'était avec cet homme qu'il avait parlé au téléphone. Son corps fonctionnait presque de la même manière que la voix d'alors : machinalement, par à-coups, avec des alternances de gestes lents et rapides, d'une façon rigide et pourtant expressive ; on aurait dit que l'opération à laquelle il se livrait était au-delà de sa maîtrise et débordait la volonté sousjacente. Quinn eut l'impression que le corps de Stillman n'avait pas été sollicité pendant longtemps et que toutes ses fonctions avaient été réapprises, de sorte que le mouvement était redevenu un processus conscient, chaque geste se dissociant en sous-mouvements avec le résultat que toute la facilité naturelle et la spontanéité avaient été perdues. On aurait cru voir une marionnette tenter de marcher sans ses fils.

Tout, chez Peter Stillman, était blanc : chemise blanche ouverte au cou, pantalon blanc, chaussures blanches, chaussettes blanches. Avec la pâleur de sa peau, la blondeur filasse de ses cheveux minces, il faisait un effet de quasi-transparence comme si le regard pouvait traverser les veines bleues sous la peau de son visage. Et ces veines étaient presque de la même couleur que ses yeux : un bleu laiteux qui semblait se dissoudre dans un mélange de ciel et de nuages. Quinn ne pouvait pas s'imaginer adressant la parole à cet homme. Il semblait que la présence de Stillman commandait le silence.

Après s'être lentement calé dans son fauteuil, Stillman finit par reporter son attention sur Quinn. Lorsque leurs regards se rencontrèrent, Quinn eut la sensation subite que Stillman était devenu invisible. Bien qu'il puisse le voir assis en face de lui, il avait l'impression que le jeune homme n'était pas là. La pensée lui vint que Stillman était peut-être aveugle. Non, cela ne semblait pas possible. Cet homme le regardait, l'étudiait même, et si rien sur son visage ne montrait qu'il l'avait reconnu, ce même visage était animé par tout autre chose qu'un regard fixe et vide. Quinn ne savait que faire. Il restait bêtement assis sur son canapé, rendant à Stillman son regard. Un long moment passa.

— Je vous en prie, pas de questions, dit enfin le jeune homme. Oui. Non. Merci. Puis, après une pause : Je suis Peter Stillman. Je le dis de mon plein gré. Oui. Ce n'est pas mon véritable nom. Non. Certes, mon esprit n'est pas tout ce qu'il devrait être. Mais à cela on ne peut rien faire. Non. A cela. Non, non. On ne peut plus.

Vous êtes assis là et vous vous dites : Qui donc est cette personne qui me parle ? Quelles sont ces paroles qui sortent de sa bouche ? Je vais vous le dire. Ou bien je ne vous le dirai pas. Oui et non. Mon esprit n'est pas tout ce qu'il devrait être. Je le dis de mon plein gré. Mais j'essaierai. Oui et non. J'essaierai de vous raconter, même si mon esprit rend cela difficile. Merci.

Je m'appelle Peter Stillman. Vous avez peut-être entendu parler de moi, mais plus vraisemblablement pas. Aucune importance. Ce n'est pas mon véritable nom. Mon nom véritable, je ne peux pas m'en souvenir. Excusez-moi. Non que cela ait quelque importance. Je veux dire, encore.

C'est ce qui s'appelle parler. Je crois que c'est le mot. Quand des paroles sortent, s'envolent dans l'air, vivent un instant et meurent. Etrange, n'est-ce pas ? Je n'ai moi-même pas d'opinion. Non et encore non. Mais pourtant il y a des mots dont on aura besoin. Il y en a beaucoup. Beaucoup de millions, me semble-t-il. Peut-être seulement trois ou quatre. Excusez-moi. Mais je me débrouille bien, aujourd'hui. Tellement mieux que d'ordinaire. Si je peux vous donner les mots dont vous avez besoin, ce sera une grande victoire. Merci. Merci un million de fois.

Il y a longtemps, il y avait père et mère. Je ne me souviens de rien de tout ça. Ils disent : Mère est morte. Qui sont-ils, je ne peux le dire. Excusez-moi. Mais c'est ce qu'ils disent.

Pas de mère, donc. Ha, ha ! Voilà comment je ris maintenant, c'est le charabia qui m'éclate du ventre. Ha, ha, ha ! Gros père a dit : Ça n'a pas d'importance. Pour moi. C'est-à-dire pour lui. Gros père aux gros bras et au boum, boum, boum. Pas de questions maintenant, s'il vous plaît.

Je dis ce qu'ils disent parce que je ne sais rien. Je ne suis que le pauvre Peter Stillman, le garçon qui ne peut pas se souvenir. Bouh hou hou. Bon gré mal gré. Petit cornichon. Excusez-moi. Ils disent, ils disent. Mais le pauvre petit Peter, que dit-il, lui ? Rien, rien. Plus rien.

C'était ça. Noir. Très noir. Aussi noir que tout noir. Ils disent : C'était la chambre. Comme si je pouvais en parler. Du noir, je veux dire. Merci.

Noir, noir. Pendant neuf ans, disent-ils. Pas même une fenêtre. Pauvre Peter Stillman. Et le boum boum boum. Les collines de caca, les lacs de pipi. Les éva-nouissements. Excusez-moi. Tout nu et gelé. Excusez-moi. N'y a plus.

Donc il y a le noir. Je vous le dis. Il y avait à manger dans le noir, oui, de la nourriture toute molle dans la pièce toute sombre sans bruit. Il mangeait avec ses mains. Excusez-moi. Je veux dire Peter. Et si je suis Peter, tant mieux. C'est-à-dire tant pis. Excusez-moi. Je suis Peter Stillman. Ce n'est pas mon véritable nom. Merci.

Pauvre Peter Stillman. Quel petit garçon c'était. A peine quelques mots à lui. Et puis pas de mots, et puis personne, et puis pas de, pas de, pas. N'y a plus.

Pardonnez-moi, monsieur Auster. Je vois que je vous rends triste. Pas de questions, s'il vous plaît. Je m'appelle Peter Stillman. Ce n'est pas mon véritable nom. Mon vrai nom, c'est M. Triste. Comment vous appelez-vous, monsieur Auster ? C'est peut-être vous, le vrai M. Triste, et peut-être ne suis-je personne.

Bouh hou hou. Excusez-moi. C'est comme ça que je pleure et que je gémis. Bouh hou hou, grosses larmes. Qu'est-ce que Peter faisait dans cette chambre ? Personne ne saurait le dire. Certains affirment : rien. Quant à moi, je crois que Peter ne pouvait pas penser. Muait-il, puait-il, suait-il ? Ha, ha, ha ! Excusez-moi. Il m'arrive d'être si drôle.

Blambe clic craquecrunch touba. Clac clac patrac. Bruit sourd, tas de flac, mâchenomme. Ya, ya, ya. Excusez-moi. Je suis le seul qui comprenne ces paroles.

Plus tard, bien plus tard. Disent-ils. Ça a trop duré pour que Peter ait toute sa tête. Jamais plus ça. Non, non, non. Ils disent que quelqu'un m'a trouvé. Je ne me souviens pas. Non, je ne me souviens pas de ce qui est arrivé lorsqu'ils ont ouvert la porte et que la lumière a jailli. Non, non, non. Je ne peux rien en dire. Plus rien.

Pendant longtemps j'ai porté des lunettes noires. J'avais douze ans. C'est ce qu'ils disent. Je vivais dans un hôpital. Petit à petit, ils m'ont appris à être Peter Stillman. Ils ont déclaré : Tu es Peter Stillman. J'ai dit merci. Ya, ya, ya. Merci et merci, j'ai dit.

Peter était un bébé. Ils ont dû tout lui enseigner. A marcher, vous voyez. A manger. A faire caca et pipi dans les toilettes. C'était pas mal. Même quand je les mordais ils ne faisaient pas boum boum boum. Plus tard j'ai même cessé d'arracher mes habits.

Peter était un bon garçon. Mais c'était dur de lui apprendre des mots. Sa bouche ne marchait pas bien. Et puis il n'avait pas toute sa tête. Il disait ba ba ba. Et da da da. Et ouah ouah ouah. Excusez-moi. Ça a pris des années et encore des années. Alors ils ont dit à Peter : Tu peux partir, maintenant, nous ne pouvons plus rien faire pour toi. Peter Stillman, tu es un être humain, ils ont dit. C'est bon de croire ce que disent les docteurs. Merci. Merci mille fois.

Je suis Peter Stillman. Ce n'est pas mon véritable nom. Mon vrai nom c'est Peter Rabbit. L'hiver je suis M. Blanc, l'été je suis M. Vert. Pensez-en ce que vous voudrez. Je le dis de mon plein gré. Blambe clic craque-crunch touba. C'est beau, n'est-ce pas ? J'invente des mots comme ça tout le temps. On n'y peut rien. Ils sortent de ma bouche tout seuls. On ne peut pas les traduire.

Demandez et demandez. Ça ne sert à rien. Mais je vais vous dire. Je ne veux pas que vous soyez triste, monsieur Auster. Votre visage est si avenant. Vous me faites penser à un untel ou à un gémissement, je ne sais lequel des deux. Et vos yeux me regardent. Oui, oui. Je peux les voir. C'est très bien. Merci.

C'est pourquoi je vais vous raconter. Pas de questions, je vous prie. Vous vous interrogez sur toute la suite. C'est-à-dire le père. L'horrible père qui a fait toutes ces choses au petit Peter. Soyez rassuré. Ils l'ont emmené dans un endroit bien noir. Ils l'y ont enfermé et l'y ont laissé. Ha, ha, ha ! Excusez-moi. Il m'arrive d'être si drôle.

Treize ans, ont-ils dit. Peut-être est-ce long. Mais je ne sais rien du temps. Je suis tout neuf chaque jour. Je nais quand je m'éveille le matin, je vieillis pendant la journée et je meurs le soir quand je vais au lit. Ce n'est pas ma faute. Je me débrouille très bien aujourd'hui. Tellement mieux que jamais auparavant.

Pendant treize ans le père a été loin. Il s'appelle Peter Stillman, lui aussi. Bizarre, non, que deux personnes puissent avoir le même nom ? Je ne sais pas si c'est son véritable nom. Mais je ne pense pas qu'il soit moi. Nous sommes tous les deux Peter Stillman. Mais Peter Stillman n'est pas mon véritable nom. Alors je ne suis peut-être pas Peter Stillman, après tout.

Treize ans, ai-je dit. Ou plutôt ce sont eux qui le disent. C'est égal. Je ne sais rien du temps. Mais voici ce qu'ils me disent. Que demain c'est le terme de treize ans. C'est mauvais. Même s'ils ne le disent pas, c'est mauvais. Je ne suis pas censé me souvenir. Mais de temps à autre je me souviens, malgré ce que je dis.

Il viendra. C'est-à-dire, le père viendra. Et il essaiera de me tuer. Merci. Mais je ne veux pas. Non, non. Plus ça. Peter est vivant maintenant. Oui. Tout n'est pas en ordre, dans sa tête, mais il vit quand même. Et ce n'est pas rien, n'est-ce pas ? Tu parles, Charles. Ha, ha, ha !

Je suis surtout poète, maintenant. Chaque jour je reste dans ma chambre à écrire un nouveau poème. J'invente tous les mots moi-même, comme lorsque je vivais dans le noir. C'est comme ça que je commence à me souvenir, en faisant semblant d'être revenu dans le noir. Je suis le seul à savoir ce que ces mots signifient. Ils ne peuvent pas être traduits. Ces poèmes me rendront célèbre. J'ai tapé dans le mille. Ya, ya, ya. De beaux poèmes. Si beaux que le monde entier pleurera.

Plus tard, peut-être, je ferai autre chose. Lorsque j'en aurai fini d'être poète. Un jour ou l'autre je serai à court de mots, voyez-vous. Chacun n'a qu'un certain nombre de mots en lui. Et où serai-je alors ? Je crois que je voudrais être pompier, ensuite. Et après ça docteur. La dernière chose que je serai c'est funambule. Quand je serai très vieux et que j'aurai enfin appris à marcher comme tout le monde. C'est alors que je danserai sur le fil et les gens en seront abasourdis. Même les petits enfants. C'est ce que j'aimerais. Danser sur un fil jusqu'à ce que je meure.

Mais passons. Ça n'a pas d'importance. Pour moi. Comme vous pouvez voir, je suis riche. Je n'ai pas de soucis à me faire. Non, non. Pas à ce sujet. Pour sûr, Arthur ! Le père était riche et le petit Peter a reçu tout l'argent lorsqu'ils l'ont enfermé dans le noir. Ha, ha, ha ! Excusez-moi de rire. Il m'arrive d'être si drôle.

Je suis le dernier des Stillman. Ça, c'était une famille, du moins le prétendent-ils. Du vieux Boston, au cas où vous en auriez entendu parler. Je suis le dernier. Il n'y en a pas d'autres. Je suis la fin de tous, le dernier homme. Tant mieux, me dis-je. Ce n'est pas dommage que tout ça prenne fin maintenant. C'est bien pour tout le monde d'être mort.

Le père n'était peut-être pas vraiment mauvais. Du moins c'est ce que je me dis à présent. Il avait une grosse tête. Grosse comme tout, ce qui veut dire qu'il y avait trop de place là-dedans. Tant de pensées, dans cette grosse tête. Mais pauvre Peter, pas vrai ? Dans une sale passe, il était. Peter qui ne pouvait ni voir, ni dire, ni penser, ni agir. Peter qui ne pouvait. Non. Rien.

Je ne sais rien de tout cela. Je n'y comprends rien non plus. C'est ma femme qui me raconte ces choses. Elle dit que c'est important pour moi de savoir même si je ne comprends pas. Mais même cela je ne le comprends pas. Pour savoir il faut comprendre. N'est-ce pas vrai ? Mais je ne sais rien. Peut-être suis-je Peter Stillman et peut-être pas. Mon vrai nom, c'est Peter Personne. Merci. Et qu'est-ce que vous pensez de ça ?

Donc je vous parle du père. C'est une belle histoire, même si je ne la comprends pas. Je peux vous la raconter parce que je connais les paroles. Et ce n'est pas rien, n'est-ce pas ? Je veux dire de connaître les paroles. Il m'arrive d'être si fier de moi ! Excusez-moi. C'est ce que raconte ma femme. Elle dit que le père parlait de Dieu. Du divin, un mot marrant qui fait penser à du vin. Pop, glou glou. Le langage du vin. C'est beau, c'est si joli et si vrai. Comme les mots que j'invente.

Bon. Je disais. Le père parlait du divin. Il voulait savoir si Dieu avait un langage. Ne me demandez pas ce que ça veut dire. Je vous raconte seulement parce que je connais les paroles. Le père croyait qu'un bébé qui ne verrait personne pourrait parler cette langue. Mais quel bébé y avait-il ? Ah ! maintenant vous commencez à comprendre. On n'avait pas besoin d'en acheter un. Bien sûr, Peter connaissait quelques-uns des mots des gens. On ne pouvait pas empêcher ça. Mais le père croyait que peut-être Peter les oublierait. Après un certain temps. C'est pourquoi il y avait tant de boum, boum, boum. Chaque fois que Peter prononçait une parole, son père lui faisait boum. Peter a fini par apprendre à ne rien dire. Ya, ya, ya. Merci.

Peter gardait les mots en lui. Pendant tous ces jours, ces mois et ces années. Là, dans le noir, le petit Peter tout seul, et les mots faisaient du bruit dans sa tête et lui tenaient compagnie. C'est pourquoi sa bouche ne marche pas bien. Pauvre Peter. Bouh hou hou. C'est comme ça qu'il pleure. Le petit garçon qui ne peut jamais grandir.

Peter peut parler comme les gens, à présent. Mais il a encore les autres mots dans sa tête. Ils forment la langue de Dieu et personne d'autre ne peut les dire. On ne peut pas les traduire. C'est pourquoi Peter vit si près de Dieu. C'est pourquoi Peter est un poète célèbre.

Tout va si bien pour moi, à présent. Je peux faire tout ce qui me plaît. Quand je veux, où je veux. J'ai même une femme. Vous pouvez le constater. Je l'ai déjà mentionnée. Vous l'avez même peut-être déjà rencontrée. Elle est belle, n'est-ce pas ? Elle s'appelle Virginia. Ce n'est pas son véritable nom. Mais c'est égal. Pour moi.

Chaque fois que je le demande, ma femme me trouve une fille. Des putes. Je leur mets mon ver dedans et elles gémissent. Il y en a tant eu. Ha, ha ! Elles montent ici et je les baise. C'est bon de baiser. Virginia leur donne de l'argent et tout le monde est content. Pour sûr, Arthur. Ha, ha !

Pauvre Virginia. Elle n'aime pas baiser. C'est-à-dire avec moi. Peut-être baise-t-elle avec quelqu'un d'autre. Qui sait ? Pas moi. C'est égal. Mais peut-être si vous êtes gentil avec Virginia elle vous permettra de la baiser. Ça me ferait plaisir. Pour vous. Merci.

Donc. Il y a plein de choses. Je m'efforce de vous les raconter. Je sais que tout n'est pas en ordre dans ma tête. Il est vrai, oui, et je le dis de mon plein gré, que parfois je hurle et hurle sans m'arrêter. Sans raison valable. Comme s'il fallait une raison. En tout cas, pas pour une raison que je vois. Ni quelqu'un d'autre. Non. Et puis il y a les fois où je ne dis rien. Pendant des jours et des jours. Rien, rien, rien. J'oublie comment on fait sortir les sons de la bouche. Alors c'est dur pour moi de bouger. Ya ya. Ou même d'y voir. C'est alors que je devins M. Triste.

J'aime encore être dans le noir. Au moins de temps à autre. Ça me fait du bien, je crois. Dans le noir, je parle la langue de Dieu et personne ne peut m'entendre. Ne vous mettez pas en colère, je vous prie. Je ne peux pas m'en empêcher.

Ce qu'il y a de mieux, c'est l'air. Oui. Petit à petit, j'ai appris à vivre dans cet air. L'air et la lumière, oui, elle aussi, la lumière qui brille sur toutes les choses et les place là pour que mes yeux les voient. Il y a l'air et la lumière et c'est ce qu'il y a de mieux. Excusez-moi. L'air et la lumière. Oui. Quand le temps est au beau, j'aime m'asseoir près de la fenêtre ouverte. Parfois je regarde dehors et j'observe ce qui se passe plus bas. La rue et tous les gens, les chiens et les voitures, les briques du bâtiment de l'autre côté de la rue. Et puis il y a quand je ferme les yeux et que je reste là, assis, avec la brise qui me passe sur le visage. La lumière est à l'intérieur de l'air, elle m'entoure, elle est juste là à la limite de mes yeux, et le monde est tout rouge, d'un rouge magnifique dans mes yeux quand le soleil brille sur moi et sur mes paupières.

Il est vrai que je sors rarement. C'est dur, pour moi, et on ne peut pas toujours me faire confiance. Parfois je hurle. Ne vous fâchez pas contre moi je vous prie. Je n'y peux rien. Virginia dit que je dois apprendre à me conduire en public. Mais parfois je ne peux pas m'en empêcher et les cris sortent tout seuls de moi.

J'aime vraiment aller au parc. Il y a les arbres, l'air et la lumière. Dans tout cela, il y a du bon, n'est-ce pas ? Oui. Petit à petit, je deviens meilleur en moi-même. Je peux le sentir. Même le docteur Wyshnegradsky le dit. Je sais que je suis encore l'enfant marionnette. On n'y peut rien. Non, rien. Plus rien. Mais parfois je pense que je finirai par grandir et être pour de vrai.

Pour l'heure, je suis encore Peter Stillman. Ce n'est pas mon véritable nom. Je ne peux pas dire qui je serai demain. Chaque jour est neuf et chaque jour je renais. Je vois partout de l'espoir, même dans le noir, et lorsque je mourrai je deviendrai peut-être Dieu.

Il y a encore bien des paroles à prononcer. Mais je ne crois pas que je vais les dire. Non. Pas aujourd'hui. Ma bouche est fatiguée, à présent, et je pense qu'est venue l'heure où je dois partir. Bien entendu, je ne sais rien de l'heure. Mais ça n'a pas d'importance. Pour moi. Merci beaucoup. Je sais que vous me sauverez la vie, monsieur Auster. Je compte sur vous. La vie ne peut durer qu'un certain temps, comprenez-vous ? Tout le reste est dans la chambre avec le noir, avec la langue de Dieu, avec les hurlements. Ici, je fais partie de l'air, un beau partenaire pour la lumière, quand elle lui brille dessus. Peut-être vous souviendrez-vous de cela. Je suis Peter Stillman. Ce n'est pas mon véritable nom. Merci beaucoup.

3

Le discours était terminé. Quinn n'aurait pas su dire combien il avait duré. Car c'était seulement à présent, après que les paroles avaient cessé, qu'il se rendait compte qu'ils étaient assis dans le noir. Apparemment une journée entière s'était écoulée. Pendant le monologue de Stillman il y avait bien eu un moment, dans la pièce, où le soleil s'était couché, mais Quinn ne l'avait pas remarqué. A présent seulement, il pouvait percevoir l'obscurité et le silence, et sa tête en bourdonnait. Plusieurs minutes passèrent. Quinn pensait que c'était peut-être à lui de dire quelque chose, désormais, mais il ne pouvait pas en être certain. Il entendait Peter Stillman respirer lourdement à l'endroit où il se trouvait, de l'autre côté de la salle. Sinon, il n'y avait aucun bruit. Quinn n'arrivait pas à se décider. Il pensa à plusieurs possibilités qu'il chassa une à une de son esprit. Il était là, assis sur son siège, en attendant la suite.

Un bruit de jambes gainées de bas traversant le séjour brisa enfin le silence. Puis le déclic métallique d'un interrupteur de lampe et soudain la pièce fut remplie de lumière. Les yeux de Quinn se tournèrent automatiquement vers le lieu d'où elle venait et là, debout près d'une lampe de bureau à gauche de la chaise de Peter, il vit Virginia Stillman. Le jeune homme regardait droit devant lui, comme s'il dormait les yeux ouverts. Mme Stillman se pencha, passa un bras autour des épaules de Peter et lui parla doucement à l'oreille.

— C'est l'heure, Peter, dit-elle. Mme Saavedra t'attend.

Peter leva les yeux et sourit.

"Je suis rempli d'espoir", dit-il.

Virginia Stillman déposa tendrement un baiser sur la joue de son mari. "Dis au revoir à M. Auster."

Peter se leva. Ou plutôt il se lança dans la triste et lente aventure consistant à manœuvrer son corps pour l'extraire du fauteuil et le mettre sur ses pieds. A chaque étape il y avait des rechutes, des écroulements, des brusques départs en arrière accompagnés d'accès soudains d'immobilité, des grognements et des mots dont Quinn n'arrivait pas à déchiffrer le sens.

Peter avait fini par se redresser. Debout devant son fauteuil, avec un air de triomphe, il regarda Quinn dans les yeux. Alors il sourit, d'un grand sourire où il n'y avait aucune gêne.

— Au revoir, dit-il.

— Au revoir, Peter, répondit Quinn.

Peter fit un petit geste convulsif d'adieu, puis se retourna lentement et traversa la pièce. Il chancelait en marchant, penchant tantôt à droite, tantôt à gauche, ses jambes cédant et se verrouillant en alternance. A l'autre extrémité du séjour se tenait une femme d'âge mûr, vêtue d'un uniforme blanc d'infirmière. Quinn supposa qu'il s'agissait de Mme Saavedra. Il suivit Peter Stillman des yeux jusqu'à ce que le jeune homme eût franchi la porte et disparu.

Virginia Stillman prit alors, en face de Quinn, le fauteuil que son mari venait d'occuper.

— J'aurais pu vous épargner tout cela, dit-elle, mais j'ai pensé qu'il valait mieux que vous puissiez voir les choses de vos propres yeux.

— Je comprends, fit Quinn.

— Non, je ne crois pas, poursuivit la femme d'un ton amer, je ne crois pas que quiconque puisse comprendre.

Quinn sourit d'un air judicieux puis s'ordonna à lui-même de se jeter à l'eau.

— Ce que je comprends ou ne comprends pas, lança-t-il, est sans doute de peu d'importance. Vous m'avez engagé pour faire un travail, et le plus tôt je m'y mettrai, le mieux ce sera. D'après ce que je peux en déduire, l'affaire est urgente. Je ne prétends aucunement comprendre Peter ou même ce que vous avez souffert. Mais ce qui est important c'est que je suis prêt à apporter mon aide. Et quelle qu'en soit la valeur je crois que vous devriez l'accepter.

Il s'animait, maintenant. Quelque chose lui disait qu'il avait trouvé le ton juste, et une sensation subite de plaisir se répandit en lui comme s'il avait réussi à franchir une frontière à l'intérieur de lui-même.

— Vous avez raison, répondit Virginia Stillman. Evidemment, vous avez raison.

La femme fit une pause, inspira profondément, puis s'arrêta à nouveau comme si elle répétait dans sa tête les phrases qu'elle allait dire. Quinn remarqua qu'elle avait les mains crispées sur les bras du fauteuil.

— Je sais bien, reprit-elle, que la plupart des choses que raconte Peter sont difficiles à démêler – surtout la première fois qu'on l'entend. J'étais dans la pièce à côté et j'écoutais ce qu'il vous disait. Il ne faut pas supposer que Peter rapporte toujours la vérité. Mais, par ailleurs, il serait faux de croire qu'il ment.

— Vous voulez dire que je devrais croire certaines des choses qu'il raconte mais pas d'autres.

— C'est cela même.

— Vos habitudes sexuelles ou votre manque d'habitudes ne me concernent pas, madame Stillman, déclara Quinn. Même si ce que Peter a dit est vrai, ça n'a pas d'importance. Dans ce genre de travail on est susceptible de rencontrer un peu de tout, et si on n'apprend pas à suspendre ses jugements on n'arrive à rien. J'ai l'habitude d'entendre les secrets des gens, et j'ai aussi l'habitude de tenir ma bouche fermée. Si un fait n'a pas d'incidence directe sur le cas, il n'a pour moi aucune utilité.

Mme Stillman rougit.

— Je voulais seulement que vous sachiez que ce que Peter a dit n'est pas vrai.

Quinn haussa les épaules, prit une cigarette et l'alluma.

— Vrai ou pas, dit-il, ça n'a pas d'importance. Ce qui m'intéresse ce sont les autres choses que Peter a dites. Je les prends pour vraies, et, si elles le sont, j'aimerais savoir ce que vous en dites.

— Oui, elles sont vraies.

Virginia Stillman relâcha son étreinte sur les accoudoirs et plaça sa main droite sous son menton. L'air pensif. Comme si elle recherchait une attitude d'honnêteté à toute épreuve.

— Peter le raconte d'une façon enfantine. Mais ce qu'il a dit est vrai.

— Parlez-moi du père. N'importe quoi qui vous semble pertinent.

— Le père de Peter est un Stillman de Boston. Je suis sûre que vous avez entendu parler de cette famille. Elle a produit plusieurs gouverneurs au XIXe siècle, un certain nombre d'évêques de l'Eglise épiscopale, des ambassadeurs, un président de Harvard. En même temps c'est une famille qui a gagné beaucoup d'argent dans le textile, le commerce maritime et Dieu sait quoi. Peu importent les détails. C'est pour vous donner une idée de l'arrière-plan.

Le père de Peter est allé à Harvard, comme tout le monde dans la famille. Il a étudié la philosophie et la religion, et, au dire de tous, il était fort brillant. Il a fait sa thèse sur les interprétations théologiques du Nouveau Monde aux XVIe et XVIIe siècles. Puis il a travaillé au département de religion de l'université Columbia. Peu après, il a épousé la mère de Peter. Je ne sais pas grand-chose d'elle. D'après les photos que j'ai vues elle était très jolie. Mais délicate – un peu comme Peter avec ces yeux bleu pâle et cette peau blanche. Lorsque Peter est né, quelques années plus tard, la famille habitait un grand appartement du Riverside Drive. La carrière universitaire de Stillman prospérait. Il a réécrit sa thèse pour en faire un livre – qui a très bien marché – et il n'avait que trente-quatre ou trente-cinq ans lorsqu'il a été nommé professeur en titre. Puis la mère de Peter est morte. Tout ce qui se rapporte à cette mort est peu clair. Stillman a prétendu qu'elle était morte en dormant mais les indices semblent indiquer un suicide. Quelque chose à voir avec une surdose de médicaments, mais évidemment on n'a rien pu prouver. Il a même été dit que c'était lui qui l'avait tuée. Il ne s'agissait que de on-dit et il n'en est jamais rien sorti. Toute l'affaire a été entourée de grande discrétion.

Peter n'avait que deux ans, à l'époque, et c'était un enfant absolument normal. Après la mort de sa femme, il semble que Stillman n'ait pas eu grand-chose à voir avec lui. Une nourrice a été engagée et pendant les quelque six mois qui ont suivi elle a eu la charge complète de Peter. Puis, du jour au lendemain, Stillman l'a chassée. J'oublie son nom – une certaine Mlle Barber, je crois – mais elle a témoigné au procès. Il semblerait que Stillman soit rentré un jour et qu'il lui ait dit que désormais c'était lui qui se chargeait d'élever Peter. Il a envoyé sa démission à Columbia et leur a dit qu'il quittait l'université pour se consacrer à temps plein à son fils. Il n'y avait pas, bien sûr, d'obstacle d'argent et personne ne pouvait rien y faire.

Ensuite il a plus ou moins disparu de la circulation. Il a gardé le même appartement, mais il sortait à peine. Personne ne sait vraiment ce qui s'est passé. Je pense qu'il est probable qu'il s'est mis à croire à quelques-unes des idées religieuses extravagantes sur lesquelles il avait écrit. Ça l'a rendu fou, absolument dément. On ne peut pas dire ça autrement. Il a enfermé Peter dans une pièce de l'appartement, il a recouvert les fenêtres et l'a gardé comme ça pendant neuf ans. Essayez de vous représenter cela, monsieur Auster. Neuf ans. Une enfance entière passée dans l'obscurité, isolée du monde, sans aucun contact humain à part une raclée de temps à autre. Je vis avec le résultat de cette expérience et je peux vous dire que les dégâts ont été monstrueux. Ce que vous avez vu aujourd'hui, c'est Peter au meilleur de sa forme. Il a fallu treize ans pour l'amener à ça et je ne suis pas près de laisser quelqu'un lui faire à nouveau du mal.

Mme Stillman s'arrêta pour reprendre souffle. Quinn sentit qu'elle était au bord d'une crise et qu'un mot de plus risquait de la faire basculer. Il fallait qu'il parle tout de suite, sinon la conversation lui échapperait.

— Comment a-t-on découvert Peter, en fin de compte ?

La femme perdit un peu de sa tension. Elle souffla de façon audible et regarda Quinn en face.

— Il y a eu un incendie, dit-elle.

— Accidentel, ou provoqué ?

— Nul ne sait.

— Qu'en pensez-vous ?

— Je pense que Stillman était dans son bureau. C'est là qu'il gardait les registres de son expérience, et je crois qu'il a fini par comprendre que son œuvre était un échec. Je ne dis pas qu'il regrettait quoi que ce soit. Mais même en prenant les choses avec ses propres critères, il savait qu'il avait échoué. Je crois qu'il a atteint cette nuit-là un degré extrême de dégoût de lui-même et qu'il a décidé de brûler ses papiers. Mais le feu lui a échappé et une grande partie de l'appartement a brûlé. Par bonheur, la pièce de Peter était à l'autre bout d'un long couloir et les pompiers sont arrivés à temps jusqu'à lui.

— Et puis ?

— Il a fallu plusieurs mois pour tout démêler. Les papiers de Stillman avaient été détruits, ce qui signifiait qu'il n'y avait pas de preuve concrète. Mais, par ailleurs, il y avait l'état de Peter, la pièce où il avait été enfermé, ces horribles planches qui barraient les fenêtres, et la police a fini par se faire une image cohérente du cas. Stillman a donc été cité en justice.

— Que s'est-il passé au tribunal ?

— Stillman a été jugé fou et interné.

— Et Peter ?

— Lui aussi est allé dans un hôpital. Il y est resté jusqu'à il y a tout juste deux ans.

— C'est là que vous avez fait sa connaissance ?

— Oui, à l'hôpital.

— Comment ?

— J'étais son orthophoniste. J'ai travaillé avec Peter tous les jours pendant cinq ans.

— Je ne veux pas me mêler de ce qui ne me regarde pas. Mais comment exactement cela a-t-il pu mener à un mariage ?

— C'est compliqué.

— Ça vous embête de m'en parler ?

— Pas vraiment. Mais je crois que vous ne comprendriez pas.

— Il n'y a qu'une façon de savoir.

— Bon, pour dire les choses simplement, c'était la meilleure façon de faire sortir Peter de l'hôpital et de lui donner une chance de mener une existence plus normale.

— N'aurait-il pas été possible pour vous d'être sa tutrice légale ?

— La procédure est très compliquée. De plus, Peter n'était plus mineur.

— Est-ce que cela n'impliquait pas un sacrifice extraordinaire de votre part ?

— Pas vraiment. J'avais déjà été mariée une fois et ç'avait été désastreux. Ce n'est pas le genre de choses que je voudrais revivre. Au moins, avec Peter, ma vie a un but.

— Est-il vrai que Stillman va être relâché ?

— Demain. Il arrive à la gare Grand Central demain soir.

— Et vous estimez qu'il pourrait se mettre à la poursuite de Peter. Est-ce que c'est seulement une intuition ou bien avez-vous quelque indice ?

— Un peu des deux. Il y a deux ans, ils étaient sur le point de relâcher Stillman. Mais il a écrit à Peter une lettre que j'ai montrée aux autorités. Elles ont alors jugé que finalement il n'était pas prêt pour sa sortie.

— Quelle sorte de lettre était-ce ?

— Une lettre de fou. Il traitait Peter d'enfant-démon et déclarait que viendrait le jour du règlement.

— Est-ce que vous avez toujours cette lettre ?

— Non. Je l'ai donnée à la police il y a deux ans.

— Une copie ?

— Je regrette. Vous pensez que c'est important ?

— Ça pourrait l'être.

— Je peux essayer de vous en obtenir une, si vous voulez.

— Je suppose qu'il n'y a pas eu d'autres lettres après celle-là.

— Non. Plus de lettres. Et maintenant ils estiment que Stillman peut être relâché. C'est le point de vue officiel, en tout cas, et il n'y a rien que je puisse faire pour les en empêcher. Mais ce que je crois, c'est que Stillman a tout simplement tiré les conclusions de la dernière fois. Il a compris qu'avec des lettres et des menaces il resterait enfermé.

— Vous vous inquiétez donc encore.

— C'est cela.

— Mais vous n'avez pas une idée précise de ce que pourraient être les projets de Stillman.

— C'est exact.

— Que voulez-vous que je fasse ?

— Je veux que vous l'observiez attentivement. Je veux que vous découvriez ce qu'il veut faire. Je veux que vous le teniez à l'écart de Peter.

— Autrement dit, un travail de filature un peu amélioré.

— Si vous voulez.

— Je crois que vous devez comprendre que je ne peux pas empêcher Stillman de venir jusqu'à cette maison. Ce que je peux faire, en revanche, c'est vous en avertir. Et je peux aussi me charger de l'accompagner ici.

— Je comprends. Tant qu'il y a une protection.

— Bien. Vous voulez que je me mette en rapport avec vous tous les combien ?

— J'aimerais que vous me teniez au courant chaque jour. Disons, un appel téléphonique le soir, vers dix, onze heures.

— Pas de problème.

— Y a-t-il autre chose ?

— Juste quelques questions, encore. J'aimerais bien savoir, entre autres, comment vous avez découvert que Stillman allait arriver demain à la gare Grand Central.

— Je me suis chargée de le savoir, monsieur Auster. Trop de choses sont en jeu dans cette affaire pour que je laisse faire le hasard. Et si Stillman n'est pas pris en filature dès qu'il descendra du train, il risque aisément de disparaître sans laisser de trace. Je ne veux pas que ça se produise.

— Il arrive par quel train ?

— Celui de dix-huit heures quarante et une, en provenance de Poughkeepsie.

— Je suppose que vous avez une photo de Stillman ?

— Mais bien sûr.

— Il y a aussi la question de Peter. J'aimerais savoir pourquoi, finalement, vous lui avez parlé de tout cela. N'aurait-il pas mieux valu passer l'affaire sous silence ?

— C'est ce que je voulais faire. Mais il s'est trouvé que Peter écoutait sur l'autre poste lorsque j'ai appris au téléphone que son père allait sortir. Je n'ai rien pu y faire. Peter peut être extrêmement têtu et j'ai appris qu'il vaut mieux ne pas lui mentir.

— Une dernière question. Qui est-ce qui vous a adressée à moi ?

— Le mari de Mme Saavedra, Michael. Il a été policier et il a fait sa petite enquête. Il a appris que vous étiez le meilleur, dans notre ville, pour ce genre de choses.

— Je me sens flatté.

— Si j'en crois ce que j'ai vu de vous jusqu'à présent, monsieur Auster, je suis certaine que nous avons trouvé la personne qu'il fallait.

Quinn profita de ce mot pour se lever. Il fut soulagé de pouvoir enfin déplier ses jambes. Les choses s'étaient bien passées, bien mieux qu'il ne s'y était attendu, mais sa tête commençait à lui faire mal et son corps souffrait d'un épuisement tel qu'il n'en avait pas ressenti depuis des années. S'il continuait un tant soit peu il allait se trahir à coup sûr.

— Je vous demanderai cent dollars par jour, plus les défraiements, s'exclama-t-il. Si vous pouvez me verser quelque chose d'avance ce serait une preuve que je travaille pour vous. Ce qui garantirait que notre relation de client à détective est une relation privilégiée. C'est-à-dire que tout ce qui a lieu entre nous serait absolument confidentiel.

Virginia Stillman sourit, comme sous l'effet d'une plaisanterie toute personnelle. A moins qu'elle n'eût seulement réagi au double sens possible de la dernière phrase de Quinn. Comme pour tant de choses qui lui arrivèrent les jours et les semaines qui suivirent, Quinn resta dans l'incertitude.

— Combien voudriez-vous ? demanda-t-elle.

— Ça m'est égal. A votre appréciation.

— Cinq cents ?

— Cela suffira amplement.

— Bien, je vais chercher mon carnet de chèques. (Virginia Stillman se leva et lui sourit à nouveau.) Je vais vous donner aussi une photo du père de Peter. Je crois savoir exactement où elle se trouve.

Quinn la remercia et dit qu'il attendrait. Il la regarda quitter la pièce et se surprit encore une fois en train d'imaginer à quoi elle ressemblait toute déshabillée. Est-ce qu'elle était en train de le séduire, se demanda-t-il, ou bien était-ce son propre esprit qui se remettait à faire du sabotage ? Il décida de reporter ses méditations et de se pencher sur la question ultérieurement.

Virginia Stillman revint dans la pièce en déclarant : "Voici le chèque, j'espère l'avoir rempli comme il faut."

Mais oui, mais oui, se dit Quinn en examinant le chèque, tout est parfait. Il se trouvait astucieux et ça lui plaisait. Car le chèque était établi au nom de Paul Auster, ce qui faisait qu'on ne pouvait pas inculper Quinn de s'être fait passer pour un détective privé sans avoir de carte professionnelle. Il fut rassuré de savoir que d'une certaine façon il s'était mis à l'abri. Le fait qu'il ne pourrait jamais encaisser ce chèque ne le troublait pas. Il comprenait, même alors, qu'il ne faisait rien de tout cela pour de l'argent. Il fit glisser le chèque dans la poche intérieure de sa veste.

— Je regrette de ne pas avoir de photo plus récente, disait Virginia Stillman. Celle-ci a plus de vingt ans. Mais j'ai bien peur de ne rien pouvoir faire de mieux.

Quinn regarda l'image du visage de Stillman espérant une soudaine épiphanie, l'émergence subite d'un savoir enfoui dans les profondeurs qui l'aiderait à comprendre cet homme. Mais le portrait ne lui dit rien. Ce n'était rien de plus qu'une photo d'homme. Il l'étudia encore un instant et en conclut que ç'aurait pu tout aussi bien être n'importe qui.

— Je la regarderai plus attentivement chez moi, dit-il en la mettant dans la poche où il avait fait disparaître le chèque. En tenant compte du passage du temps, je suis sûr de pouvoir le reconnaître à la gare demain.

— Je l'espère, dit Virginia Stillman. C'est terriblement important et je compte sur vous.

— Ne vous inquiétez pas, répondit Quinn, je n'ai encore laissé personne en rade.

Elle l'accompagna jusqu'à la porte. Pendant plusieurs secondes ils s'immobilisèrent en silence, ne sachant s'ils devaient ajouter autre chose ou si le moment de se dire au revoir était venu. Dans ce minuscule laps de temps, Virginia Stillman jeta soudain les bras autour de Quinn, chercha ses lèvres avec les siennes et l'embrassa passionnément, enfonçant sa langue profondément dans la bouche de Quinn. Il fut tellement pris au dépourvu qu'il faillit presque ne pas y prendre plaisir.

Lorsque enfin Quinn put à nouveau respirer, Mme Stillman l'avait repoussé à bout de bras et disait : "C'était pour vous prouver que Peter ne vous racontait pas la vérité. Il est très important que vous me croyiez."

— Je vous crois, déclara Quinn. Et même si je ne vous croyais pas, ça n'aurait pas grande importance.

— Je voulais simplement que vous sachiez de quoi je suis capable.

— Il me semble que j'en ai une bonne idée.

Elle prit la main droite de Quinn dans les siennes et l'embrassa. "Merci, monsieur Auster. Je crois vraiment que vous êtes la solution."

Il promit de lui téléphoner le lendemain soir, puis se retrouva en train de franchir la porte, de descendre par l'ascenseur et de quitter l'immeuble. Il était plus de minuit lorsqu'il posa le pied dans la rue.

4

Quinn avait déjà entendu parler de cas semblables à celui de Peter Stillman. A l'époque de son autre vie, peu après la naissance de son propre fils, il avait fait le compte rendu d'un livre sur l'enfant sauvage de l'Aveyron et, à cette occasion, il avait effectué quelques recherches sur le sujet. Pour autant qu'il pût s'en souvenir, le premier récit d'une expérience de ce genre se trouvait chez Hérodote : le pharaon égyptien Psammétique Ier, au VIIe siècle avant Jésus-Christ, avait fait placer deux nourrissons en isolement et ordonné au serviteur qui s'en occupait de ne jamais prononcer un mot en leur présence. Selon Hérodote – dont les chroniques sont notoirement peu dignes de confiance – les enfants apprirent à parler et leur premier mot fut "pain" en phrygien. Au Moyen Age, l'empereur romain germanique Frédéric II renouvela l'expérience, espérant découvrir par de telles méthodes la véritable "langue naturelle" de l'homme. Mais les enfants moururent avant d'avoir dit la moindre parole. Enfin – dans ce qui n'était certainement qu'un canular –, le roi d'Ecosse Jacques IV prétendit que les enfants écossais semblablement isolés finissaient par parler "un très bon hébreu".

Il n'y eut pourtant pas que des excentriques et des idéologues pour s'intéresser à ce sujet. Même quelqu'un d'aussi sensé et d'aussi sceptique que Montaigne a examiné la question avec attention et, dans son essai le plus important, l'*Apologie de Raymond Sebond*, il écrit : "Toutefois, je crois qu'un enfant qu'on auroit nourry en pleine solitude, esloigné de tout commerce (ce qui seroit un essay mal aisé à faire), auroit quelque espece de parolle pour exprimer ses conceptions ; et n'est pas croyable que nature nous ait refusé ce moyen qu'elle a donné à plusieurs autres animaux (…). Mais cela est à sçavoir quel langage parleroit cet enfant ; et ce qui s'en dict par divination n'a pas beaucoup d'apparence."

En plus de ces expériences, il y avait les cas d'isolement accidentel – enfants perdus dans les bois, marins abandonnés sur des îles désertes, jeunes humains élevés par des loups – ainsi que les cas où des parents sadiques et cruels avaient enfermé leurs enfants, les avaient enchaînés à des lits, les avaient séquestrés et battus dans des placards, les torturant sans autre motif que d'y être contraints par leur propre folie. Quinn s'était intéressé à la vaste littérature consacrée à ces affaires. Il y avait eu le marin écossais Alexander Selkirk (considéré par certains comme le modèle de Robinson Crusoé) qui avait vécu seul pendant quatre ans sur une île au large des côtes chiliennes et qui, selon le capitaine de vaisseau qui lui porta secours en 1708, "avait tellement oublié son langage faute de s'en servir que nous pouvions à peine le comprendre". Moins de deux décennies plus tard, Peter de Hanovre, un enfant sauvage âgé d'environ quatorze ans, fut découvert, mutique et nu, dans une forêt près de la ville de Hameln, en Allemagne. Il fut amené à la cour d'Angleterre sous la protection particulière de George Ier. Swift, aussi bien que Defoe, eut l'occasion de le voir, et cette expérience conduisit

Defoe à écrire en 1726 l'opuscule intitulé *Esquisse de la nature à l'état pur ; ou un corps sans âme.* Peter, cependant, n'apprit jamais à parler. Au bout de plusieurs mois il fut envoyé à la campagne où il vécut jusqu'à l'âge de soixante-dix ans sans manifester le moindre intérêt pour la sexualité, l'argent ou autres choses de ce monde. Puis il y avait eu le cas de Victor, l'enfant sauvage de l'Aveyron, capturé en 1800. Grâce aux soins patients et méthodiques du docteur Itard, Victor acquit quelques rudiments de parole mais ne dépassa jamais le niveau d'un petit enfant. Plus célèbre encore que Victor, il y avait eu Gaspard Hauser qui fit son apparition un après-midi de 1828 à Nuremberg, habillé d'une façon incongrue et à peine capable d'articuler un seul son intelligible. Il pouvait écrire son nom, mais à tous autres égards il se conduisait comme un enfant. Adopté par la ville et confié aux soins d'un maître d'école, il passait ses journées assis sur le plancher à jouer avec des petits chevaux, ne mangeant que du pain et de l'eau. Pourtant, il se développa. Il devint excellent cavalier, se montra d'une propreté obsessionnelle et se passionna pour deux couleurs, le blanc et le rouge. Enfin, au dire de tous, il faisait preuve d'une mémoire extraordinaire, surtout pour les noms et les visages. Il préférait cependant rester à l'intérieur, fuyant la lumière vive. Comme Peter de Hanovre, il ne manifesta jamais le moindre intérêt pour les choses du sexe ou pour l'argent. Au fur et à mesure que lui revenait le souvenir de sa vie antérieure, il se trouva en mesure de se rappeler qu'il avait passé de nombreuses années sur le plancher d'une pièce plongée dans l'obscurité, nourri par un homme qui ne lui parlait jamais et ne se laissait jamais voir. Peu après ces révélations, Gaspard mourut, poignardé par un inconnu dans un jardin public.

Il y avait maintenant des années que Quinn ne s'était plus permis de penser à ces histoires. L'enfance était un thème trop douloureux pour lui, surtout lorsqu'il s'agissait d'enfants qui avaient souffert, qui avaient été maltraités ou qui étaient morts avant de pouvoir grandir. Si Stillman était l'homme au poignard revenu pour se venger du garçon dont il avait détruit la vie, Quinn tenait à être là pour le mettre en échec. Il savait bien qu'il ne pouvait pas ressusciter son propre fils, mais il pouvait au moins faire qu'un autre ne périsse pas. C'était là quelque chose qui lui était subitement devenu possible et, dans la rue où il se trouvait en cet instant, il vit surgir devant lui, comme un rêve terrible, l'idée de ce qui l'attendait. Il pensa au petit cercueil qui contenait le corps de son fils, il se souvint du jour de l'enterrement où il l'avait vu descendre en terre. L'isolement, se dit-il, c'était cela. Le silence, c'était cela. Et que son fils se fût lui aussi prénommé Peter n'arrangeait peut-être rien.

5

A l'angle de la 72ᵉ rue et de Madison Avenue, il fit signe à un taxi. Pendant que la voiture traversait le parc d'est en ouest avec un bruit de ferraille, Quinn regardait par la vitre et se demandait si c'étaient les mêmes rues que voyait Peter Stillman lorsqu'il sortait à l'air et à la lumière. Percevait-il les mêmes choses ou le monde était-il pour lui un lieu différent ? Et si un arbre n'était pas un arbre, qu'était-ce donc en réalité ?

Lorsque le taxi l'eut déposé devant sa maison, Quinn s'aperçut qu'il avait faim. Il n'avait rien mangé depuis le petit déjeuner qu'il avait pris de bonne heure ce matin-là. Le temps avait passé si vite, dans l'appartement des Stillman, que c'en était étrange. Si les calculs de Quinn étaient exacts, il y était resté plus de quatorze heures. Mais en lui-même il avait l'impression de ne pas y avoir été plus de trois ou quatre heures. Devant cette contradiction, il haussa les épaules et se dit : "Il faudra que j'apprenne à regarder ma montre plus souvent."

Il suivit en sens inverse le chemin qu'il avait pris le long de la 107ᵉ rue, tourna à gauche à Broadway et se mit à marcher vers le nord, cherchant un endroit à sa convenance pour un repas. Il n'avait pas envie d'un bar, ce soir-là – manger dans l'obscurité, être entouré de voix éméchées – bien que d'ordinaire l'idée lui eût sans doute souri. En traversant la 112ᵉ rue, il vit que le comptoir-restaurant des Heights était encore ouvert et il décida d'y entrer. C'était un lieu brillamment éclairé et pourtant lugubre, avec un grand étalage de magazines sexy sur un mur, un coin de papeterie et un autre réservé à la vente de journaux. Il y avait aussi plusieurs tables pour les clients et un long comptoir en formica avec des tabourets pivotants derrière lequel se tenait un grand Portoricain coiffé d'une toque de cuisinier en carton blanc. Son travail consistait à préparer les plats, principalement des portions de hamburger truffées de cartilage, des sandwiches sans goût bourrés de tomates décolorées et de laitue flétrie, des milk-shakes, des sodas chocolatés et des petits pains au lait. A sa droite, calé derrière sa caisse enregistreuse, le patron trônait sur son domaine de cigarettes, de pipes et de cigares. C'était un homme de petite taille, à la tête dégarnie et frisée, avec un numéro de camp de concentration tatoué sur l'avant-bras. Il était assis, impassible, en train de lire l'édition nocturne du *Daily News* datée du lendemain matin.

L'endroit était presque désert, à cette heure-là. Deux hommes âgés, dans des vêtements élimés, étaient assis à la table du fond. L'un était très gros, l'autre très maigre, et ils étudiaient avec beaucoup de concentration les formulaires des courses. Entre eux, sur la table, il y avait deux tasses de café vides. Près de l'entrée, devant l'étalage, un jeune étudiant tenait un magazine ouvert et fixait la photo d'une femme nue. Quinn prit place au comptoir et commanda un hamburger avec une tasse de café. En se mettant en mouvement, l'employé s'adressa à Quinn par-dessus son épaule.

— Vous avez vu le match, ce soir ?

— Je l'ai raté. Il y avait quelque chose de bien ?

— Qu'est-ce que vous croyez ?

60

Depuis plusieurs années Quinn avait la même conversation avec cet homme dont il ne connaissait pas le nom. Un jour où il était entré ils avaient parlé base-ball, et depuis, chaque fois que Quinn venait, ils reprenaient leur discussion. L'hiver ils parlaient des transferts, ils faisaient des pronostics, ils évoquaient des souvenirs. Pendant la saison, c'était toujours le dernier match. Ils étaient tous les deux des supporters des *Mets* et cette passion, dans ce qu'elle avait de sans issue, avait noué un lien entre eux.

L'homme derrière le comptoir secoua la tête. "Les deux premières fois qu'il a été à la batte, Kingman a réussi des coups fantastiques", dit-il. "Boum, boum. Des terribles, il t'envoyait ça jusque dans la lune ! Quant à Jones, pour une fois il lançait bien et ça prenait bonne tournure. On était deux à un au début de la neuvième reprise. Pittsburgh place des mecs en deuxième et troisième base, puis leur batteur est éliminé. Alors les *Mets* vont chercher Allen dans l'enclos des lanceurs. Lui, il fait entrer le batteur suivant en marchant, et, du coup, Pittsburgh a ses bases pleines. Les *Mets* se mettent à jouer à l'intérieur, ils veulent faire jeu forcé à la plaque ou alors ils comptent faire double jeu en frappant en plein milieu. Peña se ramène à la batte et il envoie une roulante minable vers la première base, mais voilà que cette salope passe entre les jambes de Kingman. Deux des mecs de Pittsburgh marquent, adieu New York."

— Ce Dave Kingman, c'est une merde, lança Quinn en mordant dans son hamburger.

— Mais Foster, c'est autre chose, dit l'employé.

— Foster est lessivé. Un ringard. Un clown avec une sale gueule.

Quinn mastiquait soigneusement, cherchant avec sa langue les petits bouts d'os épars.

— Ils devraient le réexpédier à Cincinnati en paquet urgent.

— D'accord, répondit l'employé du comptoir. Mais ils vont bagarrer. Plus que l'an dernier, en tout cas.

— J'en sais rien, dit Quinn en reprenant une bouchée. Sur le papier, ça a l'air bien. Mais qui ont-ils en réalité ? Stearns est perpétuellement blessé. Comme gardien et bloqueur ils ont des mecs de seconde division, et Brooks n'est pas foutu de se concentrer sur la partie. Mookie est valable mais il manque d'expérience, et ils ne sont même pas capables de décider qui mettre à droite. Il y a bien encore Rusty, mais il est devenu trop gras pour courir. Quant aux lanceurs, alors là c'est la fin de tout. Vous et moi nous devrions aller à Shea, demain, et nous faire engager comme les deux numéros un.

— Je vous nommerai entraîneur, déclara l'employé du comptoir. Vous pourrez dire à ces connards à quelle station descendre.

— Pour sûr, Arthur, approuva Quinn.

Après avoir mangé, Quinn fit quelques pas vers les rayonnages de papeterie. Une commande de cahiers neufs avait été livrée. Elle formait un tas impressionnant, un magnifique déploiement de bleus, de verts, de rouges et de jaunes. Il prit un cahier et constata qu'il avait des feuilles avec des lignes étroites comme il les aimait. Quinn écrivait tout à la main, n'utilisant de machine à écrire que pour la version définitive, et il était toujours à l'affût de bons cahiers à spirale. Maintenant qu'il s'était embarqué dans le cas Stillman, il estimait qu'un nouveau cahier s'imposait. Il serait utile d'avoir un endroit à part où il noterait ses pensées, ses observations et ses questions. Ce serait peut-être une façon d'empêcher les choses de lui échapper entièrement.

Il chercha dans le tas, s'efforçant de décider lequel choisir. Pour des raisons qui lui restèrent toujours obscures, il éprouva soudain une envie irrésistible pour un certain cahier rouge tout en bas. Il le sortit et l'examina, feuilletant délicatement la tranche sous son pouce. Il était bien en peine de s'expliquer ce qu'il lui trouvait de si attirant. C'était un cahier de cent pages au format ordinaire de onze pouces par huit et demi. Mais quelque chose en lui semblait lancer un appel à Quinn comme si sa seule destinée au monde eût été de recueillir les mots qui coulaient de son stylo. Presque gêné par l'intensité de ses sentiments, Quinn fourra le cahier rouge sous son bras, fit quelques pas vers la caisse et l'acheta.

Rentré dans son appartement un quart d'heure plus tard, Quinn sortit la photo de Stillman et le chèque qu'il avait mis dans la poche de sa veste et les plaça avec précaution sur son bureau. Après avoir débarrassé le plateau des débris qui l'encombraient – allumettes noircies, mégots, petits ronds de cendre, cartouches d'encre vides, pièces de monnaie, bouts de tickets, gribouillages et un mouchoir sale – il posa le cahier rouge au milieu. Puis il baissa les stores, ôta tous ses vêtements et s'assit au bureau. C'était quelque chose qu'il n'avait encore jamais fait, mais il lui semblait dans l'ordre des choses d'être nu en ce moment. Il resta vingt ou trente secondes assis sans bouger, essayant de ne rien faire d'autre que de respirer. Il ouvrit ensuite le cahier rouge. Prenant son stylo, il inscrivit ses initiales, D. Q. (pour Daniel Quinn), sur la première page. C'était la première fois depuis plus de cinq ans qu'il avait marqué son nom sur un de ses cahiers. Il s'arrêta un instant pour réfléchir à cette constatation puis il l'écarta de sa pensée comme insignifiante. Il tourna la page. Pendant de longs instants il en considéra la blancheur vide, se demandant s'il n'était pas simplement un imbécile. Puis il appuya le stylo sur la ligne du haut et inscrivit son premier texte dans le cahier.

Le visage de Stillman. Plutôt : le visage de Still-
man tel qu'il était il y a vingt ans. Il est impossible de
savoir si celui de demain lui ressemblera. Mais ce
qui est sûr c'est que ce n'est pas une figure de fou.
Ou bien cette affirmation n'est-elle pas légitime ?
A mes yeux, au moins, il a un air affable, voire car-
rément plaisant. Même un soupçon de tendresse
autour de la bouche. Il est plus que vraisemblable que
les yeux sont bleus et qu'ils ont tendance à s'humec-
ter. Les cheveux déjà clairsemés, donc peut-être tom-
bés, à présent, et ceux qui restent sont gris, sinon
blancs. Il a quelque chose de curieusement familier :
type méditatif, sans doute très tendu, il pourrait
bégayer, se livrer combat à lui-même pour endiguer
le flot de paroles qui s'élancent hors de sa bouche.

Petit Peter. Faut-il que j'imagine la chose, ou est-il
suffisant que je l'accepte sur une simple profession
de foi ? L'obscurité. Me projeter en pensée dans
cette pièce, en train de hurler. J'y rechigne. Et je ne
crois même pas que je veuille comprendre. Pour
quoi faire ? Ce n'est pas une histoire, finalement.
C'est un fait, quelque chose qui a lieu dans le monde,
et je suis censé accomplir un travail, une petite chose,
et j'ai dit oui. Si tout se passe bien, ça devrait même
être très simple. On ne m'a pas engagé pour penser
– seulement pour agir. C'est nouveau. A garder pré-
sent à l'esprit, à tout prix.

Et pourtant, que déclare donc le Dupin de Poe ?
"Une identification de l'intellect de celui qui rai-
sonne à celui de son adversaire." Dans le cas présent,
ça s'appliquerait à Stillman père. Ce qui est proba-
blement encore pire.

Quant à Virginia, je suis dans l'embarras. Pas seu-
lement à cause du baiser – on pourrait l'expliquer

par un bon nombre de raisons –, pas à cause de ce que Peter a dit à son sujet – ça n'a pas d'importance. Son mariage ? Peut-être. Le fait qu'il soit totalement incongru. Se pourrait-il qu'elle y soit venue pour l'argent ? Ou que, de quelque façon, elle soit de mèche avec Stillman ? Ça changerait tout. Mais, en même temps, ça n'a ni queue ni tête. Pourquoi m'aurait-elle engagé, dans ce cas ? Pour avoir quelqu'un qui témoigne de la pureté apparente de ses intentions ? Possible. Mais ça me semble trop compliqué. Et néanmoins : pourquoi ai-je le sentiment qu'on ne doit pas lui faire confiance ?

A nouveau le visage de Stillman. En pensant depuis ces quelques minutes que je l'ai déjà vu. Peut-être il y a des années, dans le quartier – avant qu'il ne soit arrêté.

Se souvenir de ce qu'on ressent lorsqu'on porte les vêtements de quelqu'un d'autre. Commencer par là, me semble-t-il. En supposant que je doive. Comme autrefois, il y a dix-huit ans ou vingt ans, quand je n'avais pas d'argent et que des amis me donnaient des choses à mettre. Le vieux pardessus de J., à l'université, par exemple. Et l'étrange sensation que j'avais de me glisser dans sa peau. C'est probablement un début.

Et puis, la chose la plus importante : me souvenir de qui je suis. Me souvenir de qui je suis censé être. Je ne crois pas qu'il s'agisse d'un jeu. Mais, d'un autre côté, rien n'est clair. Par exemple : qui êtes-vous ? Et si vous croyez savoir, pourquoi persistez-vous à mentir à cet égard ? Je n'ai pas de réponse. Voici tout ce que je peux dire : écoutez-moi. Je m'appelle Paul Auster. Ce n'est pas mon véritable nom.

6

Quinn passa la matinée du lendemain avec le livre de Stillman à la bibliothèque de l'université Columbia. Arrivé tôt, il fut le premier à entrer lorsque les portes s'ouvrirent, et le silence des couloirs de marbre le réconforta comme si on lui avait permis de pénétrer dans quelque crypte de l'oubli. Après avoir brandi sa carte d'ancien élève au préposé qui somnolait derrière le bureau, il alla chercher le livre dans les rayonnages, revint au deuxième étage dans un salon pour fumeurs et s'installa dans un fauteuil en cuir vert. Une radieuse matinée de mai le guettait dehors, tapie comme une tentation, un appel à errer sans but à l'air libre, mais Quinn n'y succomba pas. Tournant le fauteuil dans l'autre sens, il se plaça le dos à la fenêtre et il ouvrit le livre.

Le Jardin et la Tour : premières visions du Nouveau Monde était divisé en deux parties de longueur à peu près égale, intitulées "Le mythe du paradis" et "Le mythe de Babel". La première s'attachait aux découvertes des explorateurs, en commençant par Colomb et en continuant jusqu'à Raleigh inclus. Stillman soutenait que les premiers visiteurs de l'Amérique croyaient avoir fortuitement trouvé le paradis, un deuxième jardin d'Eden. C'est ainsi que dans la relation de son troisième voyage, Christophe Colomb écrit : "Car je crois qu'ici se situe le paradis terrestre où nul ne peut entrer sans la permission de Dieu." Quant aux peuples de cette terre, Pietro Martire di Anghiera note dès 1505 : "Ils semblent vivre dans ce monde de l'âge d'or dont les auteurs anciens ont tant parlé, où les hommes vivaient dans la simplicité et l'innocence, sans contrainte de lois, sans querelles, sans juges ni libelles, se contentant de donner satisfaction à la nature." Ou, comme l'écrit une cinquantaine d'années plus tard l'indéfectible Montaigne : "Car il me semble que ce que nous voyons par expérience en ces nations-là surpasse, non seulement toutes les peintures dequoy la poësie a embelly l'age doré, et toutes ses inventions à feindre une heureuse condition d'hommes, mais encore la conception et le désir mesme de la philosophie." Dès son début, selon Stillman, la découverte du Nouveau Monde fut l'impulsion vivifiante de la pensée utopienne, l'étincelle qui nourrit l'espérance de voir se parfaire la vie humaine – et cela depuis le livre de Thomas More en 1516 jusqu'à la prophétie par laquelle Geronimo de Mendieta prédit quelques années plus tard que l'Amérique deviendrait un Etat théocratique idéal, une véritable Cité de Dieu.

Il existait, cependant, un point de vue opposé. Si un certain nombre d'auteurs estimaient que les Indiens vivaient dans l'innocence qui avait précédé la chute, il y en avait d'autres pour estimer que c'étaient des bêtes sauvages, des démons à visage humain. La découverte de cannibales dans les Caraïbes ne contribua certes pas à infirmer cette opinion. Les Espagnols s'en servirent pour justifier une exploitation sans merci des indigènes à des fins mercantiles. Car, si l'on ne considère pas l'homme qu'on a devant soi comme un être humain, la conscience n'opposera guère de freins au comportement qu'on adoptera à son égard. C'est en 1537, seulement, que la bulle pontificale de Paul III proclama que les Indiens étaient d'authentiques êtres humains porteurs d'âme. Le débat n'en continua pas moins pendant plusieurs siècles, culminant d'un côté par le "noble sauvage" de Locke et de Rousseau – ce qui jeta les bases théoriques de la démocratie dans une Amérique indépendante – et, de l'autre, par la campagne d'extermination des Indiens et la croyance toujours renaissante que "le seul bon Indien est un Indien mort".

La deuxième partie du livre commençait par un nouvel examen de la chute. S'appuyant beaucoup sur Milton et l'exposé qu'il en fait dans *Paradis perdu* (censé représenter le point de vue puritain orthodoxe), Stillman prétendait que c'était seulement après la chute que la vie humaine telle que nous la connaissons était apparue. Car, s'il n'y avait pas de mal dans le jardin du paradis, il n'y avait pas non plus de bien. Selon les mots de Milton dans l'*Aréopagitique* : "Par la peau d'une pomme qu'on a goûtée, le bien et le mal ont jailli dans le monde comme deux jumeaux soudés l'un à l'autre." La glose de Stillman sur cette phrase était extrêmement complète. Restant toujours vigilant quant à la possibilité de jeux de mots, il a montré que le mot "goûtée" se rapportait en fait au terme latin *sapere* qui signifie aussi bien "goûter" que "savoir" et contient donc une référence subconsciente à l'arbre de la connaissance comme origine de la pomme qui a introduit la connaissance (c'est-à-dire le bien et le mal) dans le monde. Stillman s'attachait aussi au sens paradoxal du mot "soudés". En anglais, Milton écrit *cleave*. Or, *cleave* signifie aussi bien "attacher" ou "souder" que "fendre" ou "disjoindre", possédant deux significations égales mais opposées. C'est là l'indice d'une relation à la langue que Stillman a mise en évidence dans toute l'œuvre de Milton. C'est ainsi que dans *Paradis perdu* chaque mot clé a deux significations : une antérieure à la chute et une autre, postérieure. Pour illustrer sa découverte, Stillman a étudié plusieurs de ces termes – *sinistre, serpentin, délicieux* – et montré comment leur utilisation avant la chute était dépourvue de connotations morales, alors qu'après, leur usage s'est assombri et chargé d'ambiguïté, instruit par la connaissance du mal. La seule tâche d'Adam, dans le jardin, avait été d'inventer le langage, de donner un nom à chaque créature et à chaque chose. Dans cet état d'innocence, sa langue allait droit au cœur du monde. Ses mots n'étaient pas seulement accolés aux choses qu'il voyait mais ils en avaient révélé l'essence, ils les avaient littéralement fait accéder à la vie. Une chose et son nom étaient interchangeables. Après la chute, ce n'était plus le cas. Les noms s'étaient détachés des choses ; les mots avaient dégénéré en une série de signes arbitraires ; le langage avait été coupé de Dieu. L'histoire du paradis terrestre ne relate donc pas seulement la chute de l'homme, mais celle du langage.

Plus tard, dans le livre de la Genèse, il existe un autre récit concernant le langage. Selon Stillman, l'épisode de la tour de Babel est une récapitulation exacte de ce qui s'est passé dans le jardin d'Eden – à la seule différence qu'elle a été étendue pour recevoir une signification généralisable à toute l'humanité. L'histoire prend tout son sens lorsqu'on considère sa position dans le livre : chapitre onze de la Genèse, versets un à neuf inclus. C'est le tout dernier incident préhistorique dans la Bible. Ensuite, l'Ancien Testament est exclusivement une chronique des Hébreux. En d'autres termes, la tour de Babel s'élève comme l'ultime image avant le véritable commencement du monde.

Les commentaires de Stillman se poursuivaient sur de nombreuses pages. Il commençait par une étude historique des diverses traditions d'exégèse concernant ce récit et élaborées à partir des multiples erreurs de lecture qui s'étaient accumulées autour de lui. Il terminait par un long catalogue de légendes tirées de l'Aggadah (un abrégé d'interprétations rabbiniques sans rapport avec des problèmes légaux). On tenait généralement pour acquis, écrivait Stillman, que la tour avait été construite en l'an 1996 après la création, à peine trois cent quarante ans après le Déluge, afin que les hommes ne soient pas "dispersés sur toute la terre". La punition de Dieu est arrivée en réponse à ce souhait qui contrevenait à un commandement exprimé plus tôt dans la Genèse : "Soyez féconds et prolifiques, remplissez la terre et dominez-la." En détruisant la tour, par conséquent, Dieu condamnait l'homme à obéir à cet ordre-là. Selon une autre lecture, cependant, la tour était un défi lancé à Dieu. Nemrod, le premier souverain du monde entier, fut désigné comme architecte de la tour : Babel devait être un sanctuaire symbolisant l'universalité de son pouvoir. Tel est le point de vue prométhéen de l'histoire ; il repose sur les phrases "Une tour dont le sommet touche le ciel" et "Faisons-nous un nom". Construire la tour était devenu la passion obsédante et dominante de l'humanité, en fin de compte plus importante que la vie elle-même. Les briques avaient plus de prix que les gens. Les ouvrières ne s'arrêtaient même pas pour accoucher, elles attachaient le nouveau-né dans leurs tabliers et reprenaient derechef leur travail. Il y avait apparemment trois groupes de gens impliqués dans cette construction : ceux qui voulaient habiter les cieux, ceux qui voulaient faire la guerre à Dieu, et ceux qui voulaient adorer des idoles. En même temps, ils étaient unis dans leurs efforts ("La terre entière se servait de la même langue et des mêmes mots") et la puissance latente d'une humanité unie fut une insulte à Dieu : "Eh, dit le Seigneur, ils ne sont tous qu'un peuple et qu'une langue et c'est là leur première œuvre ! Maintenant, rien de ce qu'ils projetteront de faire ne leur sera inaccessible !" Ces paroles sont un écho conscient de celles que prononça Dieu en chassant Adam et Eve du paradis terrestre : "Voici que l'homme est devenu comme l'un de nous par la connaissance du bonheur et du malheur. Maintenant, qu'il ne tende pas la main pour prendre aussi de l'arbre de vie, en manger et vivre à jamais. Le Seigneur Dieu l'expulsa du jardin d'Eden..." Une autre lecture soutenait que cette histoire n'était destinée qu'à expliquer la diversité des peuples et des langues. Car, si tous les hommes descendaient de Noé et de ses fils, comment était-il possible de rendre compte des grandes différences entre les cultures ? Une autre interprétation, proche de la précédente, affirmait que ce récit donnait une explication de l'existence du paganisme et de l'idolâtrie – car, jusqu'à cet épisode, tous les hommes sont présentés comme étant de croyance monothéiste. Quant à la tour elle-même, la légende rapportait qu'elle s'enfonça d'un tiers dans le sol, qu'un autre tiers fut anéanti par le feu et que le dernier tiers resta debout. Dieu l'avait attaquée de deux façons pour persuader l'homme que sa destruction était un châtiment divin et non l'œuvre du hasard. Malgré tout, ce qu'il en restait atteignait une telle hauteur que, vu de son sommet, un palmier ne semblait pas plus grand qu'une sauterelle. Il fut aussi rapporté qu'une personne pouvait marcher pendant trois jours dans l'ombre de la tour sans jamais la quitter. Enfin – et Stillman s'étendait très longuement là-dessus –, quiconque jetait ses regards sur les vestiges de la tour était censé oublier aussitôt tout ce qu'il savait.

Quant à ce que tout cela avait affaire avec le Nouveau Monde, Quinn n'aurait su le dire. Mais alors s'ouvrait un nouveau chapitre où Stillman examinait subitement la vie d'un ecclésiastique de Boston, Henry Dark, né à Londres en 1649 (le jour même de l'exécution de Charles Ier), arrivé en Amérique en 1675 et mort dans un incendie à Cambridge, Massachusetts, en 1691.

D'après Stillman, lorsqu'il était jeune homme Henry Dark avait été le secrétaire particulier de John Milton – de 1669 jusqu'à la mort du poète cinq ans plus tard. Ce qui ne manquait pas d'étonner Quinn, car il croyait se souvenir d'avoir lu quelque part que Milton, devenu aveugle, avait dicté ses œuvres à une de ses filles. Selon ce qu'il apprenait à présent, Dark avait été un puritain fervent, féru de théologie, et un adepte fidèle des œuvres de Milton. Ayant rencontré son héros un soir à une petite réunion, il fut invité à venir chez lui la semaine suivante. Ce fut la première d'une série de visites et au bout d'un certain temps Milton confia diverses petites tâches à Dark : écrire sous la dictée, le guider dans les rues de Londres, lui faire la lecture des auteurs anciens. Dans une lettre de 1672 qu'il avait envoyée à sa sœur alors à Boston, Dark mentionnait de longues discussions avec Milton sur les points les plus subtils de l'exégèse biblique. Puis Milton mourut et Dark fut inconsolable. Six mois plus tard, trouvant que l'Angleterre n'était qu'un désert, une terre qui n'avait rien à lui offrir, il décida d'émigrer en Amérique. Il arriva à Boston pendant l'été de 1675.

On savait peu de choses de ses premières années dans le Nouveau Monde. Stillman émettait l'hypothèse qu'il aurait pu continuer à voyager vers l'ouest, faisant des incursions en territoire inexploré, mais il n'avait pas découvert d'indices concrets étayant cette idée. Certaines mentions dans les écrits de Dark, cependant, indiquaient une connaissance approfondie des mœurs indiennes, ce qui conduisait Stillman à supposer que Dark aurait éventuellement vécu dans une tribu pendant quelque temps. Quoi qu'il en soit, on ne trouvait aucune trace officielle de Dark avant 1682, date à laquelle son nom apparaît dans le registre des mariages de Boston. Il y est porté comme ayant pris une certaine Lucy Fitts pour femme. Deux ans plus tard, il est mentionné à la tête d'une petite congrégation puritaine établie à la périphérie de la ville. Le couple eut plusieurs enfants mais ils moururent tous en bas âge. Un fils du nom de John, pourtant, né en 1686, survécut. Mais on signale en 1691 la mort de ce garçon à la suite d'une chute accidentelle par une fenêtre du premier étage. A peine un mois plus tard, c'était la maison tout entière qui était la proie des flammes. Dark et sa femme périssaient dans l'incendie.

Henry Dark se serait évanoui dans l'obscurité qui marque les premiers temps de sa vie en Amérique s'il n'y avait eu, en 1690, la publication d'un opuscule appelé *La Nouvelle Babel*. D'après Stillman, ce petit ouvrage de soixante-quatre pages donnait du nouveau continent la vision la plus prophétique écrite jusqu'alors. Si Dark n'était pas mort si peu de temps après l'avoir fait paraître, il est certain que ce livre aurait eu un plus grand retentissement. Car, en fait, la plupart des exemplaires en furent détruits dans l'incendie qui causa la mort de Dark. Stillman lui-même n'avait pu en découvrir qu'un seul, et cela par hasard, dans le grenier de sa maison de famille à Cambridge. Après des années de recherches assidues, il était parvenu à la conclusion que c'était le seul exemplaire encore existant.

La Nouvelle Babel, écrite dans la prose audacieuse de Milton, exposait les faits militant pour la construction du paradis en Amérique. A la différence des autres écrivains qui avaient traité ce thème, Dark ne supposait pas que le paradis était un endroit susceptible d'être découvert. Pas de cartes qui puissent y conduire, pas d'instruments de navigation menant à ses rivages. Au contraire, son existence était immanente à l'homme : c'est l'idée d'un au-delà qu'il pourra un jour créer dans l'ici-et-maintenant. Car l'utopie n'*est* nulle part – pas même, expliquait Dark, dans son "lieu langagier". Si l'homme pouvait faire naître cet endroit rêvé, ce serait seulement en le construisant de ses deux mains.

Dark tirait ces conclusions d'une lecture prophétique du récit de la tour de Babel. S'appuyant fortement sur l'interprétation miltonienne de la chute, il suivait son maître en donnant au langage un rôle extraordinairement important. Mais il poussait les idées du poète un pas plus loin. Si la chute de l'homme impliquait également une chute du langage, n'était-il pas logique de supposer qu'il serait possible de *dé-faire* la chute – d'en inverser les effets – en *dé-faisant* la chute du langage, en cherchant à recréer le langage parlé au jardin d'Eden ? Si l'homme pouvait apprendre à parler cette langue originelle de l'innocence, ne s'ensuivrait-il pas qu'il retrouverait *ipso facto* un état d'innocence à l'intérieur de lui-même ? Il nous suffisait de prendre l'exemple du Christ, insistait Dark, pour comprendre qu'il en était ainsi. Car le Christ n'était-il pas un être humain, une créature de chair et de sang ? Et le Christ ne parlait-il pas la langue d'avant la chute ? Dans le *Paradis reconquis* de Milton, Satan s'exprime en "trompant par double sens" tandis que les paroles du Christ "… S'accordent à ses actes, ses paroles / Donnent à son grand cœur l'expression qui est sienne, son cœur / Contient la forme parfaite de ce qui est bien, sage et juste". Et n'était-il pas vrai que Dieu avait "à présent envoyé son Oracle vivant / Au monde pour enseigner sa volonté ultime / Et dépêche son Esprit de Vérité pour vivre désormais / Dans les Cœurs pieux comme Oracle intérieur / Qui dira toute vérité que je dois savoir" ? N'était-il pas vrai que, grâce au Christ, la chute avait connu un dénouement heureux, qu'elle était donc la *felix culpa* que la doctrine enseigne ? Il s'ensuivait, soutenait Dark, qu'il serait en effet possible à l'homme de parler la langue originelle de l'innocence et de récupérer, entière et intacte, la vérité à l'intérieur de lui-même.

Se penchant ensuite sur le récit de la tour de Babel, Dark élaborait son projet et proclamait sa vision de l'avenir. Citant un extrait de la Genèse, chapitre onze, deuxième verset ("Or, en se déplaçant vers l'orient, les hommes découvrirent une plaine dans le pays de Shinéar et y habitèrent"), il déclarait que ce passage prouvait la progression vers l'ouest de la vie et de la civilisation humaines. Car la ville de Babel – ou Babylone – était située en Mésopotamie, loin à l'est du pays des Hébreux. Si Babel était à l'ouest de quoi que ce soit, c'était bien d'Eden, le site originel de l'humanité. Le devoir de l'homme de se disperser sur toute la terre (selon l'ordre de Dieu : "Soyez féconds… et remplissez la terre…") s'accomplirait inévitablement dans la direction de l'ouest. Et existait-il un pays, dans toute la chrétienté, qui fût plus à l'ouest que l'Amérique ? Le déplacement des colons anglais vers le Nouveau Monde pouvait donc être lu comme l'accomplissement de cet ordre ancien. L'Amérique était la dernière étape de ce processus. Lorsque le continent aurait été rempli, le moment serait venu d'un changement de destin pour l'humanité. L'obstacle à l'édification de Babel (l'homme doit d'abord remplir la terre) serait levé. Il serait alors à nouveau possible pour toute la terre d'avoir une seule langue et un seul discours. Et si cela se réalisait, le paradis ne pouvait pas être loin derrière.

De même que Babel avait été construite trois cent quarante ans après le Déluge, ce serait exactement trois cent quarante ans après l'arrivée du *Mayflower* à Plymouth que l'ordre serait exécuté. Car c'étaient sûrement les puritains, le nouveau peuple élu de Dieu, qui tenaient en leurs mains la destinée humaine. Contrairement aux Hébreux qui avaient démérité de Dieu en refusant d'accepter son fils, ces Anglais transplantés écriraient le chapitre final de l'histoire avant que le ciel et la terre ne s'unissent enfin. Comme Noé dans son arche, ils avaient traversé le grand déluge de l'océan pour accomplir leur sainte mission.

Trois cent quarante ans. D'après les calculs de Dark, cela signifiait qu'en 1960 la première partie de la tâche des colons serait terminée. A ce moment-là on aurait posé les fondations du travail véritable qui venait ensuite : l'édification de la nouvelle Babel. Déjà, écrivait Dark, il en voyait des signes encourageants dans la ville de Boston, car là, plus que nulle part ailleurs au monde, le matériau de construction le plus répandu était la brique – laquelle, comme il est dit dans la Genèse (II, 3), est le matériau qui doit servir à bâtir Babel. En l'an 1960, déclarait-il en toute confiance, la nouvelle Babel commencerait à s'élever et sa forme s'élançant vers les cieux serait le symbole de la résurrection de l'esprit humain. L'histoire s'écrirait en sens inverse. Ce qui était tombé serait relevé ; ce qui avait été brisé recouvrerait son entièreté. Une fois achevée, la tour serait assez vaste pour contenir tous les habitants du Nouveau Monde. Chaque personne aurait sa pièce, et, dès qu'elle y pénétrerait, elle oublierait tout ce qu'elle avait su. Après quarante jours et quarante nuits elle en ressortirait comme un être humain nouveau parlant la langue de Dieu et préparé à habiter le deuxième, l'éternel paradis.

Ainsi prenait fin le résumé par Stillman de l'opuscule d'Henry Dark, lui-même daté du 20 décembre 1690, soixante-dixième anniversaire de l'arrivée du *Mayflower*.

Quinn poussa un petit soupir et ferma le livre. La salle de lecture était vide. Il se pencha en avant, mit sa tête dans ses mains et ferma les yeux. "Mil neuf cent soixante", dit-il à voix haute. Il essaya d'évoquer intérieurement l'image d'Henry Dark, mais rien ne lui vint. Mentalement il ne vit que des flammes, un embrasement de livres. Puis, perdant le fil de ses idées et de là où elles le menaient, il se rappela soudain que 1960 était l'année où Stillman avait enfermé son fils.

Il ouvrit le cahier rouge et le posa bien à plat sur ses genoux. Mais il allait juste se mettre à écrire lorsqu'il décida qu'il en avait par-dessus la tête. Il referma le cahier rouge, se leva de sa chaise et rapporta le livre de Stillman au bureau d'accueil. Allumant une cigarette au pied de l'escalier, il quitta la bibliothèque et sortit dans l'après-midi de mai.

7

Il arriva très en avance à Grand Central. Le train de Stillman n'était pas annoncé avant dix-huit heures quarante et une, mais Quinn voulait avoir le temps de repérer les lieux pour s'assurer que Stillman ne pourrait pas lui filer entre les doigts. En sortant du métro et en pénétrant dans le grand hall, il vit à l'horloge qu'il était à peine plus de seize heures. La gare avait déjà commencé à se remplir de la foule des heures de pointe. Se frayant un chemin à travers la marée de corps qui avançaient vers lui, Quinn fit le tour des quais numérotés, cherchant des escaliers peu visibles, des sorties non marquées, des renfoncements mal éclairés. Il en conclut que si quelqu'un était réellement décidé à disparaître, il pouvait y arriver sans trop se fatiguer. Il n'avait plus qu'à espérer que Stillman n'était pas averti de sa venue. S'il l'était, et s'il arrivait à lui échapper, cela signifierait que Virginia Stillman était en cause. Ce ne pouvait être personne d'autre. Il se réconforta en pensant qu'il avait un plan de rechange au cas où les choses tourneraient mal. Si Stillman n'était pas au train, Quinn irait tout de suite à la 69e rue et confronterait Virginia Stillman avec ce qu'il savait.

Tout en déambulant dans la gare, il se rappelait l'identité qu'il était censé assumer. Etre Paul Auster, commençait-il à voir, n'était pas une chose totalement déplaisante. Bien qu'il eût toujours le même corps, le même esprit, les mêmes pensées, il avait la sensation d'avoir été en quelque sorte enlevé à lui-même, comme s'il n'avait plus à porter en marchant le fardeau de sa propre conscience. Par une simple ruse de l'intelligence, un léger et adroit détournement d'appellation, il se sentait incomparablement plus léger et plus libre. En même temps, il savait que tout cela n'était qu'une illusion. Mais elle lui procurait un certain confort. Il ne s'était pas vraiment perdu ; il faisait semblant seulement, et il pouvait redevenir Quinn à sa guise. Le fait qu'il y eût à présent une raison d'être Paul Auster (un but qui prenait pour lui de plus en plus d'importance) donnait une sorte de justification morale à cette mascarade et le déliait de l'obligation de défendre son mensonge. Car se prendre pour Auster était devenu synonyme, dans sa tête, de faire le bien dans le monde.

Il parcourait donc la gare comme s'il était dans le corps de Paul Auster, en attendant de voir paraître Stillman. Il leva les yeux vers les voûtes du grand hall et étudia les fresques montrant les constellations. Des ampoules électriques représentaient les étoiles que des lignes reliaient pour dessiner les figures célestes. Quinn n'avait jamais pu saisir le rapport entre les constellations et leur nom. Lorsqu'il était petit garçon il avait passé bien des heures sous le ciel nocturne à essayer d'accorder les grappes de points lumineux avec une forme d'ours, de taureau, d'archer ou d'homme versant de l'eau. Mais rien n'en était jamais sorti et il s'était senti tout bête, comme affligé d'une tache aveugle au milieu du cerveau. Il se demanda si le jeune Auster y avait mieux réussi que lui.

En face, la photographie du mois de Kodak, aux couleurs vives, presque irréelles, occupait la plus grande partie du mur est. Elle montrait une rue d'un village de pêcheurs de Nouvelle-Angleterre, peut-être Nantucket. Une belle lumière de printemps brillait sur les pavés, des fleurs multicolores poussaient dans des bacs aux fenêtres des maisons, et tout au bout de la rue on voyait l'océan avec ses vagues blanches et son eau plus bleue que bleue. Quinn se rappela avoir visité Nantucket avec sa femme, il y avait longtemps de cela ; elle était enceinte d'un mois, et leur fils, dans son ventre, n'était pas plus gros qu'une petite amande. Cette évocation lui était pénible, à présent, et il s'efforça d'éliminer les images qui se formaient dans sa tête. "Il faut voir ça avec les yeux d'Auster, se dit-il, et ne pas penser à autre chose." Il porta à nouveau son regard sur la photo et fut soulagé de découvrir que ses pensées dérivaient vers le thème des baleines, des expéditions parties de Nantucket au siècle dernier, vers Melville et les premières pages de *Moby Dick*. De là, son esprit erra vers des articles qu'il avait lus sur les dernières années de Melville – vieillard taciturne travaillant dans les douanes de New York, sans lecteurs, oublié de tous. Puis, soudain, avec une netteté et une précision remarquables, il aperçut devant lui la fenêtre de Bartleby et le mur de briques nues.

Quelqu'un lui tapota le bras. Quinn se retourna d'un coup, prêt à se défendre, lorsqu'il vit un petit homme silencieux qui lui tendait un stylo à bille vert et rouge. Un petit drapeau de papier blanc était agrafé dessus, avec, d'un côté, les mots : "Cet article de bonne qualité vous est offert par un SOURD-MUET. Donnez-en le prix que vous souhaitez. Merci pour votre aide." De l'autre côté il y avait une table de l'alphabet manuel – APPRENEZ A PARLER A VOS AMIS – montrant les positions de la main pour chacune des vingt-six lettres. Quinn fouilla dans sa poche et donna un dollar. Le sourd-muet inclina brièvement la tête une seule fois et s'éloigna, laissant Quinn avec le stylo dans la main.

Dix-sept heures passées. Quinn jugea qu'il serait moins exposé ailleurs et se transporta dans la salle d'attente. C'était d'habitude un lieu sinistre, plein de poussière et de gens qui ne savaient où aller, mais maintenant, avec le déferlement de l'heure de pointe, il avait été envahi par des hommes et des femmes munis de serviettes, de livres et de journaux. Quinn eut du mal à trouver un siège. Après avoir cherché deux ou trois minutes, il finit par s'asseoir sur un banc, se faisant une place entre un homme habillé d'un costume bleu et une jeune femme rebondie. L'homme lisait la page des sports du *Times*, et Quinn glissa un œil pour voir le reportage sur la défaite des *Mets*, la veille au soir. Il était arrivé au troisième ou quatrième paragraphe lorsque l'homme se retourna lentement vers lui, lui lança un regard haineux, et, d'un coup sec, mit le journal hors du champ de vision de Quinn.

Il se passa ensuite quelque chose d'étrange. Quinn déplaça son attention vers la jeune femme à sa droite, cherchant à savoir s'il y avait quelque chose à lire de ce côté. Selon les estimations de Quinn elle était âgée d'une vingtaine d'années. Sur la joue gauche, elle avait plusieurs boutons masqués par une tartine de maquillage rosâtre et on entendait un chewing-gum claquer dans sa bouche. Elle lisait pourtant un livre, une édition de poche à la couverture agressivement vulgaire, et Quinn se pencha imperceptiblement à droite pour en apercevoir le titre. Contre toute attente, c'était un livre qu'il avait écrit lui-même, *Passe suicidaire*, de William Wilson, le premier des romans avec Max Work. Quinn s'était souvent représenté cette situation : le plaisir soudain, inattendu, de tomber sur un de ses lecteurs. Il avait même imaginé la conversation qui s'ensuivrait : lui, délicieusement embarrassé pendant que l'étranger faisait l'éloge du livre, puis, avec beaucoup de résistance et de modestie, acceptant ("puisque vous y tenez") d'inscrire une dédicace sur la page de titre. Mais maintenant que la scène avait lieu, il se sentait très déçu, voire irrité. La jeune fille assise à côté de lui ne lui plaisait pas, et il était offensé de la voir parcourir avec désinvolture ces pages qui lui avaient demandé tant d'efforts. Il se retint pour ne pas lui arracher le livre des mains et s'enfuir dans la gare avec.

Il regarda une fois de plus le visage de la jeune fille, essayant d'entendre les mots qui résonnaient dans sa tête, observant ses yeux qui sillonnaient la page de gauche à droite et de droite à gauche. Il devait sans doute avoir regardé avec un peu trop d'insistance, car quelques secondes plus tard elle se tourna vers lui, l'air irrité, et lui demanda :

— Dites-moi, vous avez un problème ?

Quinn sourit faiblement :

— Non, pas de problème, je me demandais seulement si ce livre vous plaisait.

La fille haussa les épaules.

— J'en ai lu de meilleurs, j'en ai lu de pires.

Quinn voulait arrêter là leur conversation, mais quelque chose en lui s'obstinait. Avant qu'il ait pu se lever et partir, les paroles avaient déjà franchi sa bouche.

— Est-ce que vous le trouvez palpitant ?

La fille haussa encore une fois les épaules et fit claquer bruyamment son chewing-gum.

— Assez. Il y a un endroit où le détective se perd qui fait pas mal peur.

— Est-ce qu'il est malin, comme détective ?

— Ouais, il est malin. Mais il parle trop.

— Vous voudriez qu'il y ait plus d'action ?

— Je crois.

— S'il ne vous plaît pas, pourquoi est-ce que vous continuez à le lire ?

— Je sais pas. (A nouveau elle haussa les épaules.) Ça fait passer le temps, sans doute. Bon, mais c'est pas une grosse affaire. Ce n'est qu'un livre.

Il était sur le point de lui dire qui il était lorsqu'il se rendit compte que ça ne changerait rien. Cette fille était irrécupérable. Il y avait cinq ans qu'il gardait secrète l'identité de William Wilson, il n'allait pas la trahir maintenant, surtout pour une inconnue imbécile. C'était malgré tout pénible, et il lutta désespérément pour ravaler son orgueil. Plutôt que de frapper la fille en plein visage, il se leva brusquement et s'éloigna.

A dix-huit heures trente il se mit en position devant la sortie du quai vingt-quatre. Le train était annoncé à l'heure et, du poste d'observation qu'il occupait au centre de la voie d'accès, Quinn estima qu'il avait de bonnes chances de reconnaître Stillman. Il sortit la photo de sa poche et l'examina à nouveau, étudiant particulièrement les yeux. Il se souvenait d'avoir lu quelque part que les yeux étaient la seule partie du visage qui ne changeait jamais. De l'enfance à la vieillesse ils restaient pareils, et un homme suffisamment observateur pouvait, théoriquement, regarder les yeux d'un garçon sur une photo et reconnaître la même personne devenue vieille. Quinn n'était pas vraiment convaincu, mais c'était tout ce qu'il avait à disposition, son seul pont pour arriver au présent. Mais, une fois de plus, le visage de Stillman ne lui révéla rien.

Le train arriva en gare avec un bruit que Quinn ressentit dans tout son corps : un fracas trépidant et désordonné qui semblait se joindre à son pouls pour lui faire battre le sang par à-coups violents. Sa tête s'emplit alors de la voix de Peter Stillman tandis qu'un tir nourri de paroles insensées vint crépiter contre les parois de son crâne. Il se donna l'ordre de rester calme. Mais cela n'eut pas grand succès. Contrairement à ce qu'il avait cru pouvoir ressentir en cet instant, il était en proie à l'excitation.

Le train était bondé, et, lorsque les passagers commencèrent à envahir la rampe d'accès et à arriver vers lui, ils se transformèrent en foule agitée. Quinn battait nerveusement sa cuisse droite avec le cahier rouge, se dressait sur la pointe des pieds et scrutait la cohue. Rapidement les gens affluèrent autour de lui. Des hommes et des femmes, des enfants et des personnes âgées, des adolescents et des bébés, des riches et des pauvres, des hommes noirs et des femmes blanches, des hommes blancs et des femmes noires, des Asiatiques et des Arabes, des hommes en marron et en gris et en bleu et en vert, des femmes en rouge et en blanc et en jaune et en rose, des enfants en tennis et en chaussures de cuir et en bottes de cow-boy, des gros, des maigres, des grands, des petits, tous différents les uns des autres, chacun irréductiblement soi-même. Quinn les regardait tous, ancré à son poste comme si tout son être s'était exilé dans ses yeux. Chaque fois qu'un homme âgé s'approchait, il se raidissait en s'attendant à voir Stillman. Ils apparaissaient et disparaissaient trop vite pour qu'il eût même le loisir d'être déçu, mais il semblait trouver sur chaque vieux visage l'augure de ce que serait le véritable Stillman, et, à chaque nouvelle figure, il modifiait vite ses attentes comme si l'accumulation d'hommes âgés annonçait l'arrivée imminente de Stillman en personne. Très brièvement il pensa : "C'est donc cela, le travail d'un détective." Mais il ne pensa rien de plus. Il regardait. Immobile dans la foule mouvante, il demeurait et scrutait.

Environ la moitié des passagers avaient défilé lorsque Quinn aperçut Stillman pour la première fois. La ressemblance avec la photo ne semblait pas faire le moindre doute. Non, il n'était pas devenu chauve, comme Quinn l'avait prévu. Il avait les cheveux blancs non coiffés, ébouriffés çà et là en épis. Il était grand et mince, il avait incontestablement plus de soixante ans et le dos un peu voûté. Malgré la saison, il portait un long manteau marron tout élimé et il traînait les pieds en marchant. Sa figure avait une expression de placidité, à moitié entre l'hébétude et la méditation. Il ne regardait pas les choses autour de lui, elles ne semblaient pas l'intéresser. Il n'avait qu'un seul bagage, une valise de cuir, jadis très belle mais à présent toute cabossée, sanglée d'une courroie. A une ou deux reprises, en gravissant la rampe, il posa la valise et se reposa un instant. Il paraissait se mouvoir avec une certaine difficulté, quelque peu bousculé par la foule, indécis quant à suivre le rythme des autres ou se laisser dépasser.

Quinn recula d'un mètre ou deux, se plaçant de façon à pouvoir partir sur la gauche ou sur la droite selon ce qui allait se passer. Il voulait en même temps se trouver à une distance suffisante pour que Stillman ne puisse pas s'apercevoir qu'il était suivi.

Lorsqu'il eut atteint le seuil de la gare, Stillman posa à nouveau sa valise et fit une pause. A cet instant-là, Quinn se permit de regarder à droite de Stillman pour être doublement certain qu'il ne s'était pas trompé. Ce qui se passa alors défie toute explication. Venant juste après Stillman, surgissant quelques centimètres à peine derrière son épaule droite, un autre homme s'arrêta, sortit un briquet d'une de ses poches et alluma une cigarette. Son visage était la réplique exacte de celui de Stillman. Pendant une seconde Quinn crut à une illusion, une sorte d'aura projetée par les courants électromagnétiques du corps de Stillman. Mais non, cet autre Stillman bougeait, il respirait, il clignait des yeux ; ses gestes étaient, sans doute possible, indépendants du premier Stillman. Le deuxième Stillman respirait la prospérité. Il était habillé d'un costume bleu de bonne marque ; il avait des chaussures cirées ; ses cheveux blancs étaient peignés ; et dans ses yeux il y avait l'expression rusée d'un homme du monde. Il ne portait, lui aussi, qu'un seul bagage : une valise noire, élégante, à peu près de la même taille que celle de l'autre Stillman.

Quinn se figea sur place. Il ne pouvait plus rien faire qui ne fût une erreur. Tout choix – et il lui fallait en faire un – serait arbitraire, ce serait se soumettre au hasard. L'incertitude le hanterait jusqu'au bout. A ce moment-là les deux Stillman se remirent en marche. Le premier prit à droite, le second à gauche. Quinn souhaita de toutes ses forces avoir un corps d'amibe pour se couper en deux et courir dans les deux directions à la fois. "Fais quelque chose, se lança-t-il à lui-même, fais quelque chose tout de suite, espèce d'abruti."

Sans raison, il alla à gauche, à la poursuite du second Stillman. Au bout d'une dizaine de pas, il s'arrêta. Quelque chose lui disait qu'il regretterait abondamment ce qu'il était en train de faire. Il agissait par dépit, aiguillonné par le désir de punir le deuxième Stillman pour l'avoir embrouillé. Il se retourna et vit le premier Stillman qui traînait les pieds dans l'autre sens. C'était évidemment celui-là, l'homme qu'il cherchait. Cet être minable, tellement brisé et déconnecté de ce qui l'entourait – c'était sûrement lui, le Stillman fou. Quinn respira profondément, vidant sa poitrine tremblante et la remplissant d'air à nouveau. Il n'y avait nul moyen de savoir : ni cela, ni quoi que ce soit. Il se mit aux trousses du premier Stillman, ralentissant son pas pour l'adapter à celui du vieil homme, et il le suivit dans le métro.

Il était près de sept heures du soir, à présent, et les foules avaient commencé à se disperser. Bien que Stillman parût toujours être dans le brouillard, il savait néanmoins où il allait. Le professeur prit sans hésiter l'escalier du métro, paya ses jetons à la caisse en bas et attendit calmement sur le quai la navette de Times Square. Quinn commença à avoir moins peur de se faire remarquer. Il n'avait jamais vu quelqu'un d'aussi perdu dans ses propres pensées. Même s'il se tenait directement devant lui, il n'avait pas l'impression que Stillman puisse le voir.

Ils prirent la navette jusqu'au côté ouest, traversèrent à pied les couloirs humides de la station de la 42ᵉ rue, puis descendirent d'autres escaliers pour prendre les trains IRT. Sept ou huit minutes plus tard, ils montèrent dans le *Broadway Express* qui tangua vers le nord pendant deux longues étapes, et descendirent à la 96ᵉ rue. Gravissant leur dernier escalier avec lenteur et plusieurs haltes pendant lesquelles Stillman posa sa valise et reprit souffle, ils firent surface à l'intersection et se plongèrent dans l'indigo du soir. Stillman ne marquait aucune hésitation. Sans s'arrêter pour s'orienter il se mit à remonter Broadway du côté est de la rue. Pendant plusieurs minutes, Quinn ne put se défaire de la conviction irrationnelle que Stillman se dirigeait vers son propre immeuble de la 107ᵉ rue. Mais avant qu'il ait pu se livrer à une panique grandeur nature, Stillman s'était arrêté à l'angle de la 99e, et lorsque le feu passa au vert il traversa pour prendre l'autre trottoir de Broadway. Un demi-pâté de maisons plus haut se trouvait un établissement miteux pour paumés, l'hôtel *Harmony*. Quinn était souvent passé devant et il avait l'habitude des ivrognes et des vagabonds qui fréquentaient ce lieu. Il fut surpris de voir Stillman pousser la porte d'entrée et pénétrer dans le hall. Pour quelque raison, il avait supposé que le vieil homme aurait trouvé un logement plus confortable. Mais, lorsque debout devant la porte vitrée Quinn vit le professeur s'avancer vers la réception, inscrire dans le registre quelque chose qui devait sans aucun doute être son nom, ramasser sa valise et disparaître dans l'ascenseur, il prit conscience que c'était bien là que Stillman avait l'intention de descendre.

Quinn attendit dehors pendant encore deux heures, arpentant le trottoir en se disant que peut-être Stillman allait émerger pour prendre son repas du soir dans une des gargotes du coin. Mais le vieil homme ne se montra pas et, à la fin, Quinn en conclut qu'il devait être allé se coucher. Il téléphona à Virginia Stillman depuis une cabine au coin de la rue, lui fit un rapport complet de ce qui s'était passé et rentra chez lui dans la 107e rue.

8

Le lendemain matin, et ensuite de nombreux autres matins, Quinn se posta sur un banc au milieu du refuge pour piétons de Broadway, au niveau de la 99e rue. Il arrivait tôt, jamais après sept heures, et il s'asseyait muni d'une tasse de café à emporter, d'un petit pain beurré et d'un journal qu'il dépliait sur ses genoux. Il surveillait la porte en verre de l'hôtel. A huit heures, Stillman sortait, toujours vêtu de son long manteau marron et portant un grand sac de voyage démodé. Pendant deux semaines le déroulement fut le même. Le vieil homme errait dans les rues du voisinage à pas lents, ne progressant parfois que de façon infinitésimale, s'arrêtant, repartant, s'arrêtant à nouveau comme si chaque pas devait être pesé et mesuré avant de pouvoir prendre place dans le cumul des pas. Se déplacer ainsi n'était pas facile pour Quinn. Il était habitué à marcher à vive allure et tous ces démarrages suivis de haltes, toutes ces façons de traîner commençaient à lui peser comme s'ils détraquaient son rythme corporel. Il était le lièvre à la poursuite de la tortue et, sans cesse, il devait se rappeler à l'ordre pour se retenir.

Ce que Stillman faisait dans ses pérégrinations demeurait un mystère pour Quinn. Il pouvait certes voir de ses propres yeux ce qui se passait, et il notait tout fidèlement dans son cahier rouge.

Mais le sens de ces choses continuait à lui échapper. Stillman ne semblait jamais aller quelque part en particulier et il ne paraissait pas davantage savoir où il allait. Pourtant, comme à dessein, il se confinait dans une zone circonscrite avec exactitude, limitée au nord par la 110e rue, au sud par la 72e, à l'ouest par Riverside Park et à l'est par Amsterdam Avenue. Dans ses déplacements, aussi livrés au hasard qu'ils puissent paraître (et leur trajet variait tous les jours), Stillman ne franchissait jamais ces frontières. Une telle précision confondait Quinn, car, à tous autres égards, Stillman semblait ne pas avoir de but.

Lorsqu'il marchait, Stillman ne levait pas les yeux. Son regard était en permanence rivé au sol comme s'il cherchait quelque chose. De temps à autre, en effet, il se baissait, ramassait un objet par terre et l'examinait avec attention, le tournant et le retournant dans sa main. Quinn pensait alors à un archéologue sur un site préhistorique en train d'inspecter un tesson. Parfois, après s'être ainsi absorbé dans un objet, Stillman le rejetait sur le trottoir. Mais, le plus souvent, il ouvrait son sac et y déposait doucement sa trouvaille. Plongeant alors la main dans une poche de son manteau, il en extrayait un cahier rouge – semblable à celui de Quinn mais plus petit – et se mettait à y écrire pendant une minute ou deux, avec beaucoup de concentration. Lorsqu'il avait fini, il replaçait le cahier dans sa poche, ramassait son sac et reprenait son chemin.

Pour autant que Quinn pût en juger, les objets que rassemblait Stillman n'avaient pas de valeur. Ils ne semblaient être rien de plus que des choses cassées, mises au rebut, des débris épars. Au fil des jours, Quinn nota un parapluie pliant dépourvu de son tissu, une tête décollée de poupée en caoutchouc, un gant noir, le culot d'une ampoule éclatée, plusieurs échantillons de papier imprimé (magazines trempés, journaux en lambeaux), une photographie déchirée, des pièces de machine sans nom, et divers autres bouts d'épaves qu'il n'avait pu identifier. Quinn ne manquait pas de se poser des questions en voyant Stillman prendre au sérieux ce travail de chiffonnier. Mais il ne pouvait rien faire d'autre qu'observer, consigner ce qu'il voyait dans le cahier rouge et rôder stupidement à la surface des choses. En même temps, il était content de savoir que Stillman avait lui aussi un cahier rouge, comme si cela créait entre eux un lien secret. Quinn avait dans l'idée que le cahier rouge de Stillman contenait des réponses aux interrogations qui s'étaient accumulées dans son esprit et il se mit à concocter divers stratagèmes pour le subtiliser au vieil homme. Mais l'heure d'une telle mesure n'était pas encore venue.

A part ramasser des objets dans la rue, Stillman semblait ne rien faire. De temps à autre il s'arrêtait quelque part pour un repas. Il lui arrivait de heurter quelqu'un et de marmonner un mot d'excuse. Une fois qu'il traversait la rue, une voiture faillit le renverser. Stillman ne parlait à personne, n'entrait dans aucun magasin, ne souriait pas. Il ne paraissait ni heureux ni triste. Deux fois, après une récolte de détritus exceptionnellement abondante, il était revenu à l'hôtel au milieu de la journée pour réapparaître quelques minutes plus tard avec un sac vide. Presque tous les jours il passait au moins plusieurs heures dans Riverside Park, marchant méthodiquement le long des sentiers de macadam ou battant les buissons avec un bâton. Sa passion d'objets n'était pas amollie par la verdure. Des cailloux, des feuilles, des brindilles prenaient tous le chemin de son sac. Une fois, remarqua Quinn, il se baissa même pour ramasser une crotte de chien séchée. Il la renifla avec attention et la garda. C'était aussi dans le parc que Stillman se reposait.

L'après-midi, souvent après son déjeuner, il s'asseyait sur un banc et laissait son regard flotter au-delà du fleuve, l'Hudson. Un jour particulièrement chaud, Quinn le vit étendu sur l'herbe, endormi. Lorsqu'il commençait à faire noir, Stillman prenait son dîner à l'*Apollo*, un bistrot à l'angle de la 97e rue et de Broadway, puis il regagnait son hôtel pour la nuit. Pas une seule fois il n'essaya de se mettre en rapport avec son fils. Fait d'ailleurs confirmé par Virginia Stillman à qui téléphonait Quinn chaque soir après être rentré chez lui.

L'essentiel était de rester impliqué. Petit à petit, Quinn commençait à se sentir coupé de ses visées originelles et il se demandait à présent s'il ne s'était pas embarqué dans un projet insensé. Il était certes possible que Stillman fût simplement en train d'attendre son heure, de bercer son monde et de l'assoupir avant de frapper. Mais cela supposait qu'il fût conscient d'être surveillé, ce qui, selon Quinn, était peu probable. Jusqu'à présent, Quinn avait bien fait son travail, se tenant discrètement à distance du vieil homme, se fondant dans le mouvement de la rue, n'attirant pas l'attention sur lui-même mais ne prenant pas non plus des dispositions extrêmes pour se cacher. En revanche, il était possible que Stillman ait su dès le début – sinon même d'avance – qu'il serait épié et qu'il n'ait donc pas pris la peine de découvrir qui, exactement, le surveillait. S'il était certain d'être filé, quelle importance cela avait-il ? Un guetteur, une fois repéré, pouvait toujours se faire remplacer par un autre.

Cette façon d'envisager la situation réconforta Quinn et il décida d'y croire, même si rien ne lui permettait de fonder sa croyance. Ou bien Stillman savait ce qu'il faisait, ou bien il ne le savait pas. Et s'il ne le savait pas, Quinn tournait en rond et perdait son temps. Il valait infiniment mieux croire que tous les actes de Stillman tendaient à quelque but. Si cette interprétation exigeait que Stillman eût connaissance de ce qui se passait, Quinn accepterait cette connaissance comme un article de foi, au moins pour l'instant.

Restait le problème d'occuper ses pensées en suivant le vieil homme. Quinn avait l'habitude de se promener. Ses pérégrinations à travers la ville lui avaient appris à comprendre ce qui relie l'intérieur à l'extérieur. En utilisant le déplacement sans but comme une technique de renversement, il arrivait, dans ses meilleurs jours, à faire entrer l'extérieur et à usurper ainsi la souveraineté de l'intériorité. En se submergeant de choses externes, en se plongeant hors de lui-même au point de se noyer, il avait réussi à exercer une faible maîtrise sur ses crises de désespoir. Errer était donc une façon de se soustraire à son esprit. Mais suivre Stillman n'était pas errer. Stillman pouvait bien vagabonder, il pouvait chanceler comme un aveugle d'un endroit à l'autre, mais c'était là un privilège refusé à Quinn. Car il devait désormais se concentrer sur ce qu'il faisait, même si ce n'était presque rien. Sans cesse ses pensées partaient à la dérive et aussitôt ses jambes se mettaient au même diapason. Ce qui signifiait qu'il était constamment en danger de presser le pas et de rentrer dans Stillman par-derrière. Pour se préserver d'une telle mésaventure, il inventa diverses méthodes de ralentissement. La première consistait à se dire qu'il n'était plus Daniel Quinn. Il était Paul Auster, à présent, et, à chaque pas qu'il faisait, il essayait de se mouler plus confortablement dans les points d'étranglement de cette transformation. Auster n'était rien d'autre qu'un nom, pour lui, une enveloppe vide. Etre Auster signifiait être un homme sans intérieur, sans pensées. Et si aucune pensée ne pouvait se présenter à lui, si sa propre vie intérieure lui était devenue inaccessible, il n'y

avait donc plus d'endroit où il puisse battre en retraite.
En tant qu'Auster, il ne pouvait évoquer aucun souvenir
de peur, aucun rêve de joie, car toutes ces choses, en
appartenant à Auster, étaient pour lui inconsistantes. Par
conséquent il devait uniquement habiter sa propre surface, cherchant hors de lui de quoi se soutenir. Garder
les yeux fixés sur Stillman n'était donc pas simplement
une façon de s'ôter à son train de pensées, c'était la
seule pensée qu'il puisse s'autoriser à avoir.

Pendant un jour ou deux, cette tactique connut un certain succès, mais ensuite même Auster commença à
s'étioler sous la monotonie. Quinn comprit alors qu'il
avait besoin de quelque chose de plus pour se tenir occupé, d'une petite tâche qui l'accompagnerait dans son travail. A la fin, ce fut le cahier rouge qui lui apporta le
salut. Au lieu de se contenter d'y inscrire quelques commentaires détachés, comme il l'avait fait les premiers
jours, il décida d'enregistrer autant de détails concernant
Stillman qu'il lui était possible de noter. A l'aide du stylo
qu'il avait acheté au sourd-muet, il se mit à ce travail
avec zèle. Ne se contentant pas de relever chaque geste
de Stillman, de décrire tout objet qu'il choisissait pour
son sac ou qu'il rejetait, de consigner l'heure exacte de
chaque événement, il coucha aussi sur le papier avec un
soin méticuleux l'itinéraire exact des errances de Stillman, marquant toute rue suivie, tout changement de
direction, toute pause effectuée. Et, en plus d'occuper
Quinn, le cahier rouge lui fit aussi ralentir le pas. Il n'y
avait maintenant plus de risque de dépasser Stillman. Au
contraire, le problème était devenu comment ne pas le
perdre, comment être sûr de ne pas le laisser disparaître.
Car marcher et écrire n'étaient pas deux activités aisément compatibles. Si, au cours des cinq années précédentes, Quinn avait passé ses journées à faire l'une puis

l'autre, il tentait à présent d'accomplir les deux en même temps. Au début, il commit bien des erreurs. Il était particulièrement difficile d'écrire sans regarder la page et il lui arriva souvent de découvrir qu'il avait rédigé deux, voire trois lignes les unes sur les autres et produit un palimpseste embrouillé et illisible. Mais regarder la page impliquait de s'arrêter, ce qui augmentait le risque de perdre Stillman. Après un certain temps, il parvint à la conclusion que c'était surtout une question de position. Il fit un essai en tenant le cahier devant lui à un angle de quarante-cinq degrés, mais il trouva que son poignet gauche se fatiguait vite. Puis il s'efforça de tenir le cahier droit devant son visage, le regard passant par-dessus comme s'il était Kilroy en chair et en os, mais cela s'avéra peu pratique. Il essaya ensuite de caler le cahier sur son bras droit, plusieurs centimètres au-dessus du coude, et de le soutenir avec la paume de la main gauche appuyée contre la couverture. Mais la main chargée se trouvait alors trop comprimée et il lui devenait impossible d'atteindre la demi-page inférieure. En fin de compte, il décida de poser le cahier contre sa hanche gauche un peu à la manière d'une palette de peintre. C'était une amélioration. Il le portait alors sans effort et sa main droite pouvait tenir le stylo sans s'encombrer d'autres tâches. Même si cette méthode avait elle aussi ses inconvénients, elle semblait fournir la configuration la plus confortable pour une longue période. Car Quinn, du coup, pouvait diviser son attention presque également entre Stillman et sa rédaction, jetant un œil tantôt sur l'un, tantôt sur l'autre, voyant une chose et l'écrivant dans un même geste fluide. Avec le stylo du sourd-muet dans sa main droite et le cahier rouge sur sa hanche gauche, Quinn continua à suivre Stillman pendant neuf jours de plus.

Ses conversations nocturnes avec Virginia Stillman étaient brèves. Bien que le souvenir du baiser fût encore vivace dans l'esprit de Quinn, cette romance était restée sans suite. D'abord, Quinn s'était attendu à quelque chose. Après un début aussi prometteur il avait cru certain de trouver un jour Mme Stillman dans ses bras. Mais celle qui l'employait s'était rapidement retranchée derrière le masque des rapports professionnels et n'avait pas évoqué une seule fois cet unique instant de passion. Il se pouvait que Quinn se fût fourvoyé dans ses espoirs, se prenant momentanément pour Max Work, un homme qui ne manquait jamais de profiter de telles occasions. Ou bien c'était simplement que Quinn commençait à ressentir sa solitude avec davantage d'acuité. Il y avait longtemps qu'il n'avait eu un corps chaud près de lui. Et, en réalité, il avait commencé à désirer Virginia Stillman dès l'instant où il l'avait vue, bien avant ce baiser. Le fait qu'elle ne lui prodiguât actuellement aucun encouragement ne l'empêchait pas de continuer à l'imaginer toute nue. Des images lascives défilaient dans sa tête chaque nuit, et même si elles n'avaient que de faibles chances de se réaliser, elles constituaient malgré tout une agréable distraction. Bien plus tard, longtemps après qu'il eut été trop tard, il découvrit qu'au fond de lui il avait nourri l'espoir chevaleresque de résoudre si brillamment le cas, de soustraire si vite et si totalement Peter Stillman au danger qu'il en aurait gagné le désir de Mme Stillman pour aussi longtemps qu'il l'aurait souhaité. C'était, bien sûr, une erreur. Mais parmi toutes les bévues que Quinn commit du début à la fin, celle-ci n'était pas pire que n'importe quelle autre.

On était au treizième jour depuis le début de l'affaire. Ce soir-là, Quinn rentra chez lui mal en point. Il était découragé, prêt à quitter le navire. Malgré les jeux qu'il avait joués avec lui-même, malgré les histoires qu'il avait inventées pour se pousser à continuer, le cas semblait vide de substance. Stillman était un vieillard cinglé qui avait oublié son fils. On pouvait le filer jusqu'à la fin des temps, il ne se passerait jamais rien. Quinn prit le téléphone et composa le numéro de l'appartement des Stillman.

— Je suis sur le point de rendre mon tablier, dit-il à Virginia Stillman. D'après tout ce que j'ai vu, Peter n'est pas menacé.

— C'est exactement ce qu'il veut nous faire croire, répondit la femme. Vous ne soupçonnez pas à quel point il est habile. Et patient !

— Il se peut qu'il soit patient, mais pas moi. J'ai l'impression que vous gaspillez votre argent. Et moi je perds mon temps.

— Etes-vous certain qu'il ne vous a pas vu ? Ça pourrait tout changer.

— Je ne parierais pas ma vie, mais oui, j'en suis certain.

— Quelle est votre conclusion, donc ?

— J'en conclus que vous n'avez pas lieu de vous inquiéter. Au moins actuellement. S'il se passe quelque chose plus tard, prévenez-moi. J'arriverai en courant au premier signe alarmant.

Après une pause, Virginia Stillman déclara : "Il se peut que vous ayez raison." Puis, après un autre silence : "Mais, ne serait-ce que pour me rassurer un peu, ne pourrions-nous pas trouver un compromis ?"

— Tout dépend de ce que vous avez en tête.

— Rien d'autre que d'y passer encore quelques jours. Pour être absolument sûr.

— A une seule condition, répondit Quinn. Il faut que vous me laissiez agir à ma manière. Plus de restriction.

Il faut que j'aie la liberté de lui parler, de lui poser des questions, d'aller au bout de cette affaire une fois pour toutes.

— Est-ce que ce n'est pas risqué ?

— Ne vous inquiétez pas. Je ne vais pas manger le morceau. Il n'aura même pas idée de qui je suis ou de ce que je cherche.

— Comment vous y prendrez-vous ?

— Ça me regarde. J'ai pas mal de tours dans mon sac. Il faut simplement me faire confiance.

— Bien, j'accepte. Je suppose que ça ne fera pas de mal.

— Parfait. Je vais y passer quelques jours de plus et nous ferons le point.

— Monsieur Auster ?

— Oui ?

— Je vous suis très, très reconnaissante. Peter est dans une forme extraordinaire depuis ces deux dernières semaines, et je sais que c'est à cause de vous. Il parle de vous tout le temps. Vous êtes comme… je ne sais pas… un héros, pour lui.

— Et qu'en pense Mme Stillman ?

— Elle pense à peu près la même chose.

— Ça fait plaisir à entendre. Peut-être un jour me permettra-t-elle de me sentir reconnaissant envers elle.

— Tout est possible, monsieur Auster. Vous devriez vous en souvenir.

— Je n'y manquerai pas. Sinon je serais trop bête.

Quinn se prépara un dîner léger d'œufs brouillés avec des toasts, vida une bouteille de bière et s'installa à son bureau avec le cahier rouge. Il y écrivait depuis des jours et des jours, maintenant, remplissant une page après l'autre d'une écriture bousculée et instable, mais il n'avait pas encore eu le courage de se relire. Comme l'affaire semblait enfin toucher à son terme, il se dit qu'il pourrait y risquer un coup d'œil.

Une bonne partie était difficile, surtout le début. Et quand il arrivait à déchiffrer les mots, il avait l'impression que ses efforts n'étaient guère récompensés. "Ramasse crayon milieu trottoir. Examine, hésite, dans le sac... Achète sandwich à la charcu... S'assoit sur banc dans parc et lit dans cahier rouge." Ces phrases lui paraissaient totalement sans intérêt.

Ce n'était qu'une question de méthode. Si son but était de comprendre Stillman, de se familiariser avec lui suffisamment pour prévoir ce qu'il allait faire, Quinn avait échoué. Il avait commencé avec des données en nombre limité : le passé et la profession de Stillman, la séquestration de son fils, son arrestation et son hospitalisation, un livre d'une science bizarre écrit à une époque où il passait encore pour sain d'esprit, et surtout la conviction de Virginia Stillman qu'il allait maintenant essayer de nuire à son fils. Mais les faits du passé ne paraissaient pas être en rapport avec les faits du présent. Quinn sentait en lui une grande désillusion. Il s'était toujours imaginé que la clé d'un bon travail de détective était une observation minutieuse des détails. Plus l'examen était précis, plus les résultats seraient probants. L'hypothèse sous-jacente était que le comportement humain devait être accessible à l'entendement, que sous la façade infinie des gestes, des tics et des silences, il y avait en fin de compte une cohérence, un ordre, une source de motivation. Mais après avoir lutté pour saisir tous ces effets de surface, Quinn ne se sentait pas plus proche de Stillman que lorsqu'il avait commencé à le suivre. Il avait vécu la vie de Stillman,

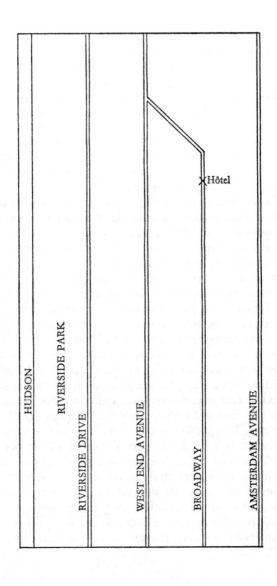

il avait marché à son rythme, vu les mêmes choses que lui, et la seule chose qu'il ressentait à présent était l'impénétrabilité de cet homme. Au lieu de réduire la distance qui le séparait de Stillman, il avait vu le vieil homme lui échapper et cela alors même qu'il restait sous ses yeux.

Sans aucune raison dont il eût conscience, Quinn passa à une page vierge du cahier rouge et croqua une petite carte de la zone dans laquelle Stillman s'était promené.

Puis, réexaminant soigneusement ses notes, il se mit à retracer de son stylo les déplacements que Stillman avait effectués en une seule journée – le premier jour où il avait complètement enregistré les déambulations du vieil homme. Le résultat en était le suivant :

Quinn fut frappé par la manière dont Stillman avait longé les bords de la zone sans s'aventurer une seule fois au centre. Le croquis ressemblait à la carte d'un Etat imaginaire du Midwest. A part les onze pâtés de

maisons sur Broadway au départ et la série d'enjoli-
vures qui représentaient les méandres de Stillman dans
Riverside Park, l'image faisait aussi penser à un rec-
tangle. Mais, étant donné la structure quadrangulaire
des rues de New York, ce pouvait être aussi un zéro ou
la lettre O.

Quinn passa à la journée suivante, déterminé à voir
ce qui en sortirait. Les résultats furent très différents.

Cette image lui rappelait un oiseau, peut-être un
oiseau de proie, les ailes ouvertes, tournoyant dans les
airs. Un instant plus tard, cette lecture lui parut tirée par
les cheveux. L'oiseau disparut et fut remplacé par deux
formes abstraites reliées par le minuscule pont que
Stillman avait tracé en marchant vers l'ouest dans la

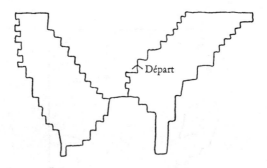

83ᵉ rue. Quinn s'accorda une pause pour réfléchir à ce
qu'il faisait. Etait-il en train de griffonner des bêtises ?
Etait-il en train de gaspiller débilement sa soirée, ou
essayait-il de trouver quelque chose ? Mais il comprit
que ces deux réponses étaient tout aussi inacceptables
l'une que l'autre. S'il était simplement en train de tuer

le temps, pourquoi s'y employait-il d'une façon aussi laborieuse ? Etait-il si confus qu'il n'avait plus le courage de penser ? En revanche, s'il n'était pas seulement en train de se distraire, que faisait-il exactement ? Il lui semblait qu'il cherchait un signe. Il passait au crible le chaos des déplacements de Stillman pour y trouver une lueur de cohérence. Ce qui ne voulait dire qu'une seule chose : qu'il persistait à ne pas croire que les actes de Stillman soient arbitraires. Il voulait qu'ils aient un sens, aussi obscur soit-il. Et cela, en soi, était inacceptable. Car cela signifiait que Quinn se permettait de nier les faits, ce qui était – il le savait bien – la pire des choses qu'un détective puisse faire.

Il décida néanmoins de poursuivre. Il n'était pas trop tard, pas même onze heures, et il fallait bien admettre que ça ne pouvait pas être nuisible.

Ce que donna la troisième carte ne ressemblait en rien aux deux précédentes.

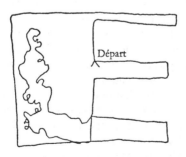

Il ne semblait plus y avoir de doute sur ce qui se passait. S'il négligeait les tortillons du parc, Quinn était certain d'avoir devant les yeux la lettre E. Si on supposait que le premier schéma avait réellement représenté la lettre O, il paraissait justifié de présumer que les ailes d'oiseau du deuxième figuraient un W. Les lettres O-W-E formaient bien un mot, mais Quinn n'était pas encore décidé à en tirer de conclusion. Il n'avait commencé cet inventaire que le cinquième jour des excursions de Stillman, et ce qu'étaient les quatre premières lettres personne n'en savait rien. Il regretta de ne pas avoir commencé plus tôt, s'apercevant à présent que le mystère de ces quatre jours était à tout jamais inaccessible. Mais peut-être pourrait-il compenser la perte du passé en plongeant dans l'avenir. En arrivant à la fin, peut-être serait-il en mesure de retrouver le début par intuition.

Le schéma du jour suivant paraissait dessiner une forme ressemblant à la lettre R. Comme les autres, il était compliqué par de nombreuses irrégularités, des approximations et des fioritures dans le parc. S'accrochant encore à un semblant d'objectivité, Quinn s'efforça de le regarder comme s'il ne s'était pas attendu à y voir une lettre de l'alphabet. Il dut avouer que rien n'était sûr : ce pouvait bien être une forme dénuée de sens. Peut-être était-il en train de chercher des images dans les nuages comme lorsqu'il était petit garçon. Pourtant, la coïncidence était trop frappante. Si l'un des croquis – voire deux d'entre eux – avait ressemblé à une lettre, il aurait pu écarter la chose comme un caprice du hasard. Mais quatre à la suite, c'était quand même pousser un peu loin.

La journée suivante donnait un O de guingois, un anneau écrasé d'un côté avec trois ou quatre lignes brisées faisant saillie de l'autre. Puis venait un F bien ordonné, avec sur le côté les boucles rococo bien connues. Après, il y avait un B qui ressemblait à deux boîtes empilées au hasard l'une sur l'autre avec des copeaux d'emballage qui frisaient par-dessus les bords. Ensuite, un A chancelant qui avait un peu l'air d'une échelle, avec ses marches étagées de chaque côté. Enfin, il y avait un deuxième B penché fragilement sur un seul point pervers, comme une pyramide inversée.

Quinn recopia les lettres dans l'ordre : OWEROFBAB. Après les avoir trifouillées pendant un quart d'heure, les permutant, les séparant, formant de nouvelles séquences, il revint à l'ordre primitif et les écrivit de la façon suivante : OWER OF BAB. La solution lui paraissait si grotesque que ses nerfs faillirent le lâcher. En tenant bien compte du fait qu'il avait raté les quatre premiers jours et que Stillman n'avait pas encore terminé, la réponse semblait inévitable : *THE TOWER OF BABEL*, c'est-à-dire LA TOUR DE BABEL.

Les pensées de Quinn s'envolèrent fugitivement vers les dernières pages du récit de Poe, *Les Aventures d'Arthur Gordon Pym*, et vers la découverte des étranges hiéroglyphes sur le mur intérieur du gouffre – des lettres inscrites dans la terre même comme si elles essayaient de dire quelque chose qui ne pouvait plus être compris. Mais, en y repensant, cette comparaison boitait. Car Stillman n'avait laissé de message nulle part. Il avait certes créé les lettres par le mouvement de ses pas, mais elles n'avaient pas été inscrites quelque part. C'était comme dessiner dans l'air avec un doigt. L'image disparaît au fur et à mesure qu'on la constitue. Il n'y a pas de résultat, pas de trace qui marque ce qu'on a fait.

Pourtant les dessins existaient : pas dans les rues où ils avaient été exécutés mais dans le cahier rouge de Quinn. Il se demanda si Stillman s'était assis chaque soir dans sa chambre pour pointer son trajet du lendemain ou s'il avait improvisé en marchant. Impossible de savoir. Il se demanda aussi quel était, dans l'esprit de Stillman, le but de cette inscription. Etait-ce simplement une sorte de note qu'il s'adressait à lui-même ou voulait-il en faire un message pour autrui ? A tout le moins, conclut Quinn, cela signifiait que Stillman n'avait pas oublié Henry Dark.

Quinn ne voulait pas céder à la panique. Luttant contre lui-même pour se contrôler il essaya d'imaginer les choses sous leur éclairage le plus désastreux. En envisageant le pire peut-être le rendait-il moins mauvais qu'il ne le croyait. Il divisa l'affaire ainsi. Premièrement : Stillman tramait réellement quelque chose contre Peter. Réponse : c'était justement la prémisse de base. Deuxièmement : Stillman avait su qu'il serait suivi, avait su que ses gestes seraient enregistrés et son message déchiffré. Réponse : cela ne modifiait pas la donnée essentielle, à savoir que Peter devait être protégé. Troisièmement : Stillman était beaucoup plus dangereux qu'on ne l'avait imaginé auparavant. Réponse : cela ne signifiait pas qu'il pouvait agir impunément.

Ça améliorait un peu les choses. Mais les lettres continuaient à horrifier Quinn. Le tout était si indirect, si diabolique dans ses détours qu'il ne voulait pas s'y résigner. Puis surgirent des doutes, comme sur commande, qui remplirent sa tête de voix traînantes et gouailleuses. Il avait fantasmé toute l'affaire. Les lettres n'étaient pas du tout des lettres. Il les avait vues uniquement parce qu'il avait voulu les voir. Et même si les schémas formaient des lettres, ce n'était qu'un hasard. Stillman n'y était pour rien. Ce n'était qu'un accident, une farce qu'il s'était jouée à lui-même.

Il décida d'aller se coucher, dormit par à-coups, se réveilla, écrivit pendant une demi-heure dans le cahier rouge, se recoucha. Sa dernière pensée avant de s'endormir fut de se dire qu'il avait encore probablement deux jours puisque Stillman n'avait pas terminé son message. Il manquait les deux dernières lettres – le E et le L. L'esprit de Quinn se mit à divaguer. Il arriva dans un pays chimérique de fragments, un endroit de choses sans mots et de mots sans choses. Puis, secouant sa torpeur une dernière fois, il se dit que *El* était le mot pour Dieu en ancien hébreu.

Dans son rêve, qu'il oublia plus tard, il se trouvait dans la décharge municipale de son enfance, en train de passer au crible une montagne de détritus.

9

La première rencontre avec Stillman eut lieu dans Riverside Park. C'était le milieu de l'après-midi, un samedi de bicyclettes, de promeneurs de chiens et d'enfants. Stillman était assis seul sur un banc, le regard fixe et vague, le petit cahier rouge sur ses genoux. Il y avait partout de la lumière, une luminosité immense qui semblait irradier de chaque chose que rencontrait le regard. En hauteur, dans les branches des arbres, une brise continuait à souffler, secouant les feuilles avec un sifflement passionné qui s'enflait et retombait comme l'incessante respiration des vagues.

Quinn avait préparé son jeu avec soin. Faisant semblant de ne pas remarquer Stillman, il prit place à ses côtés sur le banc, se croisa les bras sur la poitrine et laissa errer son regard dans la même direction que le vieil homme. Aucun des deux ne parla. Selon les calculs qu'il fit plus tard, Quinn estima la durée de ce manège à quinze ou vingt minutes. Puis, de but en blanc, il tourna la tête vers Stillman et se mit à le dévisager, gardant obstinément les yeux sur son profil ridé. Quinn concentra toute sa force dans ses yeux comme s'ils pouvaient se mettre à brûler un trou dans le crâne de Stillman. Cette phase se poursuivit pendant cinq minutes.

Enfin Stillman se tourna vers lui. D'une voix de ténor étonnamment douce, il déclara :

— Je regrette, mais il ne me sera pas possible de vous parler.

— Je n'ai rien dit, répondit Quinn.

— C'est vrai, reprit Stillman. Mais il faut que vous compreniez que je n'ai pas pour habitude de parler à des inconnus.

— Je répète, dit Quinn, que je n'ai rien dit.

— Oui, je vous ai entendu la première fois. Mais n'avez-vous pas envie de savoir pourquoi ?

— J'ai bien peur que non.

— Bien dit. Je vois que vous êtes un homme sensé.

Quinn haussa les épaules. Tout son être respirait maintenant l'indifférence.

En voyant cela, Stillman eut un grand sourire, se pencha vers Quinn et lui dit d'un ton de conspirateur. "J'ai l'impression que nous allons nous entendre."

— Ça reste à voir, fit Quinn après un long silence.

Stillman éclata de rire – un "ho" bref et sonore – puis poursuivit. "Ce n'est pas que je n'aime pas les inconnus en soi. C'est seulement que je préfère ne pas parler à quelqu'un qui ne se présente pas. Pour commencer, il me faut un nom."

— Mais lorsqu'il vous a donné son nom, ce n'est plus un inconnu.

— Parfaitement. C'est pourquoi je ne parle jamais à un inconnu.

Quinn s'était préparé à cela et savait quoi répondre. Il n'allait pas se laisser prendre. Puisqu'il était techniquement Paul Auster, c'était ce nom-là qu'il devait protéger. Tout le reste, y compris la vérité, constituerait une invention, un masque derrière lequel il se cacherait et serait à l'abri.

— Dans ce cas, dit-il, je suis heureux de vous faire plaisir. Je m'appelle Quinn.

— Ah, fit Stillman d'un air réfléchi, hochant la tête. Quinn.

— Oui, Quinn. Q-U-I-N-N.

— Je vois. Si, si, je vois. Quinn. Hmmm. Oui. Très intéressant. Quinn. Un mot plein de résonances. Il rime avec fouine, n'est-ce pas ?

— C'est juste. Fouine.

— Et avec gin aussi, si je ne m'abuse.

— Vous ne vous abusez pas.

— Et aussi avec *in*, n'est-ce pas ?

— Exactement.

— Hmmm. Que c'est intéressant. J'entrevois beaucoup de possibilités pour ce mot, ce Quinn, cette… *quidditas*… de quintessence. Il y a aussi couic. Et couac, et couenne. Et couine. Hmmm. Rime avec mine, et marine. Sans parler de devine. Et de débine. Et mieux avec djinn. Hmmm. Très intéressant. Et rapine, et ravine. Oui, très intéressant. Votre nom me plaît énormément, monsieur Quinn. Il s'éparpille dans tant de petites directions à la fois.

— C'est vrai. Je l'ai souvent remarqué moi-même.

— La plupart des gens ne font pas attention à ces choses. Ils voient les mots comme des rocs, de grands objets impossibles à déplacer et sans vie, des monades qui ne changent jamais.

— Les rocs connaissent le changement. Ils peuvent subir l'usure du vent ou de l'eau. Ils peuvent s'éroder. Ils peuvent être broyés. On peut en faire des fragments, ou du gravier, ou de la poussière.

— Parfaitement. Du premier coup d'œil j'ai pu voir que vous étiez un homme sensé, monsieur Quinn. Si seulement vous saviez combien de gens m'ont mal compris. Mon travail en a souffert terriblement. Souffert terriblement.

— Votre travail ?

— Oui, mon travail. Mes projets, mes recherches, mes expériences.

— Ah.

— Oui. Mais malgré tous les revers, je ne me suis jamais laissé abattre. C'est ainsi qu'actuellement je suis lancé dans une des choses les plus importantes que j'aie jamais faites. Si tout se passe bien, je crois que j'aurai la clé de toute une série de découvertes de première importance.

— La clé ?

— Oui, la clé. Un instrument qui ouvre les portes verrouillées.

— Ah.

— Certes, je me contente actuellement de rassembler des données, de réunir les preuves, pour ainsi dire. Puis il me faudra coordonner mes découvertes. C'est une tâche très ardue. Vous n'avez pas idée de ce que c'est difficile – surtout pour quelqu'un de mon âge.

— Je peux en avoir une idée.

— Fort bien. Il y a fort à faire, et si peu de temps pour y arriver. Tous les matins je me lève aux aurores. Il faut que je sorte par n'importe quel temps, toujours à me déplacer, toujours debout, allant d'un endroit à l'autre. Ça m'use, je vous l'assure.

— Mais ça vaut la peine.

— Tout pour la vérité. Aucun sacrifice n'est trop grand.

— Certainement.

— Voyez-vous, personne n'a compris ce que j'ai compris, moi. Je suis le premier. Le seul. Ça me donne un grand poids de responsabilité.

— Le monde sur vos épaules.

— Oui, en quelque sorte. Le monde, ou ce qu'il en reste.

— Je n'avais pas réalisé que c'en était à ce point-là.

— C'en est là. Peut-être même pire.

— Ah.

— Voyez-vous, le monde est en fragments, monsieur. Et c'est à moi que revient la tâche de recoller les morceaux.

— Vous vous êtes chargé d'une grosse affaire.

— J'en suis bien conscient. Mais je me limite à chercher le principe. Et c'est bien dans les possibilités d'un seul homme. Si je peux poser les fondations, d'autres bras se chargeront du travail de restauration. Ce qui est important, c'est l'axiome de base, le premier pas théorique. Malheureusement, il n'y a personne d'autre que moi qui puisse le faire.

— Avez-vous beaucoup avancé ?

— A pas de géant. En fait, j'ai l'impression d'être au bord d'une percée de grande importance.

— Je suis rassuré d'entendre cela.

— Oui, c'est une pensée réconfortante. Et tout cela grâce à mon intelligence, à l'éblouissante clarté de mon esprit.

— Je n'en doute pas.

— Voyez-vous, j'ai compris la nécessité de me limiter. De travailler avec un champ suffisamment restreint pour que tous les résultats soient concluants.

— L'axiome de l'axiome, pour ainsi dire.

— C'est cela, exactement. Le principe du principe, la méthode. Voyez-vous, le monde est en fragments, monsieur. Non seulement nous avons perdu la capacité de vouloir atteindre quelque chose, mais nous avons aussi perdu le langage nous permettant d'en parler.

Il s'agit certes là de problèmes spirituels, mais ils ont leur contrepartie, dans le monde matériel. Mon coup de génie a consisté à me limiter aux choses physiques, à l'immédiat et au tangible. Mes motivations sont élevées, mais mon travail a lieu maintenant dans le champ du quotidien. C'est pourquoi je suis si souvent mal compris. Mais qu'importe. J'ai appris à dédaigner ces choses.

— Réponse admirable.

— La seule possible. La seule qui soit digne d'un homme de ma stature. Voyez-vous, je suis en train d'inventer un nouveau langage. Avec ce genre de travail sur les bras, je ne peux pas me laisser toucher par la stupidité d'autrui. De toute façon, tout cela fait partie de la maladie que j'essaie de traiter.

— Un nouveau langage ?

— Oui. Un langage qui dira enfin ce que nous avons à dire. Car les mots que nous employons ne correspondent plus au monde. Lorsque les choses avaient encore leur intégrité, nous ne doutions pas que nos mots puissent les exprimer. Mais, petit à petit, ces choses se sont cassées, fragmentées, elles ont sombré dans le chaos. Et malgré cela nos mots sont restés les mêmes. Ils ne se sont pas adaptés à la nouvelle réalité. Par conséquent, chaque fois que nous essayons de parler de ce que nous voyons, nous parlons à faux, nous déformons cela même que nous voulons représenter. Ce qui a fait un gâchis terrible. Mais les mots – vous comprenez bien cela vous-même – admettent le changement. Le problème, c'est comment le prouver. C'est pourquoi je travaille maintenant avec les moyens les plus simples possible, si simples que même un enfant peut comprendre ce que je dis. Prenez un mot qui désigne une chose, "parapluie", par exemple. Lorsque je dis le mot "parapluie", vous voyez l'objet dans votre esprit. Vous voyez une sorte de manche, muni de rayons de métal rabattables formant une armature pour un tissu imperméable, et qui, lorsqu'il est ouvert, vous protège de la pluie. Ce dernier détail est important. Non seulement un parapluie est une chose, c'est aussi une chose qui remplit une fonction – en d'autres termes, qui exprime la volonté humaine. Si vous voulez bien y songer, tout objet est semblable au parapluie en cela qu'il remplit une fonction. Un crayon sert à écrire, un soulier est fait pour être porté, une voiture pour être conduite. Voici maintenant ma question. Que se passe-t-il lorsqu'une chose ne remplit plus sa fonction ? Est-elle toujours la même chose ou est-elle devenue autre ? Si vous arrachez le tissu du parapluie, reste-t-il parapluie ? Vous déployez les baleines, les mettez au-dessus de votre tête, vous allez sous la pluie et vous voilà trempé. Est-il possible de continuer à appeler cet objet un parapluie ? En général, on le fait. A l'extrême, on dira que le parapluie est cassé. Selon moi, c'est une grave erreur, c'est la source de tous nos ennuis. Du fait qu'il ne peut plus remplir sa fonction, le parapluie n'en est plus un. Il peut bien y ressembler, il se peut que dans le passé il en ait été un, mais maintenant il s'est transformé en autre chose. Or, le mot est resté le même. Par conséquent, il ne peut plus exprimer la chose. Il est imprécis ; il est faux ; il cache ce qu'il est censé révéler. Et si nous sommes incapables de nommer une chose ordinaire, un objet de tous les jours que nous tenons dans nos mains, comment pouvons-nous espérer parler des choses qui nous concernent vraiment ? A moins que nous ne commencions à inclure la notion de changement dans les mots que nous employons, nous continuerons à être perdus.

— Et votre travail ?

— Mon travail est très simple. Je suis venu à New York parce que c'est le plus désespéré, le plus abandonné de tous les lieux, le plus abject. Ici tout est cassé et le désarroi est universel. Il suffit d'ouvrir les yeux pour voir tout cela. Les gens brisés, les choses brisées, les pensées brisées. Toute la ville n'est qu'un vaste dépotoir. Et cela me sert à merveille. Je trouve que les rues sont une mine infinie de matériaux, un réservoir inépuisable de choses cassées. Chaque jour je sors avec mon sac et je recueille les objets qui me semblent mériter d'être étudiés. Mes échantillons se comptent à présent par centaines – des ébréchés aux fracassés, des cabossés aux écrasés, des pulvérisés aux putréfiés.

— Que faites-vous de ces objets ?

— Je leur donne un nom.

— Un nom ?

— J'invente des mots nouveaux qui correspondent à la chose.

— Ah. Je vois, maintenant. Mais comment arrêtez-vous votre décision ? Comment savez-vous que vous avez trouvé le mot adéquat ?

— Je ne me trompe jamais. C'est une fonction de mon génie.

— Pourriez-vous me donner un exemple ?

— D'un de mes mots ?

— Oui.

— Je regrette, mais ce n'est pas possible. C'est mon secret, vous comprenez. Lorsque j'aurai publié mon livre, vous, comme le reste du monde, vous saurez. Mais pour l'instant je dois garder tout cela pour moi.

— Information confidentielle.

— C'est cela. Ultra-secrète.

— Je suis désolé.

— Il ne faut pas que vous soyez trop déçu. Il ne me faudra plus très longtemps pour finir de mettre mes découvertes en ordre. De grandes choses commenceront alors à apparaître. Ce sera le plus grand événement de l'histoire de l'humanité.

La seconde rencontre eut lieu le lendemain matin peu après neuf heures. Comme c'était un dimanche, Stillman était sorti de l'hôtel une heure plus tard que d'habitude. Il longea les deux pâtés de maisons qui le séparaient du café *Mayflower* où il prenait habituellement son petit déjeuner et prit place sur une banquette du fond, dans un angle. Quinn, devenu plus audacieux, suivit le vieil homme dans le bistrot et s'assit à la même table, sur la banquette opposée. Pendant une minute ou deux, Stillman ne sembla pas remarquer sa présence. Puis, levant les yeux de la carte, il étudia le visage de Quinn d'une façon abstraite. Apparemment, il ne le reconnaissait plus depuis la veille.

— Est-ce que je vous connais ? demanda-t-il.

— Je ne pense pas, déclara Quinn. Je m'appelle Henry Dark.

— Ah, fit Stillman en hochant la tête. Un homme qui commence par l'essentiel. Ça me plaît.

— Je ne suis pas le genre à tourner autour du pot, dit Quinn.

— Le pot ? Quel pot ?

— Le pot aux roses, bien sûr.

— Ah, oui. Le pot aux roses. Bien sûr. Stillman regardait le visage de Quinn – avec un peu plus d'attention, cette fois, mais aussi avec quelque chose comme une certaine confusion. "Je suis désolé, poursuivit-il, mais je ne me souviens pas de votre nom. Je me rappelle que vous me l'avez donné il y a peu de temps, mais maintenant j'ai l'impression qu'il n'est plus là."

— Henry Dark, énonça Quinn.

— C'est donc ça. Oui, à présent ça me revient. Henry Dark. Stillman fit une longue pause puis secoua la tête. Malheureusement, monsieur, c'est impossible.

— Pourquoi donc ?

— Parce qu'il n'y a pas d'Henry Dark.

— Eh bien, je suis peut-être un autre Henry Dark. Par opposition à celui qui n'existe pas.

— Hmmm. Oui, je vous comprends. Il est vrai que deux personnes ont parfois le même nom. Il est bien possible que vous vous appeliez Henry Dark. Mais vous n'êtes pas LE Henry Dark.

— S'agit-il d'un de vos amis ?

Stillman se mit à rire comme d'une bonne plaisanterie. "Pas vraiment, dit-il. Voyez-vous, il n'y a jamais eu réellement d'Henry Dark. Je l'ai fabriqué. C'est une invention."

— Pas possible, dit Quinn en faisant comme s'il refusait de le croire.

— Si, si. C'est un personnage d'un livre que j'ai écrit autrefois. Une fiction.

— Je trouve ça difficile à admettre.

— Tous les autres ont fait comme vous. Je les ai tous bernés.

— Incroyable. Mais pourquoi diable avez-vous fait ça ?

— J'avais besoin de lui, voyez-vous. A l'époque j'avais certaines idées qui étaient trop dangereuses et qui prêtaient trop le flanc à la critique. Alors j'ai prétendu qu'elles venaient de quelqu'un d'autre. Une façon de me protéger.

— Comment avez-vous choisi le nom d'Henry Dark ?

— C'est un bon nom, n'est-ce pas ? Il me plaît énormément. Plein de mystère et en même temps très convenable. Il allait dans mon sens. Et puis il avait une signification secrète.

— Le fait qu'il évoque l'obscurité ?

— Non, non. Rien de si évident. C'étaient les initiales, H. D. C'était très important.

— Comment cela ?

— N'avez-vous pas envie de deviner ?

— Pas vraiment.

— Oh, si. Essayez. Trois réponses. Si vous n'y arrivez pas, alors, je vous le dirai.

Quinn s'arrêta un instant, s'efforçant de son mieux. "H. D., répéta-t-il. Pour Henry David ? Comme dans Henry David Thoreau."

— Froid, très froid.

— Pourquoi pas tout simplement H. D. ? Pour le poète Hilda Doolittle.

— Encore plus froid.

— Bien, encore une tentative. H. D. H... et D... Un instant... Disons... Un instant... Ah... Oui, nous y voilà. H pour le philosophe qui pleure, Héraclite... et D pour le philosophe qui rit, Démocrite. Héraclite et Démocrite... Les deux pôles de la dialectique.

— Une réponse très fine.

— J'ai trouvé ?

— Non, bien sûr que non. Mais quand même une réponse intelligente.

— Vous ne pouvez pas dire que je n'ai pas essayé.

— En effet. C'est pourquoi je vais vous récompenser en vous donnant la bonne réponse. Parce que vous avez fait un effort. Vous êtes prêt ?

— Je suis prêt.

— Les initiales H. D. du nom Henry Dark se rapportent à Humpty Dumpty.

— Qui ça ?

— Humpty Dumpty. Vous savez bien, l'œuf.

— Comme dans *Humpty Dumpty perché sur un mur* ?

— Parfaitement.

— Je ne comprends pas.

— Humpty Dumpty : l'incarnation la plus pure de la condition humaine. Ecoutez avec attention, monsieur. Qu'est-ce qu'un œuf ? C'est ce qui n'est pas encore né. Un paradoxe, n'est-ce pas ? Car, comment Humpty Dumpty peut-il être en vie s'il n'est pas encore né ? Et pourtant il est en vie – ne vous y trompez pas. Nous le savons parce qu'il est capable de parler. Qui plus est, c'est un philosophe du langage. "Lorsque j'utilise un mot, *moi*, déclara Humpty Dumpty d'un ton un peu méprisant, il signifie exactement ce que je veux lui faire dire – ni plus, ni moins. La question, dit Alice, c'est de savoir si vous *pouvez* obliger les mots à signifier tant de choses différentes. La question, répondit Humpty Dumpty, c'est de savoir qui sera le maître – c'est tout."

— Lewis Carroll.

— *A travers le miroir*. Chapitre six.

— Intéressant.

— C'est plus qu'intéressant, monsieur. C'est crucial. Ecoutez attentivement et vous apprendrez peut-être quelque chose. Dans le petit discours qu'il tient à Alice, Humpty Dumpty esquisse l'avenir des espérances humaines et nous indique la clé de notre salut : c'est de devenir les maîtres des mots que nous prononçons, de forcer le langage à répondre à nos besoins. Humpty Dumpty était un prophète, un homme qui proférait des vérités pour lesquelles le monde n'était pas prêt.

— Un homme ?

— Excusez-moi. Un lapsus. Je voulais dire un œuf. Mais le lapsus est instructif et va dans mon sens. Car tous les hommes sont des œufs, d'une certaine façon. Nous existons, mais nous n'avons pas encore réalisé la forme de notre destinée. Nous ne sommes qu'un potentiel, un exemple de non-encore-arrivé. Car l'homme est une créature qui a chuté – la Genèse nous l'a appris. Humpty Dumpty est aussi un être qui a chuté. Il tombe de son mur et nul ne peut le reconstituer : ni le roi, ni ses chevaux, ni ses hommes. Mais c'est ce que nous devons tous nous efforcer de faire à présent. C'est notre devoir d'êtres humains : reconstituer l'œuf. Car chacun de nous, monsieur, est un Humpty Dumpty. Et l'aider c'est nous aider nous-mêmes.

— Une argumentation convaincante.

— Impossible d'y déceler une faille.

— Pas de fissure dans l'œuf.

— Absolument pas.

— En même temps, c'est l'origine d'Henry Dark·

— Oui. Mais il y a plus. Un autre œuf, en fait.

— Il y en a plus d'un ?

— Bonté divine, certainement. Il y en a des millions. Mais celui que j'ai en tête est particulièrement connu. C'est probablement le plus célèbre de tous.

— Je commence à ne plus vous suivre.

— Je veux dire l'œuf de Christophe Colomb.

— Ah, oui. Bien sûr.

— Vous connaissez l'anecdote ?

— Tout le monde la connaît.

— Elle est charmante, n'est-ce pas ? Devant la question de comment faire tenir un œuf sur un de ses bouts, il a simplement heurté le bas avec douceur, fendillant la coquille et l'aplatissant juste assez pour que l'œuf reste debout lorsqu'il retirerait sa main.

— Ça a marché.

— Bien sûr, ça a marché. Colomb était un génie. Il cherchait le paradis et il a découvert le Nouveau Monde. Il n'est pas encore trop tard pour que ça devienne le paradis.

— En effet.

— J'admets que les choses n'en ont pas bien pris le chemin jusqu'à présent. Mais il y a encore de l'espoir. Les Américains n'ont jamais perdu leur désir de découvrir des mondes nouveaux. Vous souvenez-vous de ce qui s'est passé en 1969 ?

— Je me souviens de pas mal de choses. Qu'est-ce que vous avez en tête ?

— L'homme a marché sur la Lune. Pensez donc à cela, cher monsieur. L'homme a marché sur la Lune !

— Oui, je m'en souviens. Selon notre président d'alors, c'était le plus grand événement depuis la création.

— Il avait raison. La seule chose intelligente que cet homme ait jamais dite. Et, à votre idée, à quoi ressemble la Lune ?

— Pas la moindre idée.

— Allez, allez, réfléchissez encore.

— Ah oui. Je vois ce que vous voulez dire.

— D'accord, la ressemblance n'est pas parfaite. Mais il est vrai que dans certaines phases, surtout par une nuit claire, la Lune ressemble beaucoup à un œuf.

— Oui. Beaucoup.

A cet instant apparut une serveuse qui apporta le petit déjeuner de Stillman et le posa devant lui sur la table. Le vieil homme regardait la nourriture avec délectation. Soulevant cérémonieusement son couteau de la main droite, il fendilla son œuf à la coque et déclara : "Comme vous pouvez le constater, monsieur, je ne néglige absolument rien."

La troisième rencontre eut lieu plus tard le même jour. L'après-midi était très avancé : la lumière comme de la gaze sur les briques et sur les feuilles, les ombres qui s'étiraient. Une fois de plus Stillman se retira dans Riverside Park. Cette fois il resta en bordure, se reposant sur un affleurement bosselé à hauteur de la 84e rue connu sous le nom de Mont Tom. A ce même endroit, pendant les étés de 1843 et de 1844, Edgar Allan Poe avait passé de longues heures à contempler l'Hudson. Quinn le savait parce qu'il s'était fait un devoir d'apprendre des choses de ce genre. Et d'ailleurs il était souvent venu s'asseoir là lui-même.

Il éprouvait à présent peu de crainte à accomplir ce dont il s'était chargé. Il fit deux ou trois fois le tour du rocher mais ne réussit pas à attirer l'attention de Stillman. Il s'assit alors près du vieil homme et dit bonjour. A sa stupéfaction, Stillman ne le reconnut pas. C'était maintenant la troisième fois que Quinn se présentait à lui, et chaque fois c'était comme s'il était quelqu'un d'autre. Il fut incapable de dire s'il s'agissait d'un bon ou d'un mauvais signe. Si Stillman faisait semblant, c'était un acteur à nul autre pareil. Car, chaque fois que Quinn était apparu, il l'avait fait par surprise. Et pourtant Stillman n'avait même pas cillé. D'un autre côté, si Stillman ne le reconnaissait vraiment pas, qu'est-ce que cela signifiait ? Etait-il possible pour quelqu'un d'être aussi peu touché par les choses qu'il voyait ?

Le vieil homme lui demanda qui il était.

— Je m'appelle Peter Stillman, dit Quinn.

— C'est mon nom, répondit Stillman. Peter Stillman, c'est moi.

— Je suis l'autre Peter Stillman, dit Quinn.

— Oh. Vous voulez dire mon fils. Oui, c'est possible. Bien sûr, Peter est blond et vous êtes brun. En anglais on dit *dark* : mais vous n'êtes pas Henry Dark, tout de même. Vous avez les cheveux bruns. Mais les gens changent, n'est-ce pas ? Une minute nous sommes une chose et la suivante nous voilà autre chose.

— Très juste.

— Je me suis souvent posé des questions à ton sujet, Peter. Souvent j'ai pensé à part moi : Je me demande comment Peter se débrouille.

— Je vais beaucoup mieux, maintenant. Merci.

— Ça me fait plaisir de l'apprendre. Quelqu'un m'a dit un jour que tu étais mort. Ça m'a beaucoup attristé.

— Non. Je me suis totalement rétabli.

— C'est ce que je vois. Tu te portes comme un charme. Et tu parles si bien, en plus.

— Tous les mots me sont maintenant possibles. Même ceux qui causent le plus de difficulté aux gens. Je peux tous les dire.

— Je suis fier de toi, Peter.

— Je vous en suis entièrement redevable.

— Les enfants sont une grande bénédiction. Je l'ai toujours dit. Une bénédiction sans pareille.

— J'en suis bien certain.

— Quant à moi, j'ai mes bons et mes mauvais jours. Quand les mauvais arrivent, je pense aux bons. La mémoire est une grande bénédiction, Peter. La meilleure chose après la mort.

— Sans aucun doute.

— Certes, il nous faut aussi vivre dans le présent. C'est ainsi que je suis actuellement à New York. Demain je pourrais être ailleurs. Je voyage beaucoup, vois-tu. Un jour ici, le lendemain ailleurs. Ça fait partie de mon travail.

— Ça doit être stimulant.

— Oui, je suis toujours sur la brèche. Mon esprit ne s'arrête jamais.

— Je suis content de l'apprendre.

— Il est vrai que les années se font lourdes. Mais il y a tant de choses dont nous pouvons être reconnaissants. Le temps nous rend vieux, mais il nous donne aussi le jour et la nuit. Et quand nous mourons, il y a toujours quelqu'un pour prendre notre place.

— Nous vieillissons tous.

— Quand tu seras vieux, tu auras peut-être un fils pour te réconforter.

— Ça me plairait.

— Tu seras alors aussi heureux que je l'ai été. Souviens-toi, Peter, que les enfants sont une grande bénédiction.

— Je ne l'oublierai pas.

— Et souviens-toi aussi de ne pas mettre tous tes œufs dans le même panier. Inversement, ne compte pas tes poussins avant qu'ils soient sortis de l'œuf.

— Non. J'essaie de prendre les choses comme elles viennent.

— Et enfin, ne dis jamais ce qu'au fond de toi tu sais être faux.

— Je ne le ferai pas.

— Car mentir est une mauvaise chose. Ça fait regretter d'être né. Et ne pas être né est une malédiction qui te condamne à vivre hors du temps. Et quand tu vis hors du temps il n'y a plus ni jour ni nuit. Tu n'as même pas la possibilité de mourir.

— Je comprends.

— Un mensonge ne peut jamais être effacé. Même la vérité n'y suffit pas. Je suis père et je m'y connais, en ces choses-là. Rappelle-toi ce qui est arrivé au père de notre nation. Il a abattu le cerisier à coups de hache, puis il a dit à son père : "Je ne peux pas dire de mensonge." Peu de temps après il a jeté la pièce de monnaie par-dessus le fleuve. Ces deux anecdotes sont des événements d'importance cruciale pour l'histoire américaine. George Washington a abattu l'arbre et puis il a jeté l'argent. Est-ce que tu comprends ? Il nous a dit là une vérité essentielle. A savoir que l'argent ne pousse pas sur les arbres. C'est ce qui a fait la grandeur de notre pays, Peter. Maintenant, le portrait de George Washington se trouve sur chaque billet de un dollar. Il y a une grande leçon à tirer de tout cela.

— Je suis d'accord avec vous.

— Il est sans doute malheureux que l'arbre ait été abattu. Car c'était l'arbre de vie et il nous aurait préservés de la mort. Tandis qu'à présent nous accueillons la mort à bras ouverts, surtout lorsque nous sommes vieux Mais le père de notre pays savait ce qu'il avait à faire. Il ne pouvait pas agir autrement. C'est là le sens de la chanson *La vie est une coupe de cerises.* Si l'arbre était resté debout nous aurions eu la vie éternelle.

— Oui, je vois ce que vous voulez dire.

— J'ai beaucoup d'idées de ce genre dans la tête. Mon esprit ne s'arrête jamais. Tu as toujours été un garçon intelligent, Peter, et je suis content que tu comprennes.

— Je peux vous suivre parfaitement.

— Un père doit toujours donner à son fils les leçons qu'il a lui-même apprises. Ainsi la connaissance se transmet de génération en génération et nous croissons en sagesse.

— Je n'oublierai pas ce que vous m'avez dit.

— Désormais je pourrai mourir heureux, Peter.

— J'en suis content.

— Mais tu ne dois rien oublier.

— Je n'oublierai rien, père. Je le promets.

Le lendemain matin, Quinn se trouvait devant l'hôtel à l'heure habituelle. Le temps avait fini par changer. Après deux semaines de ciel resplendissant, une bruine tombait maintenant sur New York, et les rues étaient remplies du bruit de pneus mouillés. Quinn resta une heure assis sur le banc, s'abritant sous un parapluie noir et s'attendant à voir apparaître Stillman d'un moment à l'autre. Il mangea son petit pain et but son café, lut le reportage sur la défaite des *Mets* dimanche, mais il n'y avait toujours pas le moindre signe du vieil homme. Patience, se dit-il, et il se mit à s'attaquer au reste du journal. Quarante minutes passèrent. Il arriva à la page financière et allait lire l'analyse d'une fusion entre deux sociétés lorsque la pluie se fit soudain plus forte. De mauvaise grâce, il se leva de son banc et s'éloigna jusque sous une entrée d'immeuble en face de l'hôtel, de l'autre côté de l'avenue. Il y resta une heure et demie, debout dans ses chaussures mouillées et froides. Il finit par se demander si Stillman était malade. Il essaya de se le représenter au lit, luttant contre la fièvre en transpirant. A moins que le vieil homme ne soit mort pendant la nuit et que son corps n'ait pas encore été découvert. Ce genre de choses arrive, se dit-il.

Aujourd'hui aurait dû être le jour décisif : Quinn avait mis au point à cet effet un plan aussi élaboré que précis. Et voilà que ses calculs s'avéraient vains. Il s'irritait de ne pas avoir prévu cette éventualité.

Il hésitait, pourtant. Planté sous son parapluie, il regardait la pluie glisser des bords en gouttes minuscules. A onze heures il commença à esquisser une décision. Une demi-heure plus tard, il traversa l'avenue, fit quarante pas vers le sud et entra dans l'hôtel de Stillman. L'endroit empestait l'insecticide à cafards et les mégots. Quelques locataires qui ne savaient où aller sous cette pluie étaient assis dans l'entrée, vautrés sur des chaises orange en plastique. Une sorte de néant, un enfer de pensées dévitalisées.

Un grand Noir aux manches retroussées était assis à la réception. Il avait posé un coude sur le comptoir et sa tête sur sa paume ouverte. De l'autre main, il tournait les pages d'un journal de petit format, s'arrêtant à peine pour lire les mots. Il avait l'air de s'ennuyer assez pour avoir passé toute sa vie ici.

— Je voudrais laisser un message pour l'un de vos hôtes, dit Quinn.

L'homme leva lentement les yeux vers lui comme s'il souhaitait le voir disparaître.

— Je voudrais laisser un message pour l'un de vos hôtes, répéta Quinn.

— Nous n'avons pas d'hôtes, ici, répondit l'homme. Nous les appelons des résidents.

— Pour l'un de vos résidents, alors. Je voudrais laisser un message.

— Et qui c'est que ça pourrait être, hein, junior ?

— Stillman. Peter Stillman.

L'homme fit semblant de réfléchir un instant puis secoua la tête. "Rien à faire. Peux me rappeler personne de ce nom-là."

— Vous ne tenez pas un registre ?

— Si, on a bien un cahier. Mais il est dans le coffre.

— Dans le coffre ? Qu'est-ce que vous me racontez là ?

— Je parle du cahier, junior. Le patron aime bien l'avoir sous clé dans le coffre.

— J'imagine que vous ne connaissez pas la combinaison ?

— Je regrette. Y a que le patron.

Quinn soupira, plongea la main dans sa poche et en sortit un billet de cinq dollars. Il abattit alors sa main sur le comptoir, la tenant posée sur le billet.

— J'imagine que vous n'avez pas, par hasard, une copie du registre, n'est-ce pas ? demanda-t-il.

— C'est possible. Il faut que je regarde dans mon bureau.

L'homme souleva le journal posé à plat sur le comptoir. Le registre était dessous.

— Un coup de bol, fit Quinn en ôtant sa main du billet.

— Ouais, ça doit être mon jour de chance, répondit l'homme qui fit glisser le billet sur le comptoir, l'escamota d'un geste rapide et le mit dans sa poche. Quel est le nom de votre ami, déjà ?

— Stillman. Un homme âgé aux cheveux blancs.

— Le mec au pardessus ?

— C'est ça.

— On l'appelle le professeur.

— C'est lui. Vous avez son numéro de chambre ? Il s'est fait inscrire il y a environ deux semaines.

L'employé ouvrit le registre et tourna les pages en suivant les colonnes de noms et de chiffres du bout de son doigt. "Stillman", dit-il. "Chambre 303. Il n'est plus là."

— Quoi ?

— Réglé et parti.

— Qu'est-ce que vous racontez ?

— Ecoutez, junior. Je vous raconte seulement ce qu'il y a marqué là. Stillman a libéré les lieux. Il est parti.

— C'est l'histoire la plus abracadabrante que j'aie jamais entendue.

— Ça m'est égal ce que c'est. C'est là, noir sur blanc.

— Est-ce qu'il a laissé une adresse ?

— Vous plaisantez ?

— Il est parti à quelle heure ?

— Faudrait voir avec Louie, le veilleur de nuit. Il arrive à huit heures.

— Est-ce que je peux voir la chambre ?

— Désolé. Je l'ai louée moi-même ce matin. Le mec est là-haut en train de dormir.

— A quoi ressemblait-il ?

— Dites donc, pour cinq dollars, vous en posez des questions.

— Laissez tomber, répondit Quinn en agitant la main de façon désespérée. Ça ne fait rien.

Il revint chez lui à pied sous une pluie torrentielle qui le trempa malgré son parapluie. Et voilà ce qu'il en est des fonctions, se dit-il. Voilà ce qu'il en est du sens des mots. Dégoûté, il jeta le parapluie sur le plancher du séjour. Puis il ôta sa veste et la lança contre le mur. L'eau fit partout des éclaboussures.

Il téléphona à Virginia Stillman, trop mal à l'aise pour penser faire quoi que ce soit d'autre. Au moment où elle répondit, il faillit raccrocher.

— Je l'ai perdu, déclara-t-il.

— Vous en êtes sûr ?

— Il a libéré sa chambre hier soir. Je ne sais pas où il est.

— J'ai peur, Paul.

— S'est-il manifesté auprès de vous ?

— Je ne sais pas. Je crois bien, mais je n'en suis pas sûre.

— Qu'est-ce que ça veut dire ?

— Peter a répondu au téléphone ce matin pendant que je prenais un bain. Il ne veut pas me dire qui c'était. Il est allé dans sa chambre, il a baissé les stores et il refuse de parler.

— Mais c'est quelque chose qu'il a déjà fait auparavant.

— Oui. C'est pourquoi je ne suis pas sûre. Mais il y avait longtemps que ça ne s'était pas produit.

— Ce n'est pas bon signe.

— C'est ce qui me fait peur.

— Ne vous inquiétez pas. J'ai plusieurs idées. Je vais m'y mettre tout de suite.

— Comment pourrai-je vous contacter ?

— Je vous téléphonerai toutes les deux heures, où que je sois.

— Vous le promettez ?

— Oui, je le promets.

— J'ai si peur que c'en est insupportable.

— C'est tout de ma faute. J'ai fait une erreur stupide, je suis désolé.

— Non, je ne vous le reproche pas. Personne ne peut surveiller quelqu'un vingt-quatre heures sur vingt-quatre. C'est impossible. Il faudrait être dans sa peau.

— C'est exactement ça, le problème. Je croyais y être.

— Il n'est pas encore trop tard. Si ?

— Non. Il y a encore beaucoup de temps. Je ne veux pas que vous vous inquiétiez.

— J'essaierai.

— Bien. Je reste en contact.

— Toutes les deux heures ?

— Toutes les deux heures.

Il s'était tiré plutôt bien, et avec adresse, de cet entretien. Il avait réussi, malgré tout, à faire en sorte que Virginia Stillman restât calme. Et même s'il avait peine à le croire, elle semblait lui faire encore confiance. Ce qui ne serait pas d'un grand secours. Car, en réalité, il lui avait menti. Il n'avait pas plusieurs idées. Il n'en avait même pas une.

10

Stillman était donc parti. Le vieil homme s'était fondu dans la cité. Il n'était qu'une tache, un signe de ponctuation, une brique dans un mur infini de briques. Même s'il arpentait les rues chaque jour pendant le restant de sa vie, Quinn n'arriverait pas à le retrouver. Tout avait été réduit à une affaire de hasard, à un cauchemar de nombres et de probabilités. Il n'y avait pas d'indices, pas de fil à suivre, pas de coup à jouer.

Quinn remonta mentalement l'histoire du cas jusqu'à son origine. Il avait été chargé de protéger Peter, pas de suivre Stillman. La filature n'avait été qu'un procédé, un moyen de pouvoir prédire ce qui se passerait. En surveillant Stillman il apprendrait, théoriquement, ce que celui-ci projetait à l'égard de Peter. Il avait filé le vieil homme pendant deux semaines. Que pouvait-il donc en conclure ? Pas grand-chose. Le comportement de Stillman était resté trop obscur pour donner des indications.

Il existait bien quelques mesures extrêmes qu'il était possible de prendre. Quinn pouvait suggérer à Virginia Stillman de changer de numéro de téléphone et de se mettre sur la liste rouge. Ce qui éliminerait les appels inquiétants, au moins quelque temps. Si cela échouait, Peter et elle pouvaient déménager. Ils pouvaient quitter le quartier, voire la ville. Dans la pire des hypothèses, ils avaient la possibilité de prendre une nouvelle identité et de vivre sous un autre nom.

Cette dernière idée lui rappela quelque chose d'important. Il s'aperçut qu'il ne s'était jamais posé sérieusement la question, jusqu'à présent, des circonstances dans lesquelles il avait été engagé. Les choses s'étaient déroulées trop vite et il avait supposé tout naturellement qu'il pouvait jouer le rôle d'Auster. Après avoir fait le saut qui lui attribuait ce nom, il s'était arrêté de réfléchir à qui était Auster. Si cet homme était aussi bon détective que les Stillman le pensaient, peut-être pourrait-il apporter quelque aide dans cette affaire. Quinn lui avouerait tout, Auster lui pardonnerait et ils travailleraient ensemble pour sauver Peter Stillman.

Il chercha dans les pages jaunes le cabinet de détective Paul Auster. Il n'y était pas. Mais, dans les pages blanches, il trouva le nom. Un Paul Auster à Manhattan, habitant Riverside Drive – pas très loin de l'immeuble de Quinn. Pas de mention d'un cabinet de détective, mais ce n'était pas en soi significatif. Cela pouvait vouloir dire qu'Auster avait tellement de travail qu'il n'avait pas besoin de faire de la publicité. Quinn souleva le combiné et s'apprêtait à composer le numéro lorsqu'il se ravisa. C'était une conversation trop importante pour la laisser aux aléas du téléphone. Il ne voulait pas courir le risque d'être éconduit. Puisque Auster n'avait pas de bureau, il travaillait donc chez lui. Quinn s'y rendrait et lui parlerait face à face.

La pluie s'était arrêtée, et bien que le ciel fût encore gris, Quinn pouvait apercevoir dans le lointain, à l'ouest, un petit rayon de lumière filtrant à travers les nuages. En remontant le Riverside Drive il se rendit compte qu'il n'était plus en train de suivre Stillman. Il avait l'impression d'avoir perdu la moitié de lui-même. Pendant deux semaines, un fil invisible l'avait attaché au vieil homme. Tout ce que Stillman avait fait, il l'avait fait ; là où Stillman était allé, il était allé. Son corps n'était pas habitué à cette liberté retrouvée, et pendant les premières minutes il marcha au rythme traînant des jours précédents. Le charme était pourtant rompu, mais son corps ne le savait pas.

L'immeuble où vivait Auster se trouvait au milieu du long pâté de maisons qui va de la 116e à la 119e rue, juste au sud du tombeau de Grant et de l'église Riverside. C'était une maison bien tenue, avec des boutons de porte astiqués et du verre propre, ce qui lui donnait un air discret et bourgeois qui plut à Quinn en cet instant. L'appartement d'Auster était au onzième étage, et Quinn appuya sur le bouton correspondant, s'attendant à entendre quelqu'un lui parler dans l'interphone. Mais le bourdonnement de la serrure lui répondit sans autre conversation. Quinn ouvrit donc la porte, traversa le hall d'entrée et prit l'ascenseur jusqu'au onzième.

C'est un homme qui lui ouvrit l'appartement. Il était grand et brun, âgé d'environ trente-cinq ans, avec des vêtements froissés et une barbe de deux jours. Dans sa main droite, entre le pouce et les deux premiers doigts, il tenait un stylo décapuchonné encore en position d'écrire. Cet homme parut surpris de voir un inconnu debout devant lui.

— Oui ? demanda-t-il hésitant.

Quinn prit le ton le plus poli qu'il put trouver. "Attendiez-vous quelqu'un d'autre ?"

— Ma femme, en fait. C'est pourquoi j'ai appuyé sur le bouton sans demander qui c'était.

— Je suis désolé de vous déranger, fit Quinn en s'excusant. Mais je cherche Paul Auster.

— C'est moi-même, répondit l'homme.

— Je voudrais savoir si je peux vous parler. C'est très important.

— Il faudrait d'abord que vous me disiez de quoi il s'agit.

— C'est à peine si je le sais moi-même. Quinn lança à Auster un regard pressant. C'est compliqué, j'en ai peur. Très compliqué.

— Vous avez un nom ?

— Excusez-moi. Bien sûr. Quinn.

— Quinn comment ?

— Daniel Quinn.

Le nom semblait dire quelque chose à Auster qui s'absorba un instant dans ses pensées comme s'il cherchait dans sa mémoire. "Quinn, murmura-t-il. Je connais ce nom de quelque part." Il se tut à nouveau, faisant encore plus d'efforts pour ramener la réponse à la surface. "Ne seriez-vous pas un poète ?"

— Je l'ai été, dit Quinn. Mais ça fait longtemps que je n'ai pas écrit de poèmes.

— Vous avez écrit un livre il y a plusieurs années, n'est-ce pas ? Il me semble que le titre en était *Affaire inachevée*. Un petit ouvrage avec une couverture bleue.

— Oui. C'était moi.

— Il m'a beaucoup plu. J'espérais toujours voir d'autres choses de vous. Je me suis même demandé ce qui vous était arrivé.

— Je suis toujours là. En quelque sorte.

Auster ouvrit la porte en grand et fit signe à Quinn d'entrer. C'était un appartement plutôt agréable : une forme bizarre, avec plusieurs longs couloirs, des livres entassés partout, des toiles sur les murs par des peintres que Quinn ne connaissait pas et quelques jouets d'enfant épars sur le plancher – un camion rouge, un ours marron, un monstre de l'espace tout vert. Auster le conduisit à la salle de séjour, lui donna une chaise rembourrée qui s'effrangeait, puis alla à la cuisine chercher de la bière. Il revint avec deux bouteilles qu'il posa sur la caisse en bois servant de table à café, puis il s'assit sur le canapé en face de Quinn.

— Est-ce que vous vouliez me parler de quelque chose de littéraire ? demanda Auster.

— Non, répondit Quinn. Je préférerais que ce soit le cas. Mais ça n'a rien à voir avec la littérature.

— Avec quoi, alors ?

Quinn s'arrêta, regarda tout autour de la pièce sans rien voir et voulut commencer. "J'ai l'impression qu'il y a eu une grave erreur. Je suis venu ici parce que je cherchais Paul Auster, le détective privé."

— Le quoi ? Auster éclata de rire ; et, avec ce rire, tout vola soudain en éclats. Quinn se rendit compte qu'il disait des inepties. Il aurait pu tout aussi bien demander le Grand Chef Sitting Bull, l'effet aurait été le même.

— Le détective privé, répéta Quinn doucement.

— J'ai bien peur que vous n'ayez pas le bon Paul Auster devant vous.

— Vous êtes le seul dans l'annuaire.

— C'est bien possible, dit Paul Auster. Mais je ne suis pas un détective.

— Qui êtes-vous, alors ? Que faites-vous ?

— Je suis écrivain.

— Ecrivain ? Quinn articula ce mot comme une plainte.

— Je regrette, dit Auster. Mais il se trouve que c'est ce que je suis.

— Si c'est vrai, alors c'est sans espoir. Le tout n'est qu'un mauvais rêve.

— Je n'ai aucune idée de ce dont vous parlez.

Quinn le lui dit. Il commença par le début, et, de proche en proche, toute l'histoire y passa. Depuis la disparition de Stillman, ce matin-là, il n'avait cessé de sentir la pression monter en lui et voici que maintenant elle partait sous la forme d'un torrent de paroles. Il parla des appels téléphoniques destinés à Paul Auster, il raconta comment il avait, inexplicablement, accepté le cas, comment il avait rencontré Peter Stillman, parlé avec Virginia Stillman, lu le livre de Stillman, suivi Stillman à la sortie de la gare Grand Central, il parla des déambulations quotidiennes de Stillman, du sac de voyage et des objets cassés, des cartes inquiétantes qui formaient des lettres de l'alphabet, de ses conversations avec Stillman, et de comment Stillman avait disparu de son hôtel. Lorsqu'il eut terminé, il demanda :

— Est-ce que vous croyez que je suis fou ?

— Non, dit Auster qui avait écouté attentivement le monologue de Quinn. Si j'avais été à votre place, j'aurais probablement agi de même.

Ces paroles furent pour Quinn un grand soulagement, comme si, enfin, ce fardeau n'était plus uniquement le sien. Il eut envie de prendre Auster dans ses bras et de lui déclarer une amitié qui durerait toute la vie.

— Voyez-vous, dit Quinn, je n'invente rien. J'ai même des preuves. Il sortit son portefeuille et en tira le chèque de cinq cents dollars que Virginia Stillman avait rédigé deux semaines plus tôt. Vous voyez, dit-il, il est même libellé à votre ordre.

Auster examina le chèque avec attention et hocha la tête. "Ça me paraît être un chèque on ne peut plus normal."

— Eh bien, il est à vous, dit Quinn. Je veux que vous le preniez.

— Je ne peux absolument pas accepter.

— Il ne me sert à rien. Quinn balaya l'appartement du regard et fit quelques gestes vagues. Achetez-vous quelques livres de plus. Ou quelques jouets pour votre gamin.

— C'est de l'argent que vous avez gagné. C'est à vous qu'il revient. Auster fit une petite pause, puis : Mais je vais faire quelque chose pour vous. Puisque le chèque est rédigé à mon nom, je l'encaisserai pour vous. Je le porterai à ma banque demain matin, je le déposerai et je vous donnerai l'argent quand il aura été viré sur mon compte.

Quinn ne répondit rien.

— D'accord ? demanda Auster. C'est convenu ?

— D'accord, finit par dire Quinn. Nous verrons bien ce qui se passera.

Auster posa le chèque sur la table à café, comme pour signifier que l'affaire était close. Puis il se cala à nouveau dans le canapé et regarda Quinn droit dans les yeux. "Il y a quelque chose de beaucoup plus important que le chèque, déclara-t-il. Le fait que mon nom soit mêlé à tout ça. Je ne comprends pas du tout pourquoi."

— Je me demande si votre téléphone marchait bien, ces derniers temps. Il arrive que les lignes se croisent. Quelqu'un veut appeler un numéro, et, bien qu'il le compose correctement, il tombe sur quelqu'un d'autre.

— C'est vrai, ça m'est déjà arrivé. Mais même en supposant que mon téléphone ait été détraqué, ça ne résout pas le vrai problème. Ça expliquerait pourquoi c'est vous qui avez reçu l'appel, mais pas pourquoi c'est moi qu'on voulait joindre.

— Se peut-il que vous connaissiez les gens en question ?

— Je n'ai jamais entendu parler des Stillman.

— Est-ce que ce n'est pas le fait d'un mauvais plaisant ?

— Je ne fréquente pas ce genre de gens.

— N'en soyez pas si sûr.

— Mais, en fait, il ne s'agit pas d'une plaisanterie. C'est une véritable affaire avec des gens en chair et en os.

— Oui, dit Quinn après un long silence. J'en suis bien conscient.

Ils étaient arrivés au bout de ce qu'ils pouvaient dire. Au-delà, il n'y avait rien : des pensées lancées au hasard par des hommes qui ne savaient rien. Quinn se rendit compte que le moment de partir était venu. Il était là depuis bientôt une heure, et dans peu de temps il devait téléphoner à Virginia Stillman. Il lui en coûtait, pourtant, de s'en aller. La chaise était confortable et la bière lui était un peu montée à la tête. Ce Paul Auster était la seule personne intelligente avec qui il ait parlé depuis longtemps. Il avait lu les anciennes œuvres de Quinn, il les avait admirées et il avait eu envie qu'il y en ait d'autres. Malgré tout, Quinn ne pouvait pas ne pas en éprouver de satisfaction.

Ils restèrent assis un petit moment sans rien dire. A la fin, Auster eut un léger haussement d'épaules qui semblait reconnaître qu'ils étaient arrivés à une impasse. Il se leva et lança :

— J'allais me préparer quelque chose pour déjeuner. Je peux en faire pour deux sans problème.

Quinn hésita. C'était comme si Auster avait lu ses pensées et deviné ce qu'il souhaitait le plus : manger, avoir un prétexte pour rester un moment. "Il faudrait vraiment que j'y aille, dit-il. Mais d'accord, merci. Un peu à manger ne peut pas faire de mal."

— Que diriez-vous d'une omelette au jambon ?

— Je dirais que c'est très bien.

Auster se retira dans la cuisine pour préparer le repas. Quinn aurait bien voulu proposer son aide mais il ne pouvait pas bouger. Son corps lui donnait l'impression d'être une pierre. A défaut d'une meilleure idée, il ferma les yeux. Dans le passé, il avait parfois été soulagé de faire disparaître le monde. Cette fois, pourtant, Quinn ne trouva rien d'intéressant à l'intérieur de sa tête. C'était comme si les choses en lui s'étaient brutalement arrêtées. Puis, de l'obscurité, commença à lui parvenir une voix lancinante et imbécile qui chantait toujours et sans arrêt la même phrase : "On ne fait pas d'omelette sans casser des œufs." Il ouvrit les yeux pour faire cesser cette complainte.

Il y avait du pain et du beurre, encore de la bière, des couteaux et des fourchettes, du sel et du poivre, des serviettes, et des omelettes au nombre de deux qui bavaient sur des assiettes blanches. Quinn mangea avec une intensité primitive, engouffrant le repas en ce qui parut être quelques secondes. Ensuite, il fit un grand effort pour rester calme. Des larmes s'amoncelaient mystérieusement derrière ses yeux et sa voix semblait trembler lorsqu'il parlait, mais il réussit tant bien que mal à se contenir. Pour prouver qu'il n'était pas un ingrat obsédé par lui-même, il se mit à poser des questions à Auster sur ses écrits. Auster se montra quelque peu réticent mais finit par admettre qu'il travaillait à un recueil d'essais. Celui qui était en cours avait trait à *Don Quichotte*.

— Un de mes livres préférés, dit Quinn.

— Pour moi aussi. Il n'existe rien d'approchant.

Quinn l'interrogea sur cet essai.

— Je suppose qu'on pourrait le qualifier de spéculatif, puisque je ne cherche pas vraiment à prouver quoi que ce soit. En fait, il est écrit avec un clin d'œil. Une lecture d'imagination, pourrait-on dire.

— Quelle en est la substance ?

— Il traite surtout de la paternité du livre. Qui l'a écrit et dans quelles conditions.

— Est-ce qu'il y a un doute ?

— Non, certes. Mais je parle du livre dans le livre que Cervantes a écrit, de celui qu'il s'imaginait écrire.

— Ah.

— C'est très simple. Cervantes, si vous vous en souvenez, se donne beaucoup de peine pour convaincre le lecteur qu'il n'est pas l'auteur. Ce livre, déclare-t-il, a été écrit en arabe par Cid Hamet Ben-Engeli. Cervantes décrit comment il a découvert le manuscrit par accident, un jour, au marché de Tolède. Il engage quelqu'un pour le lui traduire en espagnol et se présente ensuite comme rien de plus que l'éditeur de cette traduction. En fait, il ne peut même pas se porter garant de la traduction elle-même.

— Et pourtant il poursuit en déclarant, ajouta Quinn, que le texte de Cid Hamet Ben-Engeli est la seule version authentique de l'histoire de don Quichotte. Toutes les autres versions sont frauduleuses et écrites par des imposteurs. Il prend grand soin d'affirmer avec insistance que tout ce qui est dans le livre a réellement eu lieu dans le monde.

— Exactement. Parce que le livre, après tout, s'attaque aux dangers du trompe-l'œil. Il ne pouvait guère présenter une œuvre d'imagination pour accomplir ce dessein, ne pensez-vous pas ? Il était obligé de prétendre qu'elle était réelle.

— Et pourtant, j'ai toujours soupçonné Cervantes de dévorer avec avidité ces vieux romans de chevalerie. Il n'est pas possible de haïr quelque chose avec une telle violence si une partie de soi-même n'en est pas aussi amoureuse. D'une certaine façon, don Quichotte ne faisait que figurer Cervantes.

— Je suis d'accord. Comment faire un meilleur portrait d'un écrivain qu'en montrant un homme que les livres ont ensorcelé ?

— Précisément.

— Quoi qu'il en soit, puisque le livre est supposé réel, il s'ensuit que l'histoire doit être écrite par un témoin oculaire des événements qui s'y passent. Mais l'auteur désigné n'apparaît jamais. Il ne prétend pas une seule fois être présent aux événements. Ma question est donc la suivante : qui est Cid Hamet Ben-Engeli ?

— Oui, je vois où vous voulez en venir.

— Ma théorie, dans cet essai, c'est qu'il représente en fait la combinaison de quatre personnes différentes. Sancho Pança est bien entendu le témoin. Il n'y a pas d'autre candidat à ce rôle puisqu'il est seul à accompagner don Quichotte dans toutes ses aventures. Mais Sancho ne sait ni lire ni écrire. Il ne peut donc pas être l'auteur. En revanche, nous savons que Sancho est très doué pour la langue. Malgré l'emploi saugrenu et inapproprié qu'il fait de grands mots, il peut entortiller n'importe qui d'autre dans ce livre par ses paroles. Il me semble tout à fait possible qu'il ait dicté l'histoire à quelqu'un d'autre, c'est-à-dire au barbier et au curé, les amis de don Quichotte. Ce sont eux qui ont donné à ce récit – et en espagnol – la forme littéraire qui lui convient et qui ont ensuite confié le manuscrit à Samson Carrasco, le bachelier de Salamanque. Lequel bachelier s'est appliqué à le traduire en arabe. Cervantes a trouvé cette traduction dont il a fait établir une version espagnole qu'il a ensuite publiée sous le titre : *L'Ingénieux Hidalgo don Quichotte de la Manche.*

— Mais pourquoi Sancho et les autres se seraient-ils donné tout ce mal ?

— Pour guérir don Quichotte de sa folie. Ils veulent sauver leur ami. Souvenez-vous, au début ils brûlent ses livres de chevalerie mais cela reste sans effet. Le chevalier à la Triste Figure n'abandonne pas son obsession.

Puis, à un moment ou à un autre, ils vont tous à sa recherche sous des déguisements divers – une femme en détresse, le chevalier des Miroirs, le chevalier de la Blanche-Lune – pour l'attirer et le faire rentrer chez lui. A la fin, ils y réussissent vraiment. Le livre n'était qu'un de leurs stratagèmes. Leur idée a été de présenter le miroir de la folie de don Quichotte, de noter chacune de ses illusions dans son absurdité et son ridicule, de telle façon que, lorsque en fin de compte il lirait le livre, il verrait les erreurs de son comportement.

— Ça me plaît.

— Oui. Mais il y a un dernier tour à cela. Don Quichotte, selon moi, n'était pas vraiment fou. Il faisait seulement semblant de l'être. En réalité, il a orchestré toute l'affaire lui-même. Souvenez-vous : dans tout le livre, don Quichotte se préoccupe de la postérité. A maintes reprises il se demande avec quelle exactitude son chroniqueur notera ses aventures. Ce qui implique de sa part une certaine connaissance : il sait d'avance que ce chroniqueur existe. Et qui peut-il donc être, sinon Sancho Pança, l'écuyer fidèle que don Quichotte a choisi exactement dans ce but ? De la même manière, il a choisi les trois autres personnages pour jouer les rôles qu'il leur destinait. C'est don Quichotte qui a mis sur pied le quatuor Ben-Engeli. Et non content de sélectionner les auteurs, c'est probablement lui qui a retraduit en espagnol le manuscrit arabe. Il ne faudrait pas l'en croire incapable. Pour un homme aussi versé dans l'art du déguisement, il ne devait pas être très difficile de s'assombrir le teint et de revêtir les habits d'un Maure. J'aime m'imaginer cette scène sur la place du marché de Tolède : Cervantes qui engage don Quichotte pour déchiffrer l'histoire de don Quichotte lui-même. C'est d'une grande beauté.

— Mais vous n'avez pas encore expliqué pourquoi quelqu'un comme don Quichotte bouleverserait sa vie tranquille pour se livrer à une farce aussi compliquée.

— C'est la chose la plus intéressante de toutes. Selon moi, don Quichotte se livrait à une expérience. Il voulait mesurer la crédulité de ses semblables. Etait-il possible, se demandait-il, de se dresser devant le monde et, avec la conviction la plus extrême, de vomir des mensonges et des bêtises ? De dire que des moulins à vent étaient des chevaliers, que la bassine d'un barbier était un heaume, que des marionnettes étaient des personnes en chair et en os ? Etait-il possible de persuader ceux qui l'écoutaient au point de leur faire approuver ses paroles alors même qu'ils ne le croyaient pas ? En d'autres termes, jusqu'à quel point les gens toléreraient-ils le blasphème pourvu qu'ils s'en divertissent ? La réponse est évidente, n'est-ce pas ? Jusqu'à n'importe quel point. La preuve en est que nous lisons encore ce livre. Il reste pour nous extrêmement amusant. Et c'est finalement tout ce qu'on veut d'un livre – être diverti.

Auster se recala sur le canapé, sourit avec un certain plaisir ironique et alluma une cigarette. Il était évident que cet homme s'amusait, mais la nature précise de son plaisir échappait à Quinn. Ça ressemblait à une sorte de rire silencieux, une plaisanterie qui s'arrêtait avant le mot de la fin, une gaieté généralisée dépourvue d'objet. Quinn allait dire quelque chose pour répondre à la théorie d'Auster, mais il n'en eut pas le loisir. Au moment même où il ouvrait la bouche pour parler il fut interrompu par un cliquetis de clé à la porte d'entrée, par le bruit de cette même porte qui s'ouvrait et se refermait en claquant, enfin par des éclats de voix. Auster dressa la tête. Quittant son siège, il s'excusa auprès de Quinn et s'avança à pas rapides vers la porte.

Quinn entendit des rires dans l'entrée : d'abord celui d'une femme, puis d'un enfant – un ton haut suivi d'un autre plus haut, le staccato d'une mitraille sonore –, et enfin le roulement de basse d'Auster s'esclaffant. L'enfant parla : "Papa, regarde ce que j'ai trouvé !" Puis la femme expliqua que c'était par terre dans la rue, pourquoi pas, finalement, ça paraissait tout à fait bien. Un instant plus tard, il entendit l'enfant courir dans sa direction le long du couloir. Il déboula dans le séjour, aperçut Quinn et s'arrêta pile, comme figé. C'était un petit garçon blond de cinq ou six ans.

— Bonjour, dit Quinn.

Le garçon, se repliant à toute vitesse dans sa timidité, ne réussit qu'à émettre un faible bonjour. Dans sa main gauche, il tenait un objet que Quinn n'arrivait pas à identifier. Il demanda au garçon ce que c'était.

— C'est un yo-yo, répondit-il en ouvrant la main pour le montrer. Je l'ai trouvé dans la rue.

— Est-ce qu'il marche ?

L'enfant eut un haussement d'épaules exagéré, un geste de pantomime. "Sais pas. Siri peut pas le faire marcher. Et moi je sais pas."

Quinn demanda la permission d'essayer. Le garçon fit quelques pas vers lui et lui mit le yo-yo dans la main. Tout en l'examinant, Quinn entendait l'enfant respirer près de lui et observer chacun de ses gestes. Le yo-yo était en plastique. Il ressemblait à ceux avec lesquels Quinn avait joué bien des années auparavant mais il avait quelque chose de plus compliqué, c'était un artefact de l'ère spatiale. Quinn passa la boucle qui terminait la cordelette autour de son majeur, se leva et fit une tentative. Le yo-yo émit un sifflement flûté en descendant et lança des étincelles en son centre. Le garçon ouvrit grande la bouche, mais le yo-yo s'arrêta, se balançant au bout de sa corde.

— Un grand philosophe a dit un jour, murmura Quinn, que la montée et la descente ne sont qu'un seul et même chemin.

— Mais vous ne l'avez pas fait monter, dit le garçon. Il n'a fait que descendre.

— Il faut persévérer.

Quinn était en train de réenrouler la bobine pour un nouvel essai lorsque Auster et sa femme entrèrent dans la pièce. Il leva les yeux et vit la femme d'abord. Cette seconde-là il sentit qu'il était en danger. C'était une blonde grande et mince, d'une beauté rayonnante ainsi que d'une énergie et d'une joie de vivre qui semblaient éclipser toute chose autour d'elle. Pour Quinn, c'en était trop. Il eut l'impression qu'Auster le provoquait en lui jetant à la face tout ce qu'il avait perdu, et il réagissait avec rage et envie, il se prenait lui-même en pitié de façon déchirante. Oui, il aurait lui aussi aimé avoir cette femme et cet enfant, il aurait aimé se prélasser toute la journée en radotant sur de vieux livres, être entouré de yo-yo, d'omelettes au jambon et de stylos à plume. Il pria en lui-même pour sa délivrance.

Auster aperçut le yo-yo dans sa main et lui dit : "Je vois que vous avez déjà fait connaissance. Daniel, annonça-t-il au garçon : «Voici Daniel.» Puis, à Quinn, avec le même sourire ironique : «Daniel, voici Daniel.»"

Le garçon éclata de rire et lança : "Tout le monde est Daniel !"

— C'est vrai, dit Quinn, je suis vous et vous êtes moi.

— Et ça tourne en rond, et ça tourne en rond, cria le garçon en écartant soudain les bras et en tourbillonnant dans la pièce comme un gyroscope.

— Et voici ma femme, Siri, poursuivit Auster en se retournant vers la femme.

Elle sourit de ce sourire qui était le sien, dit à Quinn qu'elle était heureuse de faire sa connaissance comme si c'était vrai, puis lui tendit la main. Il la serra, sentit la bizarre minceur de ses os et lui demanda si son nom était norvégien.

— Il n'y a pas beaucoup de gens qui le savent, dit-elle.

— Est-ce que vous venez de Norvège ?

— Indirectement. Par Northfield, Minnesota. Puis elle rit de ce rire qui était le sien et Quinn sentit une autre partie de lui s'effondrer.

— Je sais que c'est un peu précipité, déclara Auster, mais, si vous pouvez disposer d'un peu de temps, ne pourriez-vous pas rester et dîner avec nous ?

— Ah, fit Quinn en luttant pour se contenir. C'est très gentil. Mais il faut absolument que j'y aille. Je suis déjà en retard.

Se maîtrisant une dernière fois, il sourit à la femme d'Auster et fit un geste d'adieu au petit garçon. "Au revoir, Daniel", dit-il en se dirigeant vers la porte.

Le garçon lui jeta un regard depuis l'autre côté de la pièce et se mit à nouveau à rire. "Au revoir, moi-même !" cria-t-il.

Auster l'accompagna à la porte. "Je vous appellerai dès que le chèque sera viré sur mon compte, dit-il. Vous êtes dans l'annuaire ?"

— Oui, répondit Quinn. Le seul.

— Si vous avez besoin de moi pour quoi que ce soit, ajouta Auster, téléphonez. Je serai content de pouvoir faire quelque chose.

Auster étendit le bras pour lui serrer la main et Quinn s'aperçut alors qu'il serrait encore le yo-yo. Il le mit dans la main droite d'Auster, lui tapota gentiment l'épaule et partit.

11

Maintenant Quinn était dans le néant. Il n'avait rien ; il ne savait rien ; il savait qu'il ne savait rien. Non seulement il avait été renvoyé à la case départ, mais il se trouvait encore avant le départ, et si loin avant que c'était pire que toutes les fins qu'il s'était imaginées.

A sa montre il était presque six heures. Il rentra chez lui par le chemin qu'il avait pris en venant, allongeant le pas d'une rue sur l'autre, si bien que lorsqu'il arriva dans sa propre rue il courait. Nous sommes le 2 juin, se dit-il. Tâche de t'en souvenir. Ici c'est New York et demain sera le 3 juin. Si tout va bien, le jour suivant sera le 4. Mais rien n'est sûr.

L'heure de téléphoner à Virginia Stillman était passée depuis longtemps et il se demanda s'il voulait encore le faire. Etait-il possible de la mettre entre parenthèses ? De tout abandonner maintenant comme ça ? Oui, se dit-il, c'est possible. Il pouvait oublier cette affaire, revenir à son mode de vie habituel, écrire un autre livre. Il pouvait partir en voyage si bon lui semblait et même vivre quelque temps hors de ce pays. Aller à Paris, par exemple. Oui, c'était possible. En fait, pensa-t-il, n'importe quel endroit ferait l'affaire, absolument n'importe lequel.

Il prit un siège dans sa salle de séjour et regarda les murs. Il se rappelait qu'ils avaient jadis été blancs.

A présent ils avaient bizarrement jauni. Peut-être finiraient-ils par devenir encore plus miteux, tombant dans le gris ou même dans le brunâtre comme un fruit au-delà de la maturité. Un mur blanc devient un mur jaune devient un mur gris, se dit-il. La peinture perd ses forces, la ville s'infiltre avec ses suies, le plâtre se désagrège à l'intérieur. Des changements, et puis encore des changements.

Il fuma une cigarette, puis une autre et encore une autre. Regardant ses mains il s'aperçut qu'elles étaient sales et se leva pour les laver. Dans la salle de bains, en voyant l'eau couler dans le lavabo, il décida aussi de se raser. Il s'appliqua la mousse sur le visage, sortit une lame neuve et se mit à racler sa barbe. Pour une raison ou une autre il lui était désagréable de regarder dans le miroir et il s'efforçait constamment d'éviter ses propres yeux. Tu vieillis, se dit-il, tu es en train de devenir un vieux con. Puis il passa dans la cuisine, mangea un bol de pétales de maïs et fuma encore une cigarette.

Il était maintenant sept heures. Il se demanda à nouveau s'il devait téléphoner à Virginia Stillman. En retournant la question dans sa tête il se rendit compte qu'il n'avait plus d'opinion. Il voyait bien ce qui plaidait pour ce coup de fil et en même temps ce qui plaidait contre. A la fin ce fut son sens des convenances qui l'emporta. Il ne serait pas correct de disparaître avant de l'avoir avertie. Après, ce serait tout à fait convenable. Tant qu'on avertit les gens de ce qu'on va faire, raisonna-t-il, ça va. On est alors libre d'agir à sa guise.

Le numéro, malheureusement, était occupé. Il attendit cinq minutes et recommença. A nouveau la ligne était prise. Quinn passa l'heure qui suivit d'abord à composer le numéro, puis à attendre avec toujours le même résultat. Il finit par appeler les dérangements pour demander qu'on vérifie si l'appareil de son correspondant était en état de marche. On lui répondit que ça lui coûterait trente cents. Il y eut ensuite des craquements dans la ligne, il entendit composer d'autres numéros et parler d'autres voix. Quinn essaya de se représenter à quoi ressemblaient ces agents des télécommunications. Puis la femme qui lui avait répondu en premier lui reparla : le numéro était occupé.

Quinn ne savait que penser. Les possibilités étaient si nombreuses qu'il ne pouvait même pas commencer. Stillman ? Le téléphone décroché ? Quelqu'un d'autre ?

Il alluma la télévision et regarda les deux premières reprises du match des *Mets*. Puis il essaya encore de téléphoner. Même chose. Dans la première moitié de la troisième reprise, Saint Louis, après avoir volé une base, sacrifié une balle de volée, et avec un joueur de champ hors jeu, marqua en marchant. Les *Mets* égalisèrent pendant leur moitié de reprise sur un coup double de Wilson et un simple de Youngblood. Quinn s'aperçut que ça ne lui faisait ni chaud ni froid. Au moment où une publicité de bière apparut à l'écran, il coupa le son. Pour la vingtième fois il essaya d'appeler Virginia Stillman et pour la vingtième fois ce fut la même chose. Dans la première moitié de la quatrième reprise, Saint Louis marqua cinq points. Alors Quinn coupa également l'image. Il retrouva son cahier rouge, prit place à son bureau et écrivit sans s'arrêter pendant deux heures. Il ne prit pas la peine de relire ce qu'il avait noté. Puis il téléphona à Virginia Stillman et, une fois de plus, obtint le même signal sonore. Il raccrocha avec une telle violence que le plastique du combiné se fissura. Lorsqu'il voulut appeler à nouveau, il ne put même pas avoir la tonalité. Il se releva, passa dans la cuisine où il se prépara encore un bol de pétales de maïs. Puis il alla se coucher.

Dans un rêve qu'il oublia plus tard, il se trouvait en train de descendre le long de Broadway en tenant le fils d'Auster par la main.

Quinn passa la journée suivante à pied. Il partit tôt, juste après huit heures, et ne s'arrêta pas pour se demander où il allait. Il se trouva qu'il vit ce jour-là un bon nombre de choses qu'il n'avait encore jamais remarquées.

Toutes les vingt minutes il entrait dans une cabine téléphonique et appelait Virginia Stillman. Mais il en fut ce jour-là exactement comme la veille au soir. Désormais Quinn s'attendait à trouver la ligne occupée. Ça ne l'embêtait même plus. Ce signal sonore était devenu un contrepoint à ses propres pas, un métronome qui battait sans relâche une mesure au sein des bruits désordonnés de la ville. Il éprouvait un certain réconfort à penser que, quel que soit le moment où il composerait le numéro, ce signal serait là pour lui, inflexible dans son déni, barrant toute parole et toute possibilité de parole, aussi obsédant qu'un battement de cœur. Virginia et Peter Stillman étaient à présent coupés de lui. Mais Quinn pouvait apaiser sa conscience en se disant qu'il essayait encore. Quelles que fussent les ténèbres où les Stillman le menaient, il ne les avait pas encore abandonnés.

Il descendit Broadway jusqu'à la 72e rue. Là, il tourna à gauche et arriva à Central Park West qu'il suivit jusqu'à la 59e rue et la statue de Christophe Colomb. Il continua alors vers l'est, le long de Central Park South, jusqu'à Madison Avenue, où il vira à droite, marchant jusqu'à la gare Grand Central. Après avoir déambulé au hasard, il poursuivit vers le sud pendant un kilomètre et demi pour se retrouver au carrefour de Broadway, de la 5e avenue et de la 23e rue. Là, il fit une pause pour regarder l'immeuble Flatiron, puis changea de direction, prenant vers l'ouest jusqu'à la 7e avenue où il vira à gauche et s'enfonça plus avant vers le sud. Arrivé à Sheridan Square, il reprit vers l'est, longea tranquillement Waverly Place et traversa la 6e avenue pour arriver à Washington Square. Il passa sous l'arche et fendit la foule vers le sud, s'arrêtant un instant pour regarder un bateleur faire des tours d'adresse sur une corde détendue qu'on avait attachée d'un côté à un réverbère et de l'autre à un tronc d'arbre. Puis il quitta le petit parc par son angle sud-est, traversa le projet de résidence universitaire avec ses parcelles d'herbe verte et prit à droite la rue Houston. Parvenu à West Broadway, il tourna à gauche, cette fois, pour rejoindre la rue Canal. Obliquant alors légèrement à droite il franchit un parc minuscule et fit volte-face vers la rue Varick, passant devant le numéro 6 où il avait vécu autrefois. Reprenant son cours vers le sud, il retrouva West Broadway à l'endroit où elle fusionne avec la rue Varick. West Broadway le conduisit au pied du *World Trade Center*, et, de là, dans le hall d'une des tours où il passa son treizième coup de téléphone de la journée à Virginia Stillman. Voulant alors manger quelque chose, Quinn entra dans un des lieux de restauration rapide du rez-de-chaussée où il prit un sandwich qu'il mangea tout à loisir en même temps qu'il rédigeait quelques notes dans son cahier rouge. Ensuite il repartit vers l'est, déambulant dans les rues étroites du quartier financier avant de reprendre encore vers le sud, vers le Bowling Green où il vit l'eau et les mouettes qui pliaient sous le vent dans la lumière de midi. Il envisagea un instant de prendre le ferry-boat pour Staten Island, mais il se ravisa et se mit à remonter vers le nord. Rue Fulton, il glissa vers la droite, suivant l'orientation nord-est d'East Broadway à travers les miasmes du Lower East Side, puis dans le quartier chinois. Là, il tomba sur le Bowery qu'il suivit jusqu'à la 14e rue. Faisant ensuite un crochet à gauche, il coupa en diagonale à travers Union Square et se mit à remonter Park Avenue South. A la 23e rue, il mit cap au nord. Quelques pâtés de maisons plus loin, il vira encore à droite et se retrouva sur la 3e avenue qu'il se mit à remonter quelque temps. Arrivé à la 32e rue, il prit à droite, gagna la 2e avenue, tourna à gauche et continua vers le nord pendant encore trois rues. Puis il vira à droite une dernière fois, ce qui le mena à la 1re avenue. Lorsqu'il eut franchi les sept rues qui le séparaient du palais des Nations unies, il décida de se reposer brièvement. S'asseyant sur un banc de pierre de la place, il respira profondément et, les yeux fermés, il se prélassa dans l'air et la lumière. Il ouvrit ensuite le cahier rouge, sortit de sa poche le stylo du sourd-muet et commença une nouvelle page.

Pour la première fois depuis qu'il avait acheté le cahier rouge, ce qu'il écrivit ce jour-là n'avait rien à voir avec l'affaire Stillman. Au lieu de cela, il se concentra sur ce qu'il avait vu en marchant. Il ne s'arrêta pas pour réfléchir à ce qu'il faisait, il n'analysa pas non plus les implications possibles de cette action inhabituelle. Il sentait en lui l'envie de noter certains faits, il voulait les coucher sur papier avant de les avoir oubliés.

Aujourd'hui, comme jamais encore : les clochards, les jetés, les femmes au sac d'épicerie, les paumés et les ivrognes. Ils vont du simple indigent à la lamentable épave. Partout où on se tourne ils sont là, dans les beaux quartiers comme dans les autres.

Il y en a qui mendient avec un semblant de fierté. Donnez-moi cet argent, semblent-ils dire, et je serai bientôt de retour avec vous tous, je me presserai moi aussi à faire mes allées et venues quotidiennes. D'autres ont abandonné tout espoir de jamais quitter leur état de clochard. Ils sont là, affalés sur le trottoir avec leur chapeau, ou leur tasse, ou leur boîte, ne prenant même pas la peine de lever les yeux vers les passants, trop écrasés pour même remercier ceux qui laissent tomber une pièce près d'eux. Il y en a encore d'autres qui essaient de faire un travail pour l'argent qu'on leur donne : les aveugles qui vendent des crayons, les ivrognes qui viennent laver le pare-brise de votre voiture. Certains d'entre eux racontent des histoires, généralement l'exposé tragique de leur propre vie, comme si en échange de ce qu'ils reçoivent ils voulaient donner quelque chose – ne seraient-ce que des mots.

Il y en a aussi qui ont un véritable talent. Ce vieillard noir, aujourd'hui, qui faisait de la danse à claquettes en jonglant avec des cigarettes – encore digne, on voyait bien qu'il avait autrefois joué dans des revues, il portait un costume violet avec une chemise verte et une cravate jaune, sa bouche gardait un sourire de théâtre à demi remémoré. Et puis il y a les artistes qui barbouillent le trottoir à la craie, et les musiciens : saxophonistes, joueurs de guitare électrique, violoneux. Il se peut qu'on tombe sur un génie, comme il m'est arrivé aujourd'hui :

Un clarinettiste sans âge, portant un chapeau qui lui cachait le visage, assis en tailleur sur le trottoir comme un charmeur de serpent. Juste devant lui, deux singes rabatteurs, l'un avec un tambourin, l'autre avec un vrai tambour. L'un secouait, l'autre tapait, faisant retentir un son bizarre et syncopé avec précision tandis que l'homme improvisait des variations minuscules et infinies sur son instrument, balançant son corps raide en avant et en arrière, mimant avec énergie le rythme des singes. Il jouait avec insouciance et brio, traçant des boucles nettes et fraîches en mode mineur comme s'il était heureux d'être là avec ses amis mécaniques, enfermé dans l'univers qu'il avait créé et ne jetant pas un seul regard ailleurs. Ça durait et ça durait, c'était au fond toujours pareil, et pourtant, plus j'écoutais, plus j'avais de mal à partir.

S'introduire dans cette musique, se laisser prendre dans le cercle de ses répétitions : peut-être est-ce là un endroit où l'on pourrait enfin disparaître.

Mais les mendiants et les saltimbanques ne composent qu'une faible part de la population des vagabonds. Ils forment l'élite, l'aristocratie des déchus. Bien plus nombreux sont ceux qui n'ont rien à faire, nul endroit où aller. Il y a beaucoup d'ivrognes – mais ce mot ne rend pas compte de l'état de dévastation qu'ils incarnent. Carcasses de désespoir habillées de guenilles, visages meurtris et ensanglantés, ils se traînent dans les rues comme s'ils étaient dans des chaînes. Dormant dans des ouvertures de porte, titubant follement au milieu de la circulation, s'effondrant sur les trottoirs – ils semblent être partout présents dès qu'on se met à les chercher du regard. Certains d'entre eux périront d'inanition, d'autres mourront de froid, d'autres encore seront battus, brûlés ou torturés.

Pour chacune des âmes perdues dans cet enfer-là, il y en a plusieurs qui sont enfermées dans la folie, incapables de sortir dans le monde qui se dresse au

seuil de leur corps. Même si elles paraissent être là,
elles ne peuvent être comptées comme présentes.
C'est le cas de cet homme qui se promène partout
avec des baguettes de tambour, frappant le pavé à
une cadence insensée, sans retenue, maladroitement
plié en avant le long des rues, battant encore et tou-
jours le ciment. Peut-être pense-t-il accomplir un
travail d'importance. Peut-être s'il ne le faisait pas la
ville s'écroulerait-elle. Peut-être la lune s'échapperait-
elle en tournoyant de son orbite et viendrait-elle
s'écraser sur la terre. Et ceux qui parlent tout seuls,
qui murmurent, qui crient, qui jurent, qui gémissent,
qui se racontent des histoires comme s'ils parlaient
à quelqu'un d'autre. L'homme que j'ai vu aujour-
d'hui, posé devant la gare Grand Central comme
un monceau de détritus et qui lançait d'une voix
forte et prise de panique, tandis que la foule filait
autour de lui : "3ᵉ Marines... Manger des abeilles...
Les abeilles me sortent de la bouche." Ou la femme
qui criait à un compagnon invisible : "Et si je veux
pas, moi ! Et si saloperie de merde je veux simple-
ment pas !"

Il y a les femmes avec leur sac d'épicerie et les
hommes avec leur boîte en carton. Ils transportent
leurs biens d'un endroit à l'autre, en déplacement
perpétuel, comme si le lieu où ils sont avait quelque
importance. Il y a l'homme qui s'est enroulé dans le
drapeau américain. Il y a la femme avec un masque
grotesque sur la figure. Il y a l'homme dans un par-
dessus dépenaillé, ses chaussures enveloppées dans
des chiffons, et qui porte sur un cintre une chemise
blanche parfaitement propre et repassée – encore
enveloppée dans la housse en plastique du pressing.
Il y a l'homme en complet de bureau qui marche

pieds nus et porte sur la tête un casque de joueur de football américain. Il y a la femme dont les vêtements sont couverts, du haut jusqu'en bas, de boutons de propagande pour la campagne présidentielle. Il y a l'homme qui déambule, le visage dans les mains, et qui sanglote d'une façon hystérique en répétant : "Non, non, non. Il est mort. Il n'est pas mort. Non, non, non. Il est mort. Il n'est pas mort."

Baudelaire : Il me semble que je serais toujours bien là où je ne suis pas. En d'autres termes, que je serais heureux là où je ne suis pas. Ou, plus directement : Là où je ne suis pas est l'endroit où je suis moi-même. Ou encore, en prenant le taureau par les cornes : N'importe où hors de ce monde.

C'était presque le soir. Quinn referma le cahier rouge et mit le stylo dans sa poche. Il aurait voulu réfléchir un peu plus à ce qu'il avait écrit mais s'aperçut qu'il n'en était pas capable. L'air ambiant était doux, presque odoriférant, comme s'il n'appartenait plus à cette cité. Il se leva de son banc, s'étira et se dirigea vers une cabine téléphonique d'où il appela encore une fois Virginia Stillman. Puis il alla dîner.

Au restaurant il se rendit compte qu'il était parvenu à une décision. Sans même qu'il s'en fût aperçu, la réponse l'avait attendu, déjà entièrement formée dans sa tête. Le signal sonore de ligne occupée, comprenait-il à présent, n'avait pas été un hasard. C'était un signe qui lui disait qu'il ne pouvait pas encore rompre le lien qui l'attachait à cette affaire même s'il le désirait. Il avait essayé de joindre Virginia Stillman pour lui annoncer que c'était fini, mais le sort l'en avait empêché. Quinn s'arrêta pour y réfléchir. Le mot "sort" était-il vraiment celui qu'il voulait employer ? Il lui paraissait si lourd et si démodé. Pourtant, en creusant davantage, il découvrit que c'était cela, précisément, qu'il voulait dire. Et, sinon précisément, du moins ce terme-là s'en approchait-il plus que n'importe quel autre auquel il pouvait penser. Le sort, dans le sens de ce qui est, de ce qui se trouve être. C'était quelque chose comme le mot "il" dans "il pleut" ou "il fait nuit". Quinn n'avait jamais su à quoi ce "il" se rapportait. Une condition généralisée des choses telles qu'elles sont, peut-être ; cet état d'être qui constitue le fondement sur lequel ont lieu les événements du monde. Il ne pouvait pas être plus précis. Mais peut-être ne cherchait-il pas vraiment quelque chose de précis.

Le sort, donc. Peu importait l'opinion qu'il en avait, peu importait son désir qu'il en allât autrement, il n'y pouvait rien. Il avait répondu oui à une proposition, et il était maintenant impuissant à défaire ce oui. Ce qui signifiait une chose seulement : qu'il devait aller jusqu'au bout. Il ne pouvait pas y avoir deux réponses. C'était l'une ou l'autre. Et c'était ainsi, que ça lui plût ou non.

Quant à cette histoire d'Auster, il s'agissait manifestement d'une erreur. Il était possible qu'il y ait eu autrefois à New York un détective privé de ce nom. Le mari de l'infirmière de Peter était un agent de police en retraite – il n'était donc pas jeune. Il y avait sans doute eu, de son temps, un Auster renommé et il était normal qu'il y eût songé lorsqu'on lui avait demandé de fournir un détective. Il avait regardé dans l'annuaire, n'avait trouvé qu'une personne sous ce nom-là et donc cru tenir son homme. Il avait ensuite donné le numéro aux Stillman. C'était alors que la seconde erreur avait eu lieu. Les lignes s'étaient mélangées et, par hasard, son numéro s'était croisé avec celui d'Auster Ce genre de choses arrivait tous les jours. C'était ainsi qu'il avait reçu cet appel qui de toute façon ne s'adressait pas à la bonne personne. Tout cela était parfaitement plausible.

Il restait encore un problème. S'il ne pouvait pas joindre Virginia Stillman – si, comme il le croyait, on voulait qu'il n'arrivât pas à la joindre – comment devait-il procéder exactement ? Il lui incombait de protéger Peter, de s'assurer qu'il ne subisse aucun mal. Du moment qu'il faisait ce qu'il était censé faire, l'idée que pouvait avoir Virginia Stillman de son action avait-elle quelque importance ? Idéalement, un agent devait garder un contact étroit avec son client. Cela avait toujours constitué un des principes de Max Work. Mais était-ce vraiment indispensable ? Tant que Quinn faisait son travail, comment cela pouvait-il avoir une telle importance ? S'il y avait des malentendus, on pourrait évidemment les clarifier lorsque l'affaire serait résolue.

Il pouvait donc procéder à sa guise. Il ne serait plus obligé de téléphoner à Virginia Stillman. Il pouvait dire adieu une fois pour toutes à l'oracle du signal de ligne occupée. Dorénavant, rien ne l'arrêterait. Il serait impossible à Stillman de s'approcher de Peter sans que Quinn en soit averti.

Quinn paya son addition, se glissa un cure-dent mentholé dans la bouche et se remit à marcher. Il n'avait pas une grande distance à parcourir. En chemin, il s'arrêta à un guichet de banque automatique, en fonctionnement jour et nuit, et vérifia son solde. Il avait trois cent quarante-neuf dollars sur son compte. Il en retira trois cents, mit les billets dans sa poche et poursuivit sa route vers le nord. A la 57e rue, il tourna à gauche et rejoignit Park Avenue. Là, il prit à droite et remonta jusqu'à la 69e rue où il fit quelques mètres pour arriver devant la résidence des Stillman. Leur immeuble avait le même air que le premier jour. Il leva les yeux pour voir s'il y avait de la lumière dans leur appartement mais il ne savait plus quelles étaient leurs fenêtres. La rue était d'un calme absolu. Aucune voiture n'y passait, aucun piéton. Quinn la traversa, se trouva un endroit dans une petite allée et s'y installa pour la nuit.

12

Beaucoup de temps passa. Combien exactement, c'est impossible à dire. Des semaines, c'est certain, peut-être même des mois. La relation de cette période n'est pas aussi fournie que l'auteur l'aurait souhaité. Mais, l'information étant maigre, il a préféré passer sous silence ce qui ne pouvait pas être confirmé avec certitude. Comme cette histoire se fonde entièrement sur des faits, l'auteur estime qu'il est de son devoir de ne pas excéder les limites du vérifiable et de résister à tout prix aux périls de l'invention. Même le cahier rouge qui, jusqu'à présent, avait donné un compte rendu détaillé des tribulations de Quinn devient suspect. Nous ne pouvons pas dire en toute certitude ce qui est arrivé à Quinn durant cette période, car c'est à ce moment de l'histoire qu'il a commencé à perdre pied.

Il restait la plupart du temps dans l'allée et, lorsqu'il s'y fut habitué, l'endroit cessa d'être inconfortable. Il avait aussi l'avantage d'être bien abrité de tout regard importun. De là, Quinn pouvait surveiller toutes les allées et venues dans l'immeuble des Stillman. Nul n'entrait ni ne sortait sans qu'il eût vu qui c'était. Au début, il s'étonna de n'apercevoir ni Virginia ni Peter. Mais, en observant les nombreux garçons de courses aller et venir sans arrêt, il finit par se dire que les Stillman n'étaient pas obligés de quitter leur maison. On pouvait tout leur apporter. C'est alors que Quinn comprit qu'ils se terraient, eux aussi, et qu'ils attendaient dans leur appartement la fin de l'affaire.

Petit à petit, il s'adapta à sa nouvelle vie. Il dut affronter un certain nombre de problèmes, mais il réussit à les résoudre tous l'un après l'autre. Il y eut d'abord celui de la nourriture. Comme il devait exercer la plus extrême vigilance, il répugnait à quitter son poste très longtemps. Il se tourmentait à l'idée que quelque chose puisse arriver en son absence et il faisait tout son possible pour en réduire le risque. Il avait lu quelque part que c'était entre trois heures et demie et quatre heures et demie du matin qu'il y avait le plus de gens endormis dans leur lit. Statistiquement c'était pendant cette heure-là qu'il y avait le plus de chances qu'il ne se passât rien. Ce fut donc le moment que Quinn choisit pour faire ses courses. Lexington Avenue, pas très loin vers le nord, une épicerie restait ouverte toute la nuit. A trois heures et demie tous les matins, Quinn s'y rendait d'un pas vif (tant pour faire de l'exercice que pour gagner du temps) et il achetait ce dont il avait besoin pour les vingt-quatre heures suivantes. Il s'avéra que ce n'était pas grand-chose. D'ailleurs, ses besoins se réduisirent de plus en plus au fil du temps, car il apprit que manger n'apportait pas forcément de solution au problème de l'alimentation. Un repas n'était qu'un bien faible rempart contre l'inéluctabilité du repas suivant. La nourriture ne pourrait jamais répondre à la question de la nourriture ; elle ne faisait que retarder le moment où cette question devrait être posée pour de bon. Le plus grand danger était donc celui de trop manger. S'il prenait plus que ce qu'il aurait dû, il voyait croître son appétit pour le repas suivant, et il lui fallait par conséquent manger davantage pour se satisfaire. En se soumettant à une surveillance constante et minutieuse, Quinn arriva petit à petit à inverser le processus. Son ambition était de manger aussi peu que possible et, par ce biais, de tenir sa faim en respect. Dans le meilleur des mondes il aurait pu parvenir aux confins du zéro absolu, mais il ne voulait pas être trop ambitieux dans les circonstances présentes. Il se contenta de garder à l'esprit la notion de jeûne total comme un idéal, un état de perfection auquel il pouvait aspirer mais qu'il ne saurait jamais atteindre. Il ne voulait pas se faire mourir d'inanition – il se le répétait chaque jour –, il voulait seulement se laisser la liberté de penser aux choses qui le concernaient vraiment. Dans sa situation actuelle, cela signifiait garder à l'affaire la première place dans ses pensées. Par bonheur, cela coïncidait avec son deuxième grand projet : faire durer les trois cents dollars aussi longtemps que possible. Il va sans dire que Quinn perdit pas mal de poids au cours de cette période.

Son deuxième problème était le sommeil. Il ne pouvait pas rester constamment éveillé, et c'était pourtant ce que la situation exigeait. A cet égard il fut obligé de faire quelques concessions. Comme pour se nourrir, Quinn estimait qu'il pouvait se débrouiller avec moins que d'habitude. Au lieu des six à huit heures de sommeil qui étaient son lot ordinaire, il décida de se limiter à trois ou quatre. Il lui fut difficile de s'y adapter, mais ce qui fut encore bien plus délicat fut de distribuer ces heures de façon à maintenir le maximum de vigilance. Il était clair qu'il ne pouvait pas dormir trois ou quatre heures d'affilée. C'était tout simplement trop risqué. En théorie, la répartition la plus efficace serait de trente secondes de sommeil toutes les cinq ou six minutes. Il aurait alors ramené presque à zéro les possibilités de

162

rater quelque chose. Mais il comprit que c'était physiquement impossible. Toutefois, en se servant de cette impossibilité comme d'une sorte de modèle, il essaya de s'exercer à effectuer une série de sommes très brefs, passant aussi souvent qu'il le pouvait de l'état de veille à celui de sommeil et inversement. Ce fut un long combat, qui lui demanda de la discipline et de la concentration, car, plus l'expérience se prolongeait, plus il était en proie à la fatigue. Au début il essaya des séquences de quarante-cinq minutes qu'il réduisit progressivement à trente. Vers la fin, il avait commencé à s'attaquer avec un certain succès à des périodes de sommeil de quinze minutes. Il reçut l'aide, dans ses efforts, d'une église avoisinante dont les cloches sonnaient toutes les quinze minutes : une fois pour le quart d'heure, deux fois pour la demi-heure, trois fois pour les trois quarts d'heure, et enfin, pour l'heure, quatre fois suivies du nombre de coups correspondant à l'heure elle-même. Quinn vivait au rythme de cette horloge et il finit même par avoir du mal à la différencier de son propre pouls. Dès minuit, il commençait son exercice, fermant les yeux et s'endormant avant le douzième son de cloche. Quinze minutes plus tard il s'éveillait, il se rendormait au double coup de la demie et se réveillait au triple son de quarante-cinq. A trois heures et demie il partait chercher à manger, revenait pour quatre heures et, à ce moment-là, s'endormait à nouveau. Pendant cette période, il eut peu de rêves. Ceux qui lui vinrent étaient étranges : de brèves visions de l'immédiat – ses mains, ses souliers, le mur de briques à côté Il n'y eut pas non plus un seul instant où il ne se sentit pas mort de fatigue.

Le gîte constituait son troisième problème. Mais il trouva une solution plus facile que les deux autres. Par bonheur, le temps restait chaud et, en cette époque de fin de printemps puis d'été, il y eut peu de pluie. De temps à autre une averse et, une fois ou deux, un orage torrentiel accompagné de tonnerre et d'éclairs. Mais, globalement, ce fut assez bien et Quinn ne cessa d'exprimer sa gratitude pour cette chance. Au fond de l'allée se trouvait un grand caisson métallique destiné aux ordures ménagères : les nuits où il pleuvait, Quinn grimpait dedans pour s'abriter. La puanteur, à l'intérieur, était suffocante et les vêtements de Quinn en restaient imprégnés pendant des jours, mais il aimait mieux ça que se mouiller car il ne voulait pas risquer de prendre froid ou de tomber malade. Par bonheur le couvercle était déformé et ne jointait pas bien. Il y avait même un angle avec une béance d'une quinzaine de centimètres formant une sorte de trou d'aération par lequel Quinn pouvait respirer en faisant dépasser son nez dans la nuit. En se mettant à genoux sur les ordures et en appuyant son corps contre une paroi du container, il découvrit qu'il n'était pas dans une position totalement dénuée de confort.

Lorsque les nuits étaient belles, il s'endormait sous cette grande poubelle, plaçant sa tête de façon à apercevoir la porte d'entrée des Stillman au moment même où il ouvrirait les yeux. Quant à libérer sa vessie, il le faisait généralement au bout de l'allée, derrière le caisson, en tournant le dos à la rue. Se vider l'intestin était plus compliqué : il grimpait alors dans le container pour être sûr de ne pas être vu. Il y avait aussi dans l'allée un certain nombre de poubelles en plastique ; Quinn y trouvait d'ordinaire un journal suffisamment propre pour qu'il puisse s'en essuyer. Un jour, pourtant, en urgence, il dut se servir d'une page du cahier rouge. Quant à se laver et se raser, ce furent deux des choses dont Quinn apprit à se passer.

Comment il réussit à rester caché pendant tout ce temps constitue une énigme. Mais il semble bien que personne ne le découvrit ni ne signala sa présence aux autorités. On peut penser qu'il fut tout de suite au courant des horaires des éboueurs et qu'il prenait soin de s'éloigner de l'allée lorsqu'ils arrivaient. Il devait faire de même lorsque le concierge de l'immeuble venait déposer les ordures chaque soir dans les poubelles et dans le caisson. Aussi surprenant que cela paraisse, nul ne remarqua jamais Quinn. C'était comme s'il s'était fondu dans les murs de la cité.

Les problèmes d'économie domestique et autres soucis matériels occupaient une certaine partie de la journée. Mais, dans l'ensemble, Quinn avait beaucoup de temps à sa disposition. Comme il ne voulait être vu de personne il devait éviter les gens de la façon la plus systématique. Il ne pouvait pas les regarder, il ne pouvait pas leur parler, il ne pouvait pas penser à eux. Quinn s'était toujours considéré comme un homme qui aimait être seul. Pendant les cinq dernières années, en fait, il avait activement cherché à s'isoler. Mais ce fut seulement au cours de sa vie dans l'allée qu'il commença à percevoir la vraie nature de la solitude. Il n'avait désormais rien ni personne sur qui retomber sauf lui-même. Or, s'il y eut une chose – parmi toutes celles qu'il découvrit en cette période – qu'il ne mit jamais en doute, ce fut bien celle-ci : il tombait. Ce qu'il ne comprenait pas, cependant, c'était comment dans sa chute il pouvait retomber sur lui-même. Etait-il possible d'être à la fois en haut et en bas ? Cela semblait n'avoir ni queue ni tête.

Il passa de nombreuses heures à regarder le ciel. De sa position au fond de l'allée, coincé entre le caisson et le mur, il ne pouvait pas voir grand-chose d'autre et au fur et à mesure que les jours passaient il prenait plaisir à observer le monde au-dessus de lui. Il remarqua surtout que le ciel n'était jamais immobile. Même les jours sans nuages, lorsque le bleu semblait être partout, d'incessants changements avaient lieu, des dérèglements progressifs lorsque le ciel s'amincissait ou s'alourdissait, l'intrusion soudaine du blanc des avions, des oiseaux, des papiers flottant dans l'air. Les nuages compliquaient la situation et Quinn passa bien des après-midi à les étudier, s'efforçant d'apprendre leur façon d'être, essayant de prédire ce qu'ils allaient devenir. Il se familiarisa avec les cirrus, les cumulus, les stratus, les nimbus et toutes leurs combinaisons, observant tour à tour chacune d'entre elles et remarquant la façon dont le ciel changeait sous leur influence. Les nuages introduisaient aussi la question de la couleur et c'était tout un domaine à maîtriser, depuis le blanc jusqu'au noir en passant par une infinité de gris. Il fallait toutes les examiner, les mesurer, les déchiffrer. En plus, il y avait les pastels qui se formaient lorsque les nuages réagissaient au soleil, à certaines heures de la journée. L'éventail de ces variables était immense, et le résultat dépendait de la température des diverses couches de l'atmosphère, du type de nuages présents dans le ciel ainsi que de la position du soleil à ce moment-là. C'était de tout cela que provenaient les rouges et les roses que Quinn aimait tant, les pourpres et les vermillons, les orangés et les lavandes, les ors et les kaki duveteux. Rien ne durait longtemps. Les couleurs se dissipaient vite, se mélangeant à d'autres et s'éloignant, ou s'évanouissant avec l'arrivée de la nuit. Il y avait presque toujours du vent pour précipiter cette fin. De l'endroit où il était assis dans l'allée, Quinn ne le sentait que rarement mais, en remarquant son effet sur les nuages, il pouvait en jauger la force et déduire le type d'air qu'il charriait. Un par un, tous les temps se succédèrent au-dessus de sa tête, du grand soleil à l'orage, du ciel sombre et sinistre à la splendeur éclatante. Il y avait les aurores et les crépuscules à observer, les changements de la mi-journée, les fins d'après-midi, les nuits. Même plongé dans l'obscurité le ciel ne trouvait pas de repos. Des nuages voguaient dans le noir, la lune avait toujours une forme nouvelle et le vent soufflait sans cesse. Parfois une étoile venait se nicher dans le petit coin de ciel de Quinn. Alors, les yeux levés, il se demandait si elle était vraiment là ou si elle n'était pas éteinte depuis longtemps.

Les jours, ainsi, venaient et disparaissaient. Stillman, lui, ne se montrait pas. L'argent de Quinn finit par s'épuiser. Depuis quelque temps il se bardait l'âme en prévision de ce moment, et sur la fin, il se raccrocha à ses fonds avec un souci proche de la folie. Il ne lâchait pas un centime sans bien mesurer d'abord la nécessité de ce dont il pensait avoir besoin, sans peser au préalable toutes les conséquences, celles qui plaidaient pour, celles qui plaidaient contre. Mais même les économies les plus rigoureuses ne pouvaient arrêter l'inéluctable.

Ce fut aux alentours de la mi-août que Quinn découvrit qu'il ne pouvait plus tenir. L'auteur a corroboré cette date par des recherches assidues. Il est néanmoins possible que ce moment se soit situé fin juillet (au plus tôt) ou début septembre (au plus tard) car toutes les enquêtes de ce type doivent accepter une certaine marge d'erreur. Mais, autant qu'il sache, après avoir examiné avec soin tous les indices et passé au crible toutes les contradictions apparentes, l'auteur situe en août, entre le 12 et le 25 du mois, les événements ci-après rapportés.

Quinn n'avait pratiquement plus rien – quelques pièces qui ne se montaient même pas à un dollar. Il avait la certitude que de l'argent lui avait été versé pendant son absence. Il ne s'agissait donc que de récupérer les chèques dans la boîte qu'il louait au bureau de poste, de les porter à la banque et de les encaisser. Si tout se passait bien, il pouvait être de retour ici, dans la 69e rue, en l'espace de quelques heures. Nous ne saurons jamais le martyre qu'il a souffert devant la nécessité de quitter son poste.

Il n'avait pas assez d'argent pour prendre l'autobus. Pour la première fois depuis des semaines, donc, il se mit à marcher. Ça lui faisait un effet curieux de se retrouver sur ses pieds, de se déplacer sans s'arrêter d'un endroit à l'autre, de voir ses bras se balancer d'avant en arrière, de sentir la chaussée sous ses semelles. Et pourtant c'était bien ça : il progressait vers l'est le long de la 69e rue, prenait Madison Avenue à droite et se mettait à remonter vers le nord. Il avait les jambes faibles et l'impression que sa tête était pleine d'air. Il lui fallait s'arrêter de temps à autre pour reprendre souffle et il dut même, à un moment, se retenir à un réverbère pour ne pas tomber. Il s'aperçut que ça allait mieux lorsqu'il évitait de lever les pieds et qu'il les traînait vers l'avant, les faisant glisser lentement. De cette façon il pouvait garder sa force pour les coins de rue où il devait s'équilibrer soigneusement avant et après le pas qui lui permettait de monter ou de descendre du trottoir.

Arrivé à la 84e rue, il fit une pause devant une boutique. Un miroir était fixé sur la façade, et pour la première fois depuis qu'il avait entrepris sa surveillance, Quinn se vit lui-même. Ce n'était pas qu'il avait eu peur d'affronter sa propre image. Tout simplement, il n'en avait pas eu l'idée. Il avait été trop accaparé par sa tâche pour penser à lui-même et c'était comme si la question de sa propre apparence avait cessé d'être. A ce moment-là, en se regardant dans la glace de la boutique, il ne ressentit ni choc ni déception. Il n'éprouva aucun sentiment à cet égard car, en fait, il ne prit pas la personne qu'il y découvrit pour lui-même. Il crut avoir aperçu un étranger dans le miroir et son premier mouvement fut de se retourner vivement pour voir qui c'était. Mais il n'y avait personne près de lui. Alors il revint au miroir pour l'examiner plus attentivement. Trait par trait, il étudia le visage devant lui et il se mit lentement à prendre conscience qu'il y avait une certaine ressemblance entre cette personne et l'homme qu'il s'était toujours représenté comme lui-même. Oui, il s'agissait très vraisemblablement de Quinn. Mais même alors il n'en fut pas très affecté. Sa métamorphose avait un caractère si net qu'il ne pouvait s'empêcher d'en être fasciné. Il était devenu un clochard. Ses vêtements étaient décolorés, chiffonnés, dénaturés par la saleté. Une épaisse barbe noire parsemée de taches grises lui recouvrait le visage. Ses cheveux, longs et emmêlés, s'agglutinaient en touffes derrière les oreilles et roulaient en boucles presque jusqu'aux épaules. Plus qu'à tout autre il avait l'impression de ressembler à Robinson Crusoé et il était abasourdi de voir à quelle vitesse ce changement avait eu lieu. Il avait suffi de quelques mois, à peine, pour qu'il se transforme en quelqu'un d'autre. Il voulut se souvenir de lui-même, tel qu'il avait été, mais cela lui fut difficile. Il regarda ce nouveau Quinn et haussa les épaules. Ça n'avait guère d'importance. Il avait été quelque chose auparavant et maintenant il était autre chose. Ce n'était ni mieux ni pire. C'était différent, voilà tout.

Il continua vers le nord pendant plusieurs pâtés de maisons, traversa la 5e avenue et longea le mur de Central Park. A la 96e rue il entra dans le parc et éprouva du plaisir à se retrouver au contact de l'herbe et des arbres. La fin de l'été avait épuisé une grande partie de la verdure et le sol apparaissait en taches brunes et poussiéreuses. Mais les arbres étaient encore couverts de feuilles et il y avait partout un scintillement d'ombre et de lumière qui frappa Quinn comme miraculeux dans sa beauté. C'était une fin de matinée et la lourde chaleur de l'après-midi était encore éloignée de quelques heures.

Quinn avait traversé la moitié du parc lorsqu'il fut submergé par le besoin de se reposer. Il n'y avait pas de rues ici, pas d'angles pour marquer les étapes de sa progression et il eut l'impression soudaine qu'il marchait depuis des heures. Il lui sembla que pour atteindre l'autre côté du parc il lui faudrait encore un jour ou deux de randonnée acharnée. Il continua quelques minutes de plus mais à la fin ses jambes cédèrent. Il y avait un chêne à proximité et Quinn se dirigea vers lui, titubant comme un fêtard ivre qui cherche son lit après une ribouldingue de toute la nuit. Se servant du cahier rouge comme oreiller, il s'allongea sur un monticule herbeux au nord de l'arbre et s'endormit. C'était le premier sommeil ininterrompu qu'il connaissait depuis des mois et il ne s'éveilla pas avant le lendemain matin.

Sa montre lui dit qu'il était neuf heures et demie, et il frissonna en pensant au temps qu'il venait de perdre. Il se leva et se mit à courir vers l'ouest à petits bonds, stupéfait de voir ses forces revenues mais se maudissant

170

pour les heures gaspillées à récupérer ces mêmes forces. Rien ne pouvait le consoler. Il aurait beau faire n'importe quoi, se disait-il, il arriverait toujours trop tard. Il pouvait bien courir cent ans, il ne parviendrait à destination qu'au moment même où les portes viendraient de se fermer.

Il ressortit du parc au niveau de la 96e rue et continua vers l'ouest. A l'angle de Columbus Avenue il vit une cabine téléphonique, ce qui lui remit subitement en mémoire Auster et le chèque de cinq cents dollars. Peut-être pourrait-il gagner du temps en récupérant cet argent tout de suite. Il se rendrait directement chez Auster, empocherait les billets et s'épargnerait de passer à la poste et à la banque. Mais Auster aurait-il l'argent liquide avec lui ? Dans le cas contraire, ils pouvaient peut-être prévoir de se retrouver à la banque d'Auster.

Quinn entra dans la cabine, fouilla dans sa poche et sortit tout l'argent qui lui restait : deux pièces de dix cents, une de vingt-cinq et huit de un cent. Il demanda le numéro aux renseignements, récupéra la pièce de dix cents qu'il avait utilisée, la réintroduisit et appela Auster. A la troisième sonnerie, Auster décrocha.

— Ici Quinn, déclara Quinn.

Il entendit un gémissement à l'autre bout. "Où etiez-vous donc planqué ?" La voix d'Auster laissait percer son irritation. "Je vous ai appelé au moins mille fois."

— J'étais occupé. Par l'affaire.

— L'affaire ?

— L'affaire. L'affaire Stillman. Vous vous souvenez ?

— Si je m'en souviens ! Bien sûr !

— C'est pourquoi je téléphone. Je veux passer prendre l'argent. Les cinq cents dollars.

— Quel argent ?

— Le chèque, vous vous en souvenez ? Le chèque que je vous ai donné. Celui qui a été établi au nom de Paul Auster.

— Si je m'en souviens ! Mais il n'y a pas d'argent. C'est pour ça que j'essayais de vous joindre.

— Vous n'aviez pas le droit de le dépenser, cria Quinn tout à coup hors de lui. Cet argent m'appartenait.

— Je ne l'ai pas dépensé. Le chèque m'est revenu.

— Je ne vous crois pas.

— Vous pouvez venir voir la lettre de la banque, si vous voulez. Elle est juste là sur mon bureau. C'était un chèque en bois.

— C'est absurde.

— Eh oui. Mais ça n'a plus guère d'importance à présent. Vous ne trouvez pas ?

— Et comment, que ça a de l'importance. J'ai besoin de l'argent pour continuer sur l'affaire.

— Mais il n'y a pas d'affaire. C'est fini.

— De quoi parlez-vous ?

— De la même chose que vous. De l'affaire Stillman.

— Mais que voulez-vous dire par *c'est fini* ? J'y travaille toujours.

— Ce n'est pas possible !

— Arrêtez de faire des mystères. Je n'ai pas la moindre idée de ce dont vous parlez.

— Je ne peux pas croire que vous ne soyez pas au courant. Où vous êtes-vous donc planqué ? Ne lisez-vous pas les journaux ?

— Les journaux ? Mais bordel parlez clairement. Je n'ai pas le temps de lire les journaux.

Il y eut un silence à l'autre bout et Quinn eut un instant l'impression que la conversation était terminée, qu'il s'était endormi, bizarrement, et qu'il venait juste de se réveiller avec le téléphone dans sa main.

— Stillman a sauté du pont de Brooklyn, dit Auster. Il s'est suicidé il y a deux mois et demi.

— Vous mentez.

— C'était dans tous les journaux. Vous pouvez vérifier.

Quinn ne répondit rien.

— C'était votre Stillman, poursuivit Auster. Celui qui avait enseigné à Columbia. Il paraît qu'il est mort en l'air, avant même de toucher l'eau.

— Et Peter ? Qu'en est-il de Peter ?

— Aucune idée.

— Est-ce que quelqu'un le sait ?

— C'est impossible à dire. Ce serait à vous d'éclaircir ça.

— Oui, je crois bien, dit Quinn.

Puis, sans dire au revoir à Auster, il raccrocha. Il prit son autre pièce de dix cents et s'en servit pour téléphoner à Virginia Stillman. Il connaissait encore le numéro par cœur.

Une voix mécanique lui répéta le numéro et lui annonça qu'il n'était plus en service. La voix recommença son message puis la ligne resta sans vie.

Quinn n'était pas certain de ses sensations. Pendant les premiers instants ce fut comme s'il ne ressentait rien, comme si tout cela n'était rien du tout. Il décida de renvoyer toute réflexion à un autre moment. Plus tard il aurait le temps d'y penser, se dit-il. Pour l'instant, la seule chose qui lui paraissait importante était de rentrer chez lui. Il allait revenir dans son appartement, se déshabiller et se plonger dans un bain chaud. Puis il allait parcourir les derniers magazines, passer quelques disques et nettoyer un peu. Ensuite, peut-être commencerait-il à y penser.

Il revint à pied à la 107e rue. Il avait encore dans sa poche les clés de son immeuble et, tout en ouvrant la porte d'entrée et en gravissant les trois étages jusque chez lui, il éprouvait quelque chose qui était presque du bonheur. Mais qui prit fin aussitôt qu'il fut dans l'appartement.

Tout avait changé. On aurait dit un endroit complètement autre et la première pensée de Quinn fut qu'il avait fait erreur. Il ressortit dans le couloir et vérifia le numéro sur la porte. Non, il ne s'était pas trompé. C'était bien son appartement et c'était bien avec sa clé qu'il avait ouvert. Il entra à nouveau et jaugea la situation. Les meubles avaient changé de place. A l'ancien endroit de la table se trouvait à présent une chaise. A l'ancienne place du canapé se trouvait une table. Il y avait de nouveaux tableaux aux murs et un nouveau tapis au sol. Et son bureau ? Il eut beau le chercher, il ne le trouva pas. Regardant le mobilier avec plus d'attention, il s'aperçut que ce n'était pas le sien. Ce qui se trouvait dans son appartement, la dernière fois qu'il y était venu, avait été enlevé. Son bureau était parti, ses livres, les dessins d'enfant de son fils mort étaient partis. Son lit avait disparu, sa commode aussi. Il ouvrit le tiroir du haut de la commode qui était là. Des sous-vêtements féminins, froissés en boules jetées çà et là : des petites culottes, des soutiens-gorge, des combinaisons. Le tiroir suivant contenait des pulls de femme. Quinn n'alla pas plus loin. Sur une table, près du lit, une photo encadrée montrait un jeune homme blond à la face large et solide. Sur une autre photo on voyait le même jeune homme souriant, debout dans la neige, un bras autour d'une jeune fille à l'air insipide. Elle souriait aussi. Derrière eux une piste de ski, un homme portant une paire de skis sur l'épaule, et un ciel bleu d'hiver.

Quinn regagna le séjour et s'assit dans un fauteuil. Il vit dans un cendrier une cigarette à moitié consumée portant des traces de rouge à lèvres. Il la ralluma et la fuma. Puis il passa dans la cuisine, ouvrit le réfrigérateur et trouva du jus d'orange et du pain de mie. Il but le jus, mangea trois tranches de pain et revint dans le séjour où il reprit place dans le fauteuil. Un quart d'heure plus tard il entendit des pas qui gravissaient l'escalier, un tintement de clés contre la porte, puis la fille qui était sur la photo entra dans l'appartement. Elle portait un uniforme blanc d'infirmière et tenait un sac de papier brun, plein de provisions, dans ses bras. En voyant Quinn elle laissa tomber le sac et poussa un hurlement. Ou bien elle hurla d'abord et laissa tomber le sac. Quinn n'était pas certain de ce qui était venu en premier. La poche en papier se déchira en heurtant le plancher et du lait se mit à couler avec des glouglous, traçant un sentier tout blanc jusqu'au bord du tapis.

Quinn se mit debout, leva le bras en signe d'apaisement et lui dit de ne pas s'inquiéter. Il n'allait pas lui faire de mal. La seule chose qu'il voulait savoir, c'était pourquoi elle vivait dans son appartement. Il sortit la clé de sa poche et la maintint en l'air comme pour prouver ses bonnes intentions. Il lui fallut un bon moment pour la convaincre, mais elle finit par sortir de sa panique.

Ce qui ne signifiait pas qu'elle eût commencé à se sentir en confiance avec lui ou qu'elle eût moins peur. Elle restait près de la porte ouverte, prête à se ruer dehors à la moindre alarme. Quinn se tenait à distance, ne voulant pas aggraver la situation. Sa bouche n'arrêtait pas de parler, expliquant sans cesse qu'elle vivait chez lui. Manifestement elle n'en croyait pas un mot mais elle écoutait pour lui donner le change, espérant sans doute qu'à bout de paroles il finirait par partir.

— Ça fait un mois que j'habite ici, dit-elle. C'est mon appartement. J'ai signé un bail d'un an.

— Mais comment se fait-il que j'aie la clé ? redemanda Quinn pour la sept ou huitième fois. Est-ce que cela ne suffit pas à vous convaincre ?

— Il y a des centaines de façons de se procurer cette clé.

— Est-ce qu'on ne vous a pas dit qu'il y avait quelqu'un qui vivait ici, lorsque vous avez loué ?

— On m'a dit que c'était un écrivain. Mais il avait disparu, il ne payait plus son loyer depuis des mois.

— C'est moi ! cria Quinn. C'est moi, l'écrivain !

La jeune fille le toisa froidement et se mit à rire. "Un écrivain ? C'est à hurler de rire. Mais regardez-vous ! Je n'ai jamais vu quelqu'un dans un tel état."

— J'ai eu des problèmes, récemment, murmura Quinn en guise d'explication. Mais c'est passager.

— Le propriétaire m'a dit qu'il était quand même content de se débarrasser de vous. Il n'aime pas les locataires qui ne sont pas employés. Ils dépensent trop de chauffage et ils dégradent l'équipement.

— Savez-vous ce qui est arrivé à mes affaires ?

— Quelles affaires ?

— Mes livres. Mes meubles. Mes papiers.

— Je n'en ai aucune idée. Ils ont probablement vendu ce qu'ils pouvaient et ils ont jeté le reste. Tout a été nettoyé avant que j'entre dans les lieux.

Quinn poussa un profond soupir. Il était arrivé au bout de lui-même, et maintenant il s'en rendait compte. C'était comme si une grande vérité avait enfin commencé à se faire jour en lui. Il ne restait plus rien.

— Est-ce que vous avez conscience de ce que ça signifie ? demanda-t-il.

— Franchement, ça m'est égal, dit la fille. C'est votre problème, pas le mien. Tout ce que je veux c'est que vous sortiez. Tout de suite. C'est chez moi, ici, et je veux que vous partiez. Sinon j'appelle la police et je vous fais arrêter.

Ça n'avait plus d'importance. Il pouvait bien passer ici le reste de la journée à raisonner avec cette fille, ça ne lui rendrait pas son appartement. Non, son logement était parti, lui-même était parti, tout était parti. Bredouillant quelque chose d'inaudible, il s'excusa pour le temps qu'il lui avait fait perdre, et, passant près de la jeune fille, il prit la porte.

13

Comme ce qui arrivait n'avait plus pour lui d'importance, Quinn ne fut pas étonné de voir qu'il pouvait
ouvrir sans clé la porte de l'immeuble de la 69e rue.
Il ne fut pas non plus surpris, après être monté au neuvième étage et avoir parcouru le couloir qui menait à
l'appartement des Stillman, de découvrir que cette
porte aussi était ouverte. Et il fut encore moins étonné
de trouver l'appartement vide. Les lieux avaient été
complètement dégagés et les pièces ne contenaient plus
rien. Chaque salle était identique aux autres : un parquet et quatre murs blancs. Quinn n'en fut pas particulièrement impressionné. Il était épuisé et la seule chose
à laquelle il pouvait penser était de fermer les yeux.

Il se dirigea vers le fond de l'appartement, vers un
réduit qui ne mesurait pas plus de trois mètres sur deux,
avec une seule fenêtre au fin grillage métallique par
laquelle on avait vue sur le conduit d'aération. De
toutes les pièces, c'était, semblait-il, la plus sombre.
Là, une deuxième porte ouvrait sur un cagibi sans
fenêtre mais pourvu d'un w.-c. et d'un lavabo. Quinn
posa le cahier rouge sur le plancher, sortit de sa poche
le stylo du sourd-muet et le jeta sur le cahier. Puis il ôta
sa montre et la mit dans sa poche. Après quoi il se
déshabilla entièrement, ouvrit la fenêtre, et un à un,

laissa choir chaque vêtement dans le conduit d'aération : d'abord sa chaussure droite, puis la gauche ; une chaussette, puis l'autre ; sa chemise, sa veste, son slip, son pantalon. Il ne se pencha pas pour les regarder tomber, et il n'essaya pas non plus de voir où ils atterrissaient. Il referma alors la fenêtre, s'allongea au milieu du parquet et s'endormit.

Il faisait noir dans la pièce lorsqu'il se réveilla. Quinn ne savait pas exactement combien de temps avait passé – si c'était la nuit de ce jour-là ou celle du suivant. Il était même possible, songea-t-il, que ce ne fût pas du tout la nuit. Peut-être ne faisait-il noir qu'ici dedans, peut-être au-delà de la fenêtre le soleil brillait-il. Pendant plusieurs instants il envisagea de se lever et de se mettre à la fenêtre pour vérifier, puis il décida que c'était sans importance. S'il ne faisait pas nuit pour le moment, ça viendrait quand même plus tard. C'était une chose assurée, et, qu'il regardât ou non par la fenêtre, la réponse serait la même. En revanche, s'il faisait réellement nuit ici, à New York, il était aussi certain que le soleil brillait ailleurs. En Chine, par exemple, c'était sans nul doute le milieu de l'après-midi et les planteurs de riz essuyaient la sueur sur leur front. La nuit et le jour n'étaient rien d'autre que des termes relatifs ; ils ne désignaient pas des états absolus. A tout moment les deux existaient à la fois. La seule raison pour laquelle nous n'en avions pas conscience était que nous ne pouvions pas être en deux lieux en même temps.

Quinn envisagea aussi de se lever et d'aller dans une autre pièce mais il se rendit compte qu'il était parfaitement heureux là où il était. L'endroit qu'il avait choisi était confortable et il découvrit qu'il avait plaisir à être couché sur le dos avec les yeux ouverts, regardant le plafond – ou ce qui aurait été le plafond s'il avait pu le voir. Une seule chose lui manquait, le ciel. Il s'aperçut qu'il regrettait de ne plus l'avoir au-dessus de sa tête après tant de jours et de nuits en plein air. Mais il était désormais à l'intérieur, et quelle que fût la pièce où il déciderait de camper, le ciel resterait caché, inaccessible aussi loin que porterait son regard.

Il se dit qu'il resterait là tant qu'il le pourrait. Il y aurait l'eau du lavabo pour étancher sa soif, ce qui lui procurerait un sursis. Il finirait bien par avoir faim et serait forcé de manger. Mais ça faisait si longtemps qu'il travaillait à réduire ses exigences qu'il savait que cet instant était encore à plusieurs jours de distance. Il décida de ne plus y penser jusqu'à ce qu'il y fût contraint. Il était absurde de se faire du souci, se disait-il, absurde de s'importuner soi-même avec des choses sans importance.

Il essaya de songer à la vie qu'il avait connue avant le début de l'histoire. Ce fut une chose fort difficile car cette vie lui semblait à présent extrêmement loin de lui. Il se souvint des livres qu'il avait écrits sous le nom de William Wilson. Il trouva curieux d'avoir fait une telle chose et il se demanda pourquoi il l'avait faite. Au fond de lui, il comprit que Max Work était mort. Il était mort quelque part en route alors qu'il allait vers une nouvelle affaire et Quinn n'arrivait pas à éprouver de regret. Tout cela lui semblait tellement dénué d'importance, à présent. Il repensa à son bureau et aux milliers de mots qu'il y avait écrits. Il repensa à celui qui avait été son agent littéraire et s'aperçut qu'il était incapable de se rappeler son nom. Il y avait tant de choses qui disparaissaient, maintenant, qu'il devenait difficile d'en garder trace. Quinn s'efforça de retrouver la composition de l'équipe des *Mets*, position par position, mais son esprit se mettait à vagabonder. Il se souvint que le centre s'appelait Mookie Wilson, un jeune joueur plein de promesses dont le véritable nom était William Wilson. Il y avait sûrement là quelque chose d'intéressant. Quinn suivit cette idée quelque temps avant de l'abandonner. Les deux William Wilson s'annulaient l'un l'autre et c'était tout. Quinn leur fit mentalement un geste d'adieu. Les *Mets* finiraient encore derniers et personne n'en souffrirait.

Lorsqu'il se réveilla à nouveau le soleil brillait dans la pièce. Un plateau de nourriture se trouvait sur le plancher près de lui et, des plats, s'élevait le fumet de ce qui lui parut être un repas au roast-beef. Quinn accepta cet état de choses sans sourciller. Il n'en éprouva ni étonnement ni désagrément. Oui, se dit-il, il est tout à fait possible que cette nourriture ait été laissée ici à mon intention. Il n'eut pas la curiosité de savoir comment ou pourquoi cela s'était produit. Il n'eut même pas l'idée de quitter la pièce et de chercher une réponse dans le reste de l'appartement. Au lieu de cela, il étudia de plus près le repas sur le plateau et vit qu'en plus de deux grandes tranches de roast-beef il y avait sept petites pommes de terre rôties, un plat d'asperges, du pain frais, une salade, une carafe de vin rouge, des parts de fromage et une poire pour dessert. La serviette était en tissu blanc et les couverts étaient de la plus belle qualité. Quinn mangea de cette nourriture, mais n'en avala que la moitié car il fut incapable d'aller au-delà.

Après son repas il se mit à écrire dans le cahier rouge. Il continua ce travail jusqu'au retour de l'obscurité. Il y avait bien un plafonnier au milieu de la pièce et un interrupteur qui le commandait près de la porte, mais l'idée de s'en servir répugnait à Quinn. Peu de temps après, il s'endormit à nouveau. Lorsqu'il se réveilla, la lumière du soleil éclairait son réduit et il trouva un autre plateau de nourriture près de lui sur le parquet. Il en mangea autant qu'il put et se remit à écrire dans le cahier rouge.

Pour la plupart, les textes rédigés à cette période consistent en questions marginales se rapportant à l'affaire Stillman. C'est ainsi que Quinn se demandait pourquoi il ne s'était pas donné la peine de regarder les articles parus dans la presse sur l'arrestation de Stillman en 1969. Il examinait la question de savoir si le voyage sur la Lune réalisé cette année-là avait un lien quelconque avec ce qui s'était passé. Il se demandait pourquoi il avait cru Auster sur parole lorsqu'il lui avait annoncé la mort de Stillman. Il essaya de penser à des œufs et écrivit des expressions comme "tête d'œuf", "œufs sur le plat", "marcher sur des œufs", "aller se faire cuire un œuf". Il se demanda ce qui se serait passé s'il avait suivi le deuxième Stillman plutôt que le premier. Pourquoi Christophe, le saint patron des voyageurs, avait été décanonisé par le pape en 1969, au moment, donc, de l'expédition sur la Lune. Il étudia longuement la question de savoir pourquoi don Quichotte ne s'était pas contenté de vouloir écrire des livres comme ceux qu'il aimait au lieu de vivre à son tour leurs aventures. Il chercha pourquoi il avait les mêmes initiales que don Quichotte. Il se demanda si la jeune fille qui s'était installée chez lui était la même qu'il avait vue à la gare Grand Central en train de lire un livre qu'il avait écrit. Si Virginia Stillman avait engagé un nouveau détective après qu'il n'eut plus réussi à la joindre. Pourquoi il avait cru Auster sur parole quand il lui avait déclaré que son chèque était revenu impayé. Il pensa à Peter Stillman et voulut savoir s'il avait jamais dormi dans cette pièce où il se trouvait à présent. Il se demanda si l'affaire était vraiment terminée ou s'il n'était pas encore en train d'y travailler d'une certaine façon. Il chercha à quoi ressemblerait la carte retraçant tous les pas qu'il avait faits au cours de sa vie et quel serait le mot qu'elle dessinerait. Quand il faisait noir, Quinn dormait ; quand il faisait clair, il mangeait la nourriture et il écrivait dans le cahier rouge. Il ne pouvait jamais savoir avec certitude combien de temps s'écoulait dans chaque phase parce qu'il ne se souciait pas de compter les jours ou les heures. Il lui semblait, pourtant, que petit à petit l'obscurité gagnait sur la lumière. Alors qu'au début la clarté du soleil avait prédominé, elle se faisait graduellement plus faible et plus passagère. Au début il crut à un changement de saison. L'équinoxe était certainement déjà passé et le solstice approchait peut-être. Mais même après l'arrivée de l'hiver, alors que le processus aurait normalement dû commencer à s'inverser, Quinn remarqua que les périodes sombres continuaient toujours à grignoter les périodes de lumière. Il lui apparut qu'il avait de moins en moins de temps pour prendre son repas et écrire. A la fin il lui sembla que ces phases s'étaient réduites au point de s'exprimer en minutes. C'est ainsi qu'après avoir fini de manger il découvrit un jour qu'il n'avait le temps de rédiger que trois phrases dans le cahier rouge. Lorsqu'il fit à nouveau jour, il ne réussit à noter que deux phrases. Il se mit à sauter ses repas pour se consacrer au cahier rouge, mangeant seulement lorsqu'il avait l'impression de ne pas pouvoir tenir. Mais le temps continuait à se rétrécir et bientôt il ne fut plus en mesure de prendre plus qu'une ou deux bouchées avant qu'il fît à nouveau sombre. Il ne pensait pas à allumer la lampe électrique parce qu'il en avait oublié depuis longtemps l'existence.

Cette période de ténèbres grandissantes coïncida avec l'épuisement des pages du cahier rouge. Petit à petit,

Quinn arrivait au bout. Il y eut un moment où il réalisa que plus il écrirait, plus vite viendrait l'heure où il ne pourrait plus rien écrire du tout. Il se mit à peser très soigneusement ses mots, s'efforçant de s'exprimer le plus économiquement et le plus clairement possible. Il regretta d'avoir gaspillé tant de pages au début du cahier rouge, et, en fait, il déplora d'avoir pris la peine de rédiger quoi que ce soit sur l'affaire Stillman. Car c'était un cas qu'il avait désormais dépassé depuis longtemps et il ne se souciait pas d'y penser. Cette affaire avait servi de pont vers un autre lieu de sa vie, et maintenant qu'il l'avait franchi Quinn en avait aussi perdu le sens. Il ne s'intéressait d'ailleurs plus à lui-même. Il parlait des étoiles, de la terre, de ses espérances pour l'humanité. Il avait l'impression que ses mots avaient été détachés de lui et qu'ils appartenaient maintenant au monde en général, qu'ils étaient aussi réels et spécifiques qu'une pierre, un lac, une fleur. Ils n'avaient plus rien à faire avec lui. Il se souvint du moment de sa naissance et de comment on l'avait extrait avec douceur du ventre de sa mère. Il se rappela les gentillesses infinies du monde et tous ceux qu'il avait jamais aimés. Rien d'autre n'importait, maintenant, que la beauté de tout cela. Il voulait continuer à écrire à ce sujet, et il souffrait de savoir que ce ne serait pas possible. Néanmoins il voulut faire face courageusement à la fin prochaine du cahier rouge. Il se demanda s'il aurait en lui assez de ressources pour écrire sans stylo, s'il pouvait apprendre à parler au lieu d'écrire, à emplir les ténèbres de sa voix, à lancer les mots dans l'air, dans les murs, dans la ville, et cela même si la lumière ne devait jamais revenir.

La dernière phrase du cahier rouge est celle-ci : "Que se passera-t-il lorsqu'il n'y aura plus de pages dans le cahier rouge ?"

A partir de là l'histoire s'obscurcit. L'information s'est tarie et les événements qui suivent ces derniers mots ne seront jamais connus. Ce serait folie de hasarder ne serait-ce qu'une hypothèse. Je suis rentré en février de mon voyage en Afrique, quelques heures à peine avant qu'une tempête de neige ne vienne s'abattre sur New York. J'ai téléphoné à mon ami Auster ce soir-là, et il m'a pressé de venir le voir dès que possible. Sa voix avait quelque chose de si insistant que je n'ai pas osé refuser bien que je fusse épuisé.

Dans son appartement, Auster m'a expliqué le peu de choses qu'il savait de Quinn puis il a continué à me décrire l'étrange affaire dans laquelle il avait été fortuitement impliqué. Il déclara en être devenu obsédé et il voulait mon avis sur ce qu'il devait faire. Lorsque je l'eus écouté jusqu'au bout, je me suis mis à ressentir de la colère pour l'indifférence avec laquelle il avait traité Quinn. Je lui ai reproché de ne pas avoir pris plus de part aux événements, de n'avoir rien fait pour aider un homme qui avait si manifestement des ennuis.

Auster a semblé prendre mes paroles à cœur. En fait, a-t-il déclaré, c'était la raison pour laquelle il m'avait demandé de venir. Il se sentait coupable et il avait besoin de s'épancher. Il a ajouté que j'étais la seule personne en qui il avait confiance.

Il avait passé les derniers mois à rechercher Quinn, mais sans succès. Quinn n'habitait plus dans son appartement et tous ses efforts pour joindre Virginia Stillman avaient échoué. C'est alors que j'ai suggéré d'aller voir du côté de l'appartement de Stillman. J'avais l'intuition, pour une raison ou une autre, que c'était là que Quinn avait échoué.

Nous avons mis nos manteaux, nous sommes sortis et nous avons pris un taxi jusqu'à la 69e rue est. La neige tombait depuis une heure et les rues étaient déjà périlleuses. Nous n'avons pas eu de mal à pénétrer dans l'immeuble – nous nous sommes glissés avec un des locataires qui rentrait chez lui. Nous sommes montés et nous avons trouvé la porte de ce qui avait été l'appartement des Stillman. Elle n'était pas fermée à clé. Nous sommes entrés prudemment et nous avons découvert une série de salles nues et vides. Dans une petite pièce du fond – elle était aussi impeccablement propre que toutes les autres – il y avait par terre le cahier rouge. Auster l'a ramassé, a jeté quelques regards à l'intérieur et a déclaré que c'était celui de Quinn. Puis il me l'a tendu en disant que je devrais le garder. Toute cette affaire l'avait tellement affecté qu'il avait peur de l'avoir en sa possession. J'ai répondu que je le conserverais jusqu'à ce qu'il soit prêt à le lire mais il a secoué la tête et il a dit qu'il ne voulait jamais plus le revoir. Nous sommes alors repartis et nous nous sommes mis à marcher dans la neige. La cité était toute blanche, à présent, et la neige continuait à tomber comme si elle n'allait jamais s'arrêter.

Pour ce qui est de Quinn, il m'est impossible de dire où il se trouve actuellement. J'ai suivi le cahier rouge aussi scrupuleusement que j'ai pu, et c'est moi qui suis à blâmer pour toute inexactitude. Il y a eu des moments où le texte était difficile à déchiffrer, mais j'ai fait de mon mieux et je me suis abstenu de toute interprétation. Le cahier rouge, évidemment, n'est que la moitié de l'histoire, comme tout lecteur sensible l'aura compris. Quant à Auster, j'ai la conviction qu'il s'est mal conduit à tous égards. Si notre amitié s'est brisée, il ne peut s'en prendre qu'à lui-même. De mon côté, mes pensées restent avec Quinn. Il sera toujours avec moi. Et quel que soit l'endroit où il ait pu disparaître, je lui souhaite bonne chance.

REVENANTS

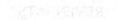

Tout d'abord il y a Bleu. Plus tard il y a Blanc, puis Noir, et avant le début il y a Brun. Brun l'a initié, lui a appris les ficelles et, lorsque Brun s'est fait vieux, Bleu lui a succédé. C'est ainsi que ça commence. Le lieu : New York ; le temps : le présent ; aucun des deux ne changera jamais. Bleu se rend à son bureau chaque jour et se tient à sa table de travail en attendant qu'il se passe quelque chose. Pendant longtemps, rien n'arrive, puis un homme du nom de Blanc franchit la porte, et c'est ainsi que ça débute.

L'affaire semble relativement simple. Blanc voudrait que Bleu file un dénommé Noir, qu'il le tienne à l'œil aussi longtemps qu'il le faudra. Lorsqu'il travaillait pour Brun, Bleu s'était chargé de nombreuses filatures : celle-ci ne paraît pas différente, peut-être même est-elle plus facile que la plupart.

Bleu a besoin de ce travail ; il écoute donc Blanc et ne pose que peu de questions. Il suppose qu'il s'agit d'une affaire conjugale, que Blanc est un mari jaloux. Blanc ne donne pas de détails. Il veut, déclare-t-il, un rapport hebdomadaire envoyé à la boîte postale numéro tant, dactylographié en deux exemplaires sur des pages de tel et tel format. Bleu recevra un chèque toutes les semaines par la poste. Blanc indique alors à Bleu où habite Noir, à quoi il ressemble, et ainsi de suite. Lorsque Bleu demande à Blanc combien de temps, selon lui, durera cette affaire, Blanc répond qu'il n'en sait rien. N'arrêtez pas d'envoyer vos rapports, dit-il, jusqu'à avis contraire.

Soyons justes envers Bleu, il trouve tout cela un peu bizarre. Mais il serait exagéré d'affirmer qu'à ce stade il ressente un malaise. Il y a pourtant certaines particularités de Blanc qu'il ne lui est pas possible de ne pas remarquer. La barbe noire, par exemple, et les sourcils excessivement broussailleux. Et puis cette extraordinaire blancheur de la peau, comme si elle était recouverte de poudre. Bleu n'est pas un amateur dans l'art du déguisement et il n'a aucun mal à percer celui-là. Après tout, il a été l'élève de Brun, et à son époque Brun était le meilleur professionnel. C'est pourquoi germe dans son esprit la pensée qu'il s'est trompé, et que ce cas n'a rien à voir avec un problème conjugal. Mais il s'arrête là parce que Blanc est encore en train de lui parler et Bleu doit se concentrer pour suivre ses paroles.

Tout a été mis en place, déclare Blanc. Il y a un petit appartement juste en face de celui de Noir, de l'autre côté de la rue. Je l'ai déjà loué et vous pouvez vous y installer dès aujourd'hui. Le loyer sera payé jusqu'à la fin de l'affaire.

C'est une bonne idée, dit Bleu en prenant la clé des mains de Blanc. Ça évitera la marche à pied.

Parfaitement, répond Blanc en caressant sa barbe.

Ainsi c'est réglé. Bleu accepte ce travail et ils se serrent la main en signe d'accord. Pour montrer sa bonne foi, Blanc donne même à Bleu une avance de dix billets de cinquante dollars.

C'est donc ainsi que ça commence. Le jeune Bleu et un homme du nom de Blanc qui n'est manifestement pas celui pour lequel il se fait passer. Peu importe, se dit Bleu après le départ de Blanc. Je suis sûr qu'il a ses raisons. En plus, ce n'est pas mon problème. La seule chose dont je doive me préoccuper, c'est de faire mon travail.

On est le 3 février 1947. Certes, Bleu est loin de se douter que l'affaire durera des années. Mais le présent n'est pas moins obscur que le passé, et tout aussi mystérieux que ce que l'avenir tient en réserve. Ainsi va le monde : on avance pas à pas, d'abord un mot, puis le suivant. Il y a un certain nombre de choses que Bleu ne peut en aucun cas connaître à ce stade. Car la connaissance s'acquiert lentement, et lorsqu'elle vient elle se paie souvent d'un prix personnel élevé.

Blanc sort du bureau et, un instant plus tard, Bleu décroche le téléphone pour parler à la future Mme Bleu. Je plonge dans la clandestinité, dit-il à sa belle. Ne t'inquiète pas si je ne te fais pas signe pendant un petit moment. Je penserai à toi tout le temps.

Bleu prend sur son étagère un petit cartable gris dans lequel il empile son trente-huit, des jumelles, un cahier et d'autres outils de sa profession. Puis il range sa table de travail, classe ses papiers et ferme le bureau à clé. De là, il se rend à l'appartement que Blanc a loué pour lui. L'adresse n'a pas d'importance. Disons qu'il s'agit de Brooklyn Heights, par exemple. Une rue calme, peu passante, assez proche du pont – peut-être Orange Street. C'est dans cette rue que Walt Whitman a composé à la main la première édition des *Feuilles d'herbe* en 1855, et c'est ici que Henry Ward Beecher a fulminé contre l'esclavage du haut de la chaire de son église en brique rouge. Voilà pour la couleur locale.

C'est un petit studio au troisième dans une maison ancienne de quatre étages en pierre brune. Bleu se réjouit de constater qu'il est entièrement équipé. En faisant le tour de la pièce pour inspecter le mobilier, il découvre que tout est neuf : le lit, la table, la chaise, le tapis, les draps et les serviettes, les ustensiles de cuisine, tout. Dans le placard, il y a un vestiaire complet sur des cintres. Bleu se demande si ces vêtements lui sont destinés : aussi les essaie-t-il, et il découvre qu'ils lui vont. Ce n'est pas l'endroit le plus vaste que j'aie connu, se dit-il en arpentant la pièce, mais c'est bien douillet, bien douillet.

Il ressort, traverse la rue et pénètre dans le bâtiment en face. Dans le hall, il cherche le nom de Noir sur une des boîtes aux lettres et le trouve : Noir – 3ᵉ étage. Jusque-là tout va bien. Il revient alors dans sa chambre et se met au travail.

Ecartant les rideaux de la fenêtre, il regarde et voit Noir assis à une table dans sa pièce de l'autre côté de la rue. Pour autant que Bleu puisse déterminer ce qui se passe, il déduit que Noir est en train d'écrire. Une vérification avec les jumelles lui confirme que c'est bien le cas. Mais les verres ne sont pas assez puissants pour permettre de déchiffrer l'écriture. Même s'ils l'étaient, Bleu ne pense pas être en mesure de lire les lettres manuscrites vues de haut en bas. La seule chose qu'il puisse donc affirmer avec certitude, c'est que Noir écrit sur un cahier avec un stylo plume à encre rouge. Bleu prend son propre cahier et note : 3 fév., 3 h de l'après-midi, Noir écrit à son bureau.

De temps à autre Noir fait une pause dans son travail et laisse son regard errer par la fenêtre. A un certain moment, Bleu a l'impression que Noir le fixe directement des yeux et il plonge pour se cacher. Mais une observation plus minutieuse lui révèle qu'il ne s'agit que d'un regard vague, dénotant la pensée plus que la vision, un regard qui rend les choses invisibles et ne les laisse pas pénétrer. Noir se lève périodiquement et disparaît dans un endroit caché de la pièce – un coin, estime Bleu, ou peut-être la salle de bains. Mais il n'est jamais parti très longtemps et revient toujours rapidement à son bureau. Ce manège dure plusieurs heures et Bleu n'est pas plus avancé pour sa peine. A six heures du soir, il inscrit la deuxième phrase dans son cahier : Ce manège dure plusieurs heures.

Le problème n'est pas tellement que Bleu s'ennuie, c'est surtout qu'il se sent frustré. Comme il n'est pas en mesure de lire ce que Noir a noté, tout n'est jusqu'à présent qu'une sorte de vide. Peut-être, se dit Bleu, s'agit-il d'un fou qui met au point une machination pour faire sauter le monde. Peut-être ses écrits se rapportent-ils à sa formule secrète. Mais cette idée gêne aussitôt Bleu par son côté enfantin. Il est trop tôt pour en savoir quelque chose, se dit-il, et pour l'instant il décide de réserver son jugement.

Son esprit vagabonde d'une petite chose à l'autre, et finit par se fixer sur la future Mme Bleu. Ils avaient projeté de sortir ce soir, se souvient-il, et si Blanc n'avait pas débarqué dans son bureau, aujourd'hui, pour cette nouvelle affaire, il serait avec elle à l'heure qu'il est. D'abord le restaurant chinois dans la 39e rue, où ils auraient lutté avec les baguettes et où ils se seraient donné la main sous la table. Puis le double film au Paramount. Lui revient alors en tête, pendant un bref moment et avec une clarté saisissante, le visage de la jeune femme (elle rit, les yeux baissés, faisant semblant d'être choquée), et il se rend compte qu'il préférerait de beaucoup être avec elle que rester dans cette pièce jusqu'à Dieu sait quand. Il se pose la question de lui téléphoner pour bavarder, hésite, et puis décide que non.

Il ne veut pas paraître faible. Si elle savait combien il a besoin d'elle, il commencerait à perdre son avantage, ce qui ne serait pas bien. Il faut toujours que l'homme soit le plus fort des deux.

Noir a débarrassé sa table et remplacé le matériel d'écriture par son repas du soir. Il est là, assis, mâchant lentement, et son regard traverse la fenêtre de cette manière abstraite qui lui est propre. En voyant la nourriture, Bleu a conscience d'avoir faim et va fouiller dans le placard de la cuisine pour trouver à manger. Il se décide pour un ragoût en boîte dont il absorbe la sauce avec une tranche de pain de mie. Après son dîner, il voudrait bien que Noir sorte, et il prend espoir en remarquant une soudaine flambée d'activité dans la chambre de ce dernier. Mais tout cela ne mène à rien. Un quart d'heure plus tard Noir est à nouveau assis à sa table de travail, et cette fois il lit un livre. Une lampe est allumée à son côté, ce qui donne à Bleu une image plus claire de son visage qu'auparavant. Bleu estime l'âge de Noir à égalité avec le sien, à un ou deux ans près. C'est-à-dire autour de trente ans, légèrement moins ou légèrement plus. Il trouve la figure de Noir assez agréable, sans rien qui la distingue de milliers d'autres figures qu'on voit tous les jours. C'est là une déception pour Bleu car il espère toujours secrètement découvrir que Noir est un fou. Bleu regarde avec ses jumelles et déchiffre le titre du livre que Noir est en train de lire : *Walden*, par Henry David Thoreau. Bleu n'en a jamais entendu parler et le note soigneusement dans son cahier.

Ainsi se déroule le reste de la soirée, Noir lisant et Bleu le regardant lire. A mesure que le temps passe, Bleu se sent de plus en plus découragé. Il n'a pas l'habitude de rester comme ça sans rien faire, et tandis que l'obscurité l'enveloppe, l'énervement le gagne. Ce qu'il aime, c'est s'activer, aller d'un endroit à un autre, réaliser des choses. Je ne suis pas le genre Sherlock Holmes, avait-il coutume de dire à Brun chaque fois que le patron lui confiait une tâche particulièrement sédentaire. Donnez-moi quelque chose où je puisse m'employer totalement. Et maintenant qu'il est lui-même le patron, voilà ce qu'il trouve : un cas où il n'y a rien à faire. Car observer quelqu'un en train de lire et écrire revient en réalité à ne rien faire. La seule chose qui permettrait à Bleu de se rendre compte de ce qui se passe, ce serait de se mettre dans la tête de Noir pour voir ce qu'il pense, mais c'est évidemment impossible. Petit à petit Bleu laisse donc son esprit dériver jusqu'au bon vieux temps. Il pense à Brun, à quelques-unes des affaires sur lesquelles ils ont travaillé ensemble, et il savoure le souvenir de leurs triomphes. Il y a eu le cas Lerouge, par exemple, où ils ont dépisté le caissier de banque qui avait détourné deux cent cinquante mille dollars. Cette fois-là Bleu s'est fait passer pour un bookmaker et il a amené Lerouge à lui confier un pari. On a pu constater que l'argent provenait des billets manquant à la banque et Lerouge a récolté ce qu'il avait semé. L'affaire Gris était encore meilleure. Gris était porté disparu depuis plus d'un an et sa femme s'apprêtait à le tenir pour mort. Après avoir épuisé les moyens habituels de recherche, Bleu se retrouva les mains vides. Puis un jour, alors qu'il allait classer l'affaire avec un dernier rapport, il tomba sur Gris dans un bar, à moins de deux pâtés de maisons de l'endroit où se tenait sa femme, et bien qu'il ne se souvînt pas d'elle et qu'il continuât de s'appeler lui-même Vert, Gris la trouva à son goût et, quelques jours plus tard, lui proposa de l'épouser. C'est ainsi que Mme Gris devint Mme Vert, mariée une deuxième fois au même homme. Et bien que Gris eût perdu tout souvenir de son passé – et qu'il refusât obstinément d'admettre qu'il avait oublié quoi que ce soit – ce ne fut pas cela qui l'empêcha de vivre agréablement dans le présent. Alors que Gris avait travaillé comme ingénieur dans sa vie antérieure, il continua à être barman à deux pas de là. Il aimait faire les cocktails et parler aux clients : il ne pouvait pas s'imaginer employé à autre chose. Je suis né barman, déclara-t-il pendant la fête de mariage à Brun et à Bleu. Et de quel droit ceux-ci auraient-ils pu trouver à redire au projet qu'un homme faisait de sa vie ?

C'était le bon vieux temps, se répète Bleu à présent, en regardant Noir éteindre la lumière dans la pièce de l'autre côté de la rue. Plein de rebondissements bizarres et de coïncidences amusantes. Oui, mais toutes les affaires ne peuvent être palpitantes. Il faut accepter le bon côté avec le mauvais.

Bleu, toujours optimiste, se réveille le lendemain matin d'humeur gaie. Dehors, la neige tombe sur la rue tranquille et tout est devenu blanc. Après avoir regardé Noir prendre son petit déjeuner à la table près de la fenêtre et lire quelques pages de plus de *Walden*, Bleu le voit se retirer au fond de la pièce puis revenir à la fenêtre vêtu de son manteau. Il est alors peu après huit heures. Bleu saisit son chapeau, son pardessus, son écharpe, ses bottes, les passe en toute hâte et se retrouve en bas, dans la rue, moins d'une minute après Noir. C'est un matin sans un souffle de vent, si calme qu'on peut entendre la neige tomber sur les branches des arbres. Il n'y a personne alentour et les chaussures de Noir ont laissé une série d'empreintes parfaites sur la chaussée blanche. Bleu suit ces traces jusqu'à l'angle. Là, il aperçoit Noir se promenant le long de la rue suivante comme s'il savourait le temps qu'il fait. Ce n'est pas le comportement d'un homme sur le point de s'enfuir, pense Bleu, et il ralentit donc l'allure. Deux rues plus loin, Noir entre dans une petite épicerie. Il y reste dix ou douze minutes puis en ressort avec deux sacs en papier lourdement chargés. Sans remarquer Bleu qui se tient dans une entrée de l'autre côté de la rue, il repart sur ses propres traces, en sens inverse, vers Orange Street. Il s'approvisionne pour la tempête, se dit Bleu, qui décide alors, au risque de perdre contact avec Noir, de pénétrer dans le magasin et de faire de même. A moins que ce ne soit un leurre, pense-t-il, et que Noir n'ait l'intention de balancer ses provisions et de filer, il est presque certain qu'il est en train de rentrer chez lui. Par conséquent Bleu fait ses propres courses, s'arrête à la boutique d'à côté pour acheter un journal et plusieurs magazines, puis revient à son studio d'Orange Street. C'est bien ça, Noir est déjà à son bureau près de la fenêtre, il écrit sur le même cahier que la veille.

A cause de la neige, la visibilité est réduite et Bleu a de la peine à déceler ce qui se passe dans la pièce de Noir. Même les jumelles ne sont pas d'un grand secours. C'est une journée qui ne s'éclaircit pas et, à travers la neige qui tombe sans relâche, Noir n'apparaît guère plus distinctement qu'une ombre. Bleu se résigne à une longue attente puis s'installe avec ses journaux et ses revues. C'est un fervent de *Vrai détective* et il s'efforce de ne jamais en rater un mois. A présent, disposant de temps, il lit d'un bout à l'autre le numéro qui vient de paraître, s'arrêtant même pour détailler les petites annonces et les messages des dernières pages. Il trouve, enfoui dans les histoires à gros titre sur les brigades anticrimes et les agents secrets, un court article qui résonne très fort en lui. Même après avoir terminé le magazine il a eu du mal à s'arrêter d'y penser. Vingt-cinq ans plus tôt, apparemment, un petit garçon a été retrouvé assassiné dans un bosquet à la périphérie de Philadelphie. Malgré toute sa diligence, la police n'a jamais pu relever le moindre indice. Non seulement elle n'a pas trouvé de suspects, mais elle n'a même pas su identifier l'enfant. Qui il était, d'où il venait, pourquoi il se trouvait là – toutes ces questions sont restées sans réponse. A la fin, l'affaire a été classée sans suite, et, sans le médecin légiste désigné pour pratiquer l'autopsie du garçon, elle serait tombée dans l'oubli complet. Cet homme, du nom de Doré, s'est trouvé obsédé par le meurtre. Avant que l'enfant ne soit enterré il a fait un masque mortuaire de son visage et, dès lors, il a consacré tout son temps disponible à percer ce mystère. Vingt ans plus tard, ayant atteint l'âge de la retraite, il a quitté son travail et voué chacun de ses instants à cette affaire. Mais les choses ne sont pas allées à son gré. Il n'a pas progressé, n'a pas avancé d'un pas vers la solution du crime. L'article dans *Vrai détective* annonce qu'il offre à présent une récompense de deux mille dollars à qui lui fournira une information sur le petit garçon. On y voit aussi une photographie granuleuse et retouchée de Doré tenant le masque mortuaire dans ses mains. Il a dans les yeux un air si halluciné et si implorant que Bleu arrive à peine à en détacher son propre regard. Doré prend de l'âge et il a peur de mourir avant d'avoir résolu ce cas. Bleu en est profondément ému. Si c'était possible, il n'y a rien qui lui plairait plus que de laisser tomber ce qu'il est en train de faire et de venir à l'aide de Doré. Il n'y a pas assez d'hommes comme lui, estime-t-il. Si ce garçon était le fils de Doré, tout cela aurait un sens : la vengeance, tout simplement, et chacun peut comprendre ça. Mais le garçon lui était totalement étranger, il n'y a donc là rien de personnel, pas la moindre trace d'une raison secrète. C'est cette pensée qui touche tellement Bleu. Doré refuse d'accepter un monde dans lequel un assassin d'enfant peut rester impuni – même si ce meurtrier est déjà mort –, et il sacrifiera volontiers sa propre vie et son propre bonheur pour que justice soit faite. Bleu pense alors un instant au petit garçon, essayant d'imaginer ce qui s'est réellement passé, s'efforçant d'éprouver ce que cet enfant peut avoir ressenti, et il a soudain la révélation que l'assassin doit avoir été le père ou la mère, sinon la disparition du garçon aurait été signalée. Ce qui ne fait qu'aggraver les choses, se dit Bleu, et tandis que cette pensée commence à lui donner la nausée (car il comprend parfaitement, à présent, ce que Doré ressent en permanence), il se rend compte que vingt-cinq ans plus tôt il était lui aussi un petit garçon et que si cet enfant avait vécu il aurait aujourd'hui son âge. Ç'aurait pu être moi, pense Bleu. J'aurais pu être ce petit garçon. Ne sachant que faire d'autre, il découpe la photo du magazine et l'accroche sur le mur au-dessus de son lit avec une punaise.

Ainsi se déroulent les premiers jours. Bleu surveille Noir et peu de choses se passent. Noir écrit, lit, mange, fait de brèves promenades dans le voisinage et ne semble pas remarquer la présence de Bleu. Quant à Bleu, il s'efforce de ne pas s'inquiéter. Il suppose que Noir adopte un profil bas en attendant son heure. Comme Bleu n'est qu'une personne seule, il a conscience qu'on n'attend pas de lui une vigilance constante. Après tout, il est impossible d'épier quelqu'un vingt-quatre heures sur vingt-quatre. Il faut bien trouver le temps de dormir, de manger, de faire sa lessive, etc. Si Blanc avait voulu surveiller Noir en permanence, il aurait engagé deux ou trois hommes, pas un seul. Mais Bleu est seul et ne peut pas accomplir davantage que le possible.

Malgré les discours qu'il se tient, il commence pourtant à s'inquiéter. Car s'il faut espionner Noir, il s'ensuit qu'on devrait toujours l'avoir à l'œil, chaque heure de chaque jour. Une surveillance incomplète n'en est pas une. Il ne faudrait pas grand-chose, raisonne Bleu, pour que le tableau change du tout au tout. Un seul moment d'inattention – un regard de côté, une pause pour se gratter la tête, un bâillement de rien du tout – et hop, voilà Noir qui file commettre l'acte épouvantable qu'il avait en tête. Pourtant, il y aura forcément de tels moments, des centaines, voire des milliers chaque jour. Bleu en éprouve un trouble, car il a beau retourner le problème dans son esprit autant de fois qu'il veut, il ne voit pas de solution. Mais ce n'est pas la seule chose qui le préoccupe.

Jusqu'alors, Bleu n'avait guère eu l'occasion de rester sans bouger, et cette nouvelle oisiveté l'a laissé quelque peu désemparé. Pour la première fois de sa vie il se trouve ramené à lui-même sans rien à quoi il puisse se raccrocher, sans rien qui puisse différencier un instant du suivant. Il n'a jamais beaucoup réfléchi à son monde intérieur : bien qu'il en ait toujours eu conscience, c'est resté une quantité inconnue, une zone inexplorée et donc obscure même pour lui. Aussi loin qu'il se souvienne, il s'est toujours déplacé rapidement à la surface des choses, concentrant son attention sur ces mêmes surfaces dans le seul but de les appréhender, d'en jauger une et de passer à la suivante. Il a toujours pris plaisir au monde tel qu'il est, ne demandant rien de plus aux choses que d'être là. Et jusqu'à présent elles ont toujours été là, dessinées avec éclat sous la lumière du jour, lui disant distinctement ce qu'elles sont, si parfaitement elles-mêmes, et rien d'autre, qu'il n'a jamais dû s'y arrêter ou y regarder à deux fois. Et voilà que soudain, le monde lui étant comme enlevé, alors qu'il n'a presque rien à voir hormis une ombre vague du nom de Noir, Bleu se trouve en train de penser à des choses qui ne lui ont encore jamais traversé l'esprit. C'est là aussi quelque chose qui jette le trouble en lui. Si le terme de "penser" peut être trop fort à ce stade, un mot un peu plus modeste, celui de "spéculation", par exemple, ne serait pas loin du compte. "Spéculer", venant du latin *speculari*, signifie "observer", "épier", et s'apparente au mot *speculum* qui veut dire "miroir". Car en épiant Noir de l'autre côté de la rue, c'est comme si Bleu regardait dans un miroir, et au lieu de simplement observer quelqu'un d'autre, il découvre qu'il s'observe aussi lui-même. La vie, pour lui, s'est si radicalement ralentie qu'il peut percevoir maintenant des choses qui jusqu'alors avaient échappé à son attention. La trajectoire de la lumière qui traverse la chambre chaque jour, par exemple, et la façon qu'a le soleil, à certaines heures, de produire le reflet de la neige sur le coin le plus éloigné du plafond. Les pulsations de son cœur, le bruit de sa respiration, le battement de ses cils – Bleu a désormais conscience de ces minuscules événements, et il aurait beau vouloir ne pas les remarquer, ils persisteraient dans son esprit comme un bout de phrase absurde qu'on répète sans cesse. Il sait que ce ne peut pas être vrai, et pourtant, petit à petit, ce lambeau de phrase semble acquérir un sens. A l'égard de Noir, de Blanc, du travail pour lequel on l'a engagé, Bleu commence à émettre certaines hypothèses. Il découvre qu'inventer des histoires peut être davantage qu'un simple passe-temps et peut constituer un plaisir en soi. Il imagine que Noir et Blanc sont frères, et qu'il y a en jeu une vaste somme d'argent – disons un héritage, ou bien le capital investi dans une association. Il se peut que Blanc veuille prouver que Noir est incompétent, qu'il ait l'intention de le faire interner dans un établissement pour fous et de s'approprier le contrôle de la fortune familiale. Mais Noir est trop malin pour ce genre de choses et il s'est soustrait aux regards en attendant que la pression baisse. Selon une autre théorie avancée par Bleu, Noir et Blanc seraient rivaux. Ils se disputeraient le même but – la solution d'un problème scientifique, par exemple – et Blanc veut faire espionner Noir pour s'assurer que ce dernier n'a pas pris l'avantage sur lui. Une troisième invention fait de Blanc un agent transfuge du F.B.I. ou d'une autre organisation de renseignements, peut-être étrangère : il a pris sur lui de mener une investigation marginale qui n'a pas forcément l'aval de ses supérieurs. En engageant Bleu pour faire son travail à sa place, il peut garder secrète la surveillance de Noir tout en continuant d'effectuer ses tâches habituelles. De jour en jour, la liste des histoires qu'invente Bleu grandit. Parfois il revient mentalement à une intrigue déjà élaborée pour lui ajouter quelques détails et fioritures, tandis que d'autres fois il repart de zéro avec du neuf. Des scénarios de meurtre, par exemple, ou des complots d'enlèvement pour des rançons gigantesques. A mesure que les jours passent, Bleu se rend compte qu'il n'y a pas de limite aux récits qu'il peut concocter. Car Noir n'est rien de plus qu'une sorte de manque, un trou dans la texture des choses, et une histoire peut tout aussi bien qu'une autre combler ce creux.

Mais Bleu n'a pas peur d'appeler un chat un chat. Il sait qu'il désire plus que toute autre chose connaître le fin mot de l'histoire. Il sait aussi, à ce stade précoce, qu'il aura besoin de patience. Il se met donc à creuser petit à petit, et chaque jour qui passe le voit s'accommoder un peu plus de sa situation, se résigner un peu plus au fait qu'il est pris dans une œuvre de longue haleine.

Malheureusement, des pensées se rapportant à la future Mme Bleu troublent de temps à autre cette paix de l'esprit qui grandit en lui. Sa fiancée lui manque de plus en plus, mais d'une certaine façon il a l'impression que les choses ne seront plus jamais pareilles. D'où vient ce pressentiment, il ne peut le dire. Alors qu'il se sent relativement satisfait lorsqu'il cantonne ses pensées à Noir, à son studio, à l'affaire sur laquelle il travaille, une sorte de panique s'empare de lui dès que la future Mme Bleu entre dans son champ de conscience. Tout d'un coup son calme se transforme en angoisse et il a la sensation de tomber dans quelque endroit sombre, semblable à une cave, sans espoir de trouver une issue. Il a eu, presque chaque jour, la tentation de prendre le téléphone et de l'appeler, dans l'idée que peut-être un moment de contact véritable pourrait rompre l'enchantement. Mais les jours passent et il n'appelle toujours pas. C'est encore une chose qui le trouble, car il ne peut pas se souvenir d'une seule période de sa vie où il ait tant renâclé à accomplir quelque chose qu'il désire pourtant aussi nettement. Je change, se dit-il. Petit à petit, je ne suis plus le même. C'est une interprétation qui le rassure quelque peu, au moins un instant, mais en fin de compte elle n'aboutit qu'à lui donner la sensation d'être encore plus bizarre qu'avant. Les jours passent et il lui devient difficile de ne pas continuer à voir mentalement des images de la future Mme Bleu ; surtout la nuit, lorsque, dans l'obscurité de sa chambre, couché sur le dos et les yeux ouverts, il en reconstruit le corps morceau par morceau. Il commence par les pieds et les chevilles, remonte le long des jambes et des cuisses, grimpe du ventre jusqu'aux seins, puis, s'ébattant joyeusement dans cette douceur, replonge vers les fesses et gravit à nouveau le dos. Il trouve enfin le cou et se love jusqu'au visage rond et souriant. Qu'est-ce qu'elle fait en ce moment ? se demande-t-il parfois. Et que pense-t-elle de tout cela ? Mais il n'arrive jamais à trouver de réponse satisfaisante. Alors qu'il est capable d'inventer une multitude d'histoires pour donner cohérence aux faits qui se rapportent à Noir, dès qu'il s'agit de la future Mme Bleu, tout est silence, confusion et vide.

Vient le jour où il doit rédiger son premier rapport. Bleu a une grande expérience de ce genre de composition qui ne lui a jamais posé de difficultés. Sa méthode consiste à se limiter aux faits extérieurs en décrivant les événements comme si chaque mot s'accordait sans faille à la chose décrite, et à ne pas creuser la question plus avant. Pour lui, les mots sont transparents, ce sont de grandes fenêtres qui sont posées entre lui et le monde : jusqu'à ce jour elles n'ont jamais troublé sa vision, elles n'ont même pas eu l'air d'être là. Il y a certes des moments où le verre se trouve légèrement sali et Bleu est obligé de le nettoyer à tel ou tel endroit, mais dès qu'il trouve le thème adéquat, tout devient transparent. En utilisant les notes déjà consignées dans son cahier, en les passant en revue pour se rafraîchir la mémoire et pour souligner les remarques pertinentes, il essaie de façonner un ensemble cohérent, rejetant le flou et embellissant le noyau. Dans tous les rapports qu'il a écrits jusqu'ici, l'action prime l'interprétation. Par exemple : le sujet est allé à pied de Columbus Circle à Carnegie Hall. Pas de référence au temps qu'il faisait, pas de mention de la circulation, aucune tentative pour deviner ce que le sujet pouvait bien penser. Le rapport se borne aux faits connus et vérifiables et n'essaie pas d'aller au-delà de cette limite.

Or, devant les faits qui touchent l'affaire Noir, Bleu prend conscience de sa fâcheuse situation. Il y a bien le cahier, mais lorsqu'il le parcourt pour voir ce qu'il a écrit, il est déçu de rencontrer une telle pauvreté de détails. C'est comme si ses mots, au lieu d'extraire les faits et de les asseoir d'une manière tangible dans le monde, les avaient poussés à disparaître. Voilà qui n'est jamais encore arrivé à Bleu. Il regarde de l'autre côté de la rue et voit Noir assis à son bureau comme d'habitude. Noir, lui aussi, est en train de regarder par la fenêtre au même moment, et Bleu comprend soudain qu'il ne peut plus se reposer sur les méthodes d'autrefois. Les indices, les filatures, la routine des enquêtes – rien de tout cela ne va plus compter. Mais lorsqu'il veut imaginer ce qui va les remplacer, il n'arrive à rien. A ce stade, Bleu ne peut que conjecturer ce que cette affaire n'est pas. Quant à dire ce qu'elle est, ça le dépasse complètement.

Bleu pose sa machine à écrire sur la table et se met à chercher des idées, s'efforçant de s'appliquer à la tâche qui le sollicite. Il se dit qu'un compte rendu véritable de la semaine passée inclurait peut-être les diverses intrigues qu'il a inventées au sujet de Noir. Etant donné le peu d'autres choses à rapporter, ces incursions dans l'imaginaire donneraient au moins quelque impression de ce qui s'est passé. Mais Bleu s'arrête brusquement en comprenant que ces inventions n'ont en réalité rien à voir avec Noir. Ce n'est quand même pas l'histoire de ma vie, dit-il. C'est sur lui que je suis censé écrire, pas sur moi.

Pourtant, il y a là une tentation perverse qui dure, et Bleu doit lutter contre lui-même pendant quelque temps avant de s'en débarrasser. Revenant au tout début, il reprend l'affaire pas à pas. Décidé à accomplir exactement ce qu'on lui a demandé, il rédige laborieusement le rapport dans son style habituel, s'attachant à chaque détail avec tant de soin et une minutie si exaspérante qu'il lui faut de nombreuses heures avant d'arriver au bout. Lorsqu'il se relit, il doit avouer que tout lui paraît exact. Mais alors, pourquoi se sent-il tellement insatisfait, tellement troublé par ce qu'il a écrit ? Il se dit : Ce qui a eu lieu n'est pas vraiment ce qui a eu lieu. Pour la première fois depuis qu'il a l'expérience de faire des comptes rendus, il découvre que les mots ne fonctionnent pas forcément, qu'il leur est possible d'obscurcir les choses qu'ils essaient de rendre. Bleu jette un regard autour de la pièce et fixe son attention sur divers objets l'un après l'autre. Il voit la lampe et se dit "lampe". Il voit le lit et se dit "lit". Il voit le cahier et se dit "cahier". On ne pourrait pas appeler la lampe "lit" ou le lit "lampe", pense-t-il. Non, ces mots épousent sans heurt les choses qu'ils désignent, et à l'instant où Bleu les prononce il ressent une satisfaction profonde comme s'il venait de prouver l'existence du monde. Puis il regarde de l'autre côté de la rue et aperçoit la fenêtre de Noir. Il fait sombre à cette heure, et Noir est endormi. C'est le problème, se dit Bleu en essayant de trouver un peu de courage. Ça et rien d'autre. Il est là mais il est impossible de le voir. Et même lorsque je le vois, c'est comme si les lumières étaient éteintes.

Il glisse sa lettre dans une enveloppe, sort, va à pied jusqu'à l'angle et la dépose dans une boîte aux lettres. Je ne suis peut-être pas l'homme le plus malin au monde, se dit-il, mais je fais de mon mieux, je fais de mon mieux.

Ensuite la neige commence à fondre. Le lendemain matin le soleil brille avec éclat, des groupes de moineaux piaillent dans les arbres et Bleu entend le bruit agréable de l'eau qui dégouline du toit, qui tombe des branches et des réverbères. Soudain le printemps ne paraît plus très loin. Encore quelques semaines, se dit-il, et chaque matin sera comme celui-ci.

Noir profite de la clémence du temps pour prendre plus de champ qu'auparavant, et Bleu le suit, soulagé de se déplacer à nouveau. Tandis que Noir poursuit son chemin, Bleu espère que l'excursion ne prendra pas fin avant qu'il ait le loisir de se débarrasser de ses crampes. Comme on se l'imagine, c'est depuis toujours un grand adepte de la marche à pied et c'est un bonheur intense qui l'envahit lorsqu'il sent ses jambes avancer à grande allure dans l'air du matin. Alors qu'ils suivent les rues étroites de Brooklyn Heights, Bleu se réjouit de voir que Noir s'éloigne de plus en plus de chez lui. Mais son humeur s'assombrit tout d'un coup. Noir commence à gravir l'escalier qui mène au passage pour piétons sur le pont de Brooklyn, et Bleu se met en tête qu'il a l'intention de sauter. Ce sont des choses qui arrivent, se dit-il. Un homme qui monte jusqu'au point le plus élevé du pont, qui lance un dernier regard au monde à travers le vent et les nuages, puis se jette à l'eau. Ses os se brisent contre la surface, son corps se disloque. Bleu s'étrangle à cette image et s'ordonne de rester vigilant. S'il y a un début de quoi que ce soit, décide-t-il, il sortira de son rôle d'observateur neutre et il interviendra. Car il ne faut pas que Noir soit mort – du moins pas encore.

Il y a bien des années que Bleu n'a pas traversé le pont de Brooklyn à pied. La dernière fois c'était avec son père lorsqu'il était petit garçon, et le souvenir de ce jour lui revient. Il tenait la main de son père et avançait à son côté. Lorsqu'il entend la circulation qui passe sur la voie inférieure en acier, il se rappelle avoir dit à son père que le bruit ressemblait au bourdonnement d'un énorme essaim d'abeilles. A sa gauche il y a la statue de la Liberté ; à sa droite, Manhattan avec ses bâtiments si hauts dans le soleil du matin qu'ils paraissent imaginaires. Son père était imbattable pour les faits et il racontait à Bleu l'histoire de tous les monuments et gratte-ciel, de longs chapelets de détails – les architectes, les dates, les intrigues politiques – et comment à une époque le pont de Brooklyn avait été la construction la plus haute des Etats-Unis. Son père est né l'année même où le pont a été achevé, et ce rapprochement reste toujours dans l'esprit de Bleu, comme si le pont était d'une certaine manière un monument à la mémoire de son père. Il avait aimé l'anecdote qu'il lui avait racontée ce jour où ils marchaient tous les deux sur les mêmes planches de bois qu'aujourd'hui en entrant chez eux, et, pour une quelconque raison, il ne l'avait jamais oubliée. C'était comment John Roebling, l'architecte du pont, avait eu le pied écrasé par un ferry-boat contre le pilotis de l'embarcadère, quelques jours à peine après avoir terminé ses plans. Roebling était mort de gangrène en moins de trois semaines. Il n'aurait pas dû mourir, poursuivit le père de Bleu, mais le seul traitement qu'il accepta fut l'hydrothérapie, et cela n'eut aucun résultat. Bleu avait été frappé par le fait qu'un homme qui avait passé sa vie à construire des ponts au-dessus de l'eau pour éviter aux gens de se mouiller puisse croire que le seul vrai remède consistait à s'immerger dans de l'eau. Après la mort de John Roebling, son fils Washington lui succéda en tant qu'ingénieur en chef, ce qui amena une autre histoire curieuse. Washington Roebling n'avait alors que trente et un ans et ne possédait aucune expérience de la construction en dehors des ponts de bois qu'il avait réalisés pendant la guerre de Sécession. Mais il s'avéra encore plus brillant que son père. Or, peu après le lancement des travaux du pont de Brooklyn, il resta coincé plusieurs heures, au cours d'un incendie, dans un des caissons immergés. Il en réchappa, gravement frappé de ce qu'on appelle justement le mal des caissons, une maladie atroce dans laquelle des bulles d'azote réapparaissent dans la circulation sanguine. Pratiquement mis à mort par sa première crise, il demeura par la suite invalide, incapable de quitter la pièce, au dernier étage d'une maison de Brooklyn Heights, où il avait élu domicile avec sa femme. C'est là que Washington Roebling resta chaque jour assis pendant de nombreuses années, surveillant la progression du chantier au moyen d'un télescope, dépêchant sa femme chaque matin avec ses instructions et réalisant de minutieux dessins en couleurs pour les travailleurs étrangers qui ne parlaient pas anglais, afin qu'ils comprennent ce qu'ils devaient faire. Et le plus remarquable, c'était qu'il avait le pont entier littéralement dans la tête : chacun de ses éléments, jusqu'au moindre morceau d'acier et de pierre, s'était logé dans sa mémoire. Bien qu'il n'eût jamais mis le pied sur le pont, Washington Roebling l'avait en lui, comme si au bout de tant d'années c'était devenu une partie de son corps.

Bleu y réfléchit tout en traversant le fleuve, gardant l'œil sur Noir devant lui et se souvenant de son père et de son enfance là-bas à Graves End. Son vieux était flic, plus tard inspecteur de la 77ᵉ circonscription, et la vie aurait été bonne, pense Bleu, s'il n'y avait eu l'affaire Russo et la balle qui avait traversé le cerveau de son père en 1927. Vingt ans, se dit-il, soudain affolé par le passage du temps, se demandant s'il y a un ciel et, dans le cas où il y en a un, s'il réussira ou non à revoir son père lorsqu'il sera mort. Il se rappelle une histoire des innombrables magazines qu'il a lus cette semaine, un nouveau mensuel intitulé *Etrange mais vrai*, et elle semble d'une certaine manière faire corps avec toutes les autres pensées qu'il vient juste d'avoir. Quelque part dans les Alpes françaises, se rappelle-t-il, un skieur a été perdu il y a vingt ou vingt-cinq ans, englouti par une avalanche, et son corps n'a jamais été retrouvé. Son fils, qui était à l'époque un petit garçon, a grandi et, à son tour, a appris le ski. Un jour de l'année dernière il est allé skier et s'est trouvé à son insu dans les environs de l'endroit où son père avait disparu. A cause des glissements infimes mais continus de la glace au cours des décennies qui ont suivi la mort de son père, le terrain était devenu totalement différent.

Seul dans les montagnes, à des kilomètres de tout autre être humain, le fils passa par hasard sur un corps dans la glace – un mort parfaitement intact, comme préservé en arrêt momentané des fonctions vitales. Il va sans dire que le jeune homme s'arrêta pour l'examiner, et lorsque en se penchant il regarda le visage du cadavre, il eut l'impression aussi nette que terrifiante qu'il était en train de se voir lui-même. Tremblant de peur, selon les mots de l'article, il inspecta avec plus d'attention ce corps tout empaqueté dans de la glace, semblable à quelqu'un séparé de lui par une épaisse fenêtre, et il vit que c'était son père. Le mort était encore jeune, plus jeune même que ne l'était à présent son fils, et il y avait dans ce détail quelque chose de terriblement impressionnant, estima Bleu, quelque chose de si étrange et de si affreux dans le fait de se retrouver plus âgé que son propre père qu'il dut en fait refouler ses larmes en lisant l'article. En ce moment où il arrive à l'extrémité du pont, ces mêmes sentiments lui reviennent et il voudrait désespérément que son père puisse être là, marcher au-dessus du fleuve et lui raconter des histoires. Puis, soudain conscient des agissements de son esprit, il se demande pourquoi il est devenu si sentimental, pourquoi toutes ces pensées ne cessent de surgir en lui alors que pendant tant d'années elles ne l'ont même pas effleuré. Tout ça découle de cette situation, pense-t-il, gêné de se voir ainsi. C'est ce qui arrive quand on n'a personne à qui parler.

Arrivé au bout, il constate qu'il avait tort pour ce qui est de Noir. Il n'y aura pas de suicide aujourd'hui, on ne se jettera pas des ponts, on ne sautera pas dans l'inconnu. Car voilà que son homme, aussi léger et serein qu'on peut l'être, descend les marches du passage pour piétons et suit la rue qui s'incurve autour de City Hall. Puis il se dirige vers le nord en suivant Centre Street, dépasse le palais de justice et d'autres bâtiments municipaux sans jamais ralentir le pas, traverse Chinatown et continue. Ces pérégrinations durent plusieurs heures et à aucun moment Bleu n'a l'impression que Noir ait une destination. Il paraît plutôt en train de prendre l'air, de marcher pour le simple plaisir de marcher, et, au fur et à mesure que l'excursion se poursuit, Bleu s'avoue à lui-même que pour la première fois il sent poindre en lui une certaine affection pour Noir.

A un moment, Noir entre dans une librairie et Bleu le suit à l'intérieur. Là, Noir feuillette des livres pendant une demi-heure environ et, dans ce temps, entasse un petit nombre de volumes. Bleu, qui n'a rien de mieux à faire, se penche à son tour sur quelques ouvrages, s'efforçant toujours de cacher à Noir son visage. Les petits coups d'œil qu'il jette lorsque Noir ne semble pas le regarder lui donnent l'impression qu'il a déjà vu Noir quelque part, mais il ne peut pas se rappeler où.

Il y a quelque chose dans les yeux, se dit-il, mais il ne peut pas aller plus loin car il ne veut pas attirer l'attention et il n'est pas vraiment certain de la réalité de la chose.

Une minute plus tard, Bleu tombe sur un exemplaire de *Walden*, par Henry David Thoreau. En tournant les pages, il est surpris de découvrir que l'éditeur s'appelle Noir : "Publié pour le Cercle des Livres classiques par Walter J. Noir, S.A., copyright 1942." Bleu est momentanément ébranlé par cette coïncidence ; il se dit qu'il y a là peut-être un message pour lui, quelque brève émergence de sens qui pourrait faire la différence. Mais, se remettant de son choc, il se dit que ce n'est pas le cas. Ce nom est relativement fréquent, estime-t-il, et de plus il sait avec certitude que Noir ne se prénomme pas Walter. Il pourrait quand même s'agir d'un parent, ajoute-t-il, voire de son père. Alors même qu'il débat encore de ce point dans son esprit, Bleu décide d'acheter le livre. S'il ne peut lire ce que Noir écrit, il pourra au moins lire ce qu'il lit. C'est un coup plutôt indirect, admet-il, mais qui sait si ça ne fournira pas quelque renseignement sur ce que fabrique Noir.

Jusque-là tout va bien. Noir paie ses livres, Bleu le sien, et la marche reprend. Bleu est toujours à l'affût de l'émergence de quelque système, de quelque indice qui, surgissant sous ses pas, le conduira au secret de Noir. Mais Bleu est un homme trop honnête pour se leurrer sciemment, et il sait qu'on ne peut trouver ni rime ni raison dans ce qui s'est produit jusqu'ici. Pour une fois il n'en éprouve pas de découragement. En fait, en creusant plus profondément en lui-même, il s'aperçoit qu'au total ça le stimulerait plutôt. Il y a un côté agréable à être dans le brouillard, découvre-t-il, un côté palpitant à ne pas savoir ce qui va suivre. Ça vous maintient sur le qui-vive, pense-t-il, et il n'y a pas de mal à ça, n'est-ce pas ? Bien réveillé, sur les dents, enregistrant tout et toujours prêt.

Quelques instants après qu'il a formulé ces pensées, une nouvelle péripétie se présente à Bleu et l'affaire connaît son premier rebondissement. Parvenu vers le centre ville, en effet, Noir tourne dans une rue qu'il suit sur un demi-pâté de maisons, puis il hésite brièvement comme s'il cherchait une adresse, revient sur ses pas quelques mètres, repart et, quelques secondes plus tard, pénètre dans un restaurant. Bleu le suit à l'intérieur sans en faire grand cas puisque après tout c'est l'heure de déjeuner et les gens sont bien obligés de manger. Mais ce qui ne lui a pas échappé c'est que l'hésitation de Noir semble indiquer qu'il n'est encore jamais venu en ce lieu, ce qui pourrait alors signifier qu'il avait rendez-vous. Il fait sombre dedans, avec pas mal de monde, notamment des gens agglutinés devant, au bar, et on entend en bruit de fond le cliquetis des couverts et des assiettes. Ça paraît cher, se dit Bleu, les murs sont recouverts de panneaux de bois et les nappes sont blanches. Il décide de garder son addition le plus bas possible. Des tables sont disponibles et Bleu interprète comme un présage favorable le fait d'être assis de telle façon qu'il peut voir Noir. Il n'est pas sous son nez, mais pas non plus si loin qu'il ne puisse suivre ce qu'il fait. Noir abat son jeu lorsqu'il demande deux menus, puis, trois ou quatre minutes plus tard, il se met à sourire à la vue d'une femme qui traverse la salle, s'approche de sa table et l'embrasse sur la joue avant de s'asseoir. Elle n'est pas mal, se dit Bleu. Pas vraiment assez en chair à son goût, mais pas mal du tout. Puis il pense : C'est maintenant que commence la partie intéressante.

Malheureusement, la femme tourne le dos à Bleu ; il ne peut donc pas observer son visage à mesure que le repas avance. Attablé devant son bifteck haché, il se dit que son intuition première était peut-être la bonne, qu'il s'agit finalement d'une affaire conjugale. Bleu s'imagine déjà le genre de choses qu'il notera dans son prochain rapport, et il prend plaisir à considérer les phrases qu'il emploiera pour décrire ce qu'il contemple en ce moment. La survenue d'une nouvelle personne dans cette affaire le forcera, il le sait, à certaines décisions. Par exemple : doit-il s'en tenir à Noir ou doit-il dévier et s'occuper de la femme ? Il se pourrait que ça accélère un peu les choses, mais en même temps cela risquerait de donner à Noir l'occasion de lui filer entre les doigts, peut-être définitivement. Autrement dit, cette rencontre avec la femme n'est-elle qu'un écran de fumée ou se place-t-elle au cœur de la réalité ? Fait-elle partie ou non de l'affaire, constitue-t-elle un fait essentiel, ou seulement contingent ? Bleu médite un instant sur ces questions et conclut qu'il est encore trop tôt pour en décider. Oui, ce pourrait être cela, admet-il. Mais ce pourrait aussi être autre chose.

Vers le milieu du repas les choses paraissent se gâter. Bleu décèle un air de grande tristesse sur la figure de Noir et avant qu'il ait le temps de s'en étonner voilà que la femme semble pleurer. Du moins c'est ce qu'il déduit du changement soudain de sa position corporelle : les épaules qui s'affaissent, la tête qui penche en avant, le visage peut-être couvert des deux mains, et le léger tremblement qui lui parcourt le dos. Ce pourrait aussi être une crise de rire, raisonne Bleu, mais dans ce cas pourquoi Noir aurait-il l'air malheureux ? On dirait que le sol s'est retiré de sous ses pieds. Un instant plus tard, la femme éloigne son visage de Noir et Bleu l'entrevoit de profil : des pleurs, incontestablement, pense-t-il en la regardant se tamponner les yeux avec une serviette et en voyant une tache humide de mascara étinceler sur sa joue. Elle se lève brusquement et se dirige vers les toilettes pour dames. Bleu retrouve alors une vue dégagée sur Noir, mais lorsqu'il perçoit combien son visage est triste, empreint d'un accablement absolu, il commence presque à éprouver de la pitié pour lui. Noir jette un regard dans la direction de Bleu mais il est clair qu'il ne voit rien et, un instant plus tard, il se cache la figure dans les mains. Bleu s'efforce de deviner ce qui se passe mais il lui est impossible de le savoir. On dirait que c'est fini entre eux, pense-t-il, ça a tout l'air de quelque chose qui se termine. Et pourtant, malgré tout, ce pourrait n'être qu'une chamaillerie.

La femme retourne à sa table, avec l'air d'aller un peu mieux. Puis ils restent tous deux assis là pendant quelques minutes sans rien dire et ils ne touchent pas à leur nourriture. Noir soupire une ou deux fois, jetant quelques regards au loin, et il finit par demander l'addition. Bleu fait de même et suit les deux autres dehors. Il note que Noir a posé sa main sur le coude de la femme ; mais ce pourrait n'être qu'un réflexe, ajoute-t-il, et ça n'a probablement pas de signification. Ils suivent la rue en silence et, à l'angle, Noir fait signe à un taxi. Il ouvre la portière pour la femme, et avant qu'elle monte il la touche très doucement sur la joue. Elle lui lance un brave petit sourire en retour, mais ils ne disent toujours pas un mot. Puis elle s'assoit sur la banquette arrière. Noir ferme la portière et la voiture démarre.

Noir déambule quelques minutes, s'arrêtant brièvement devant la vitrine d'une agence de voyages pour examiner une affiche des White Mountains, puis il monte à son tour dans un taxi. A nouveau Bleu a de la chance et il arrive à en trouver un autre en quelques secondes à peine. Il demande au chauffeur de suivre la voiture de Noir et se laisse aller sur son siège tandis que les deux taxis jaunes progressent lentement à travers la circulation du sud de Manhattan pour prendre le pont de Brooklyn et arriver finalement à Orange Street. Bleu a un choc en voyant la somme à payer et il se donne un coup de pied mental pour ne pas avoir suivi la femme. Il aurait dû savoir que Noir rentrait chez lui.

Son humeur s'éclaircit beaucoup lorsque en entrant dans son immeuble il trouve une lettre dans sa boîte. Ce ne peut être qu'une chose, se dit-il. En effet, en montant l'escalier il ouvre l'enveloppe et le voilà : le premier chèque, un mandat-lettre pour la somme exacte convenue avec Blanc. Il éprouve quelque étonnement, pourtant, devant un moyen de paiement aussi anonyme. Pourquoi pas un chèque personnel de Blanc ? Ce qui conduit Bleu à jouer avec l'idée que Blanc est quand même bien un agent transfuge, désireux de brouiller sa piste et s'assurant donc qu'aucune trace des paiements ne restera. Alors, après avoir ôté son chapeau et son manteau, Bleu s'allonge sur le lit et réalise qu'il est un peu déçu de n'avoir reçu aucun commentaire sur son rapport. Si l'on considère avec quelle ténacité il a lutté pour bien le faire, un mot d'encouragement aurait été le bienvenu. L'arrivée de l'argent signifie que Blanc n'a pas été mécontent. Mais tout de même. Le mutisme n'est pas une réponse gratifiante, quel qu'en soit le sens. Si c'est comme ça, se dit Bleu, eh bien, il faudra que je m'y fasse.

Les jours passent, et à nouveau les choses se réduisent à la plus mince des routines. Noir écrit, lit, fait des courses dans le quartier, se rend à la poste, et sort occasionnellement pour une promenade. La femme ne réapparaît pas et Noir n'entreprend aucune nouvelle excursion à Manhattan. Bleu commence à croire qu'il va recevoir d'un jour à l'autre une lettre l'informant que l'affaire est close. Car, raisonne-t-il, la femme étant partie, tout pourrait s'arrêter là. Mais il ne se passe rien de tel. La description de la scène du restaurant, que Bleu rédige minutieusement, ne suscite pas de réponse particulière de la part de Blanc, et semaine après semaine les mandats continuent d'arriver à l'heure. Et voilà pour l'amour, conclut Bleu. La femme n'a jamais rien signifié. Elle n'était là que pour faire diversion.

A ce stade précoce, on peut mieux décrire l'état d'esprit de Bleu comme un mélange d'ambivalence et de conflit. Il y a des moments où il se sent tellement en harmonie avec Noir, si naturellement uni à lui que pour anticiper sur ce que Noir va faire, pour savoir quand il restera dans sa chambre et quand il sortira, il n'a besoin que de regarder en lui-même. Des jours entiers se passent sans qu'il prenne la peine de jeter un coup d'œil par la fenêtre ou de suivre Noir dans la rue. De temps à autre, il s'autorise même à faire quelques expéditions en solitaire, bien assuré que pendant son absence Noir n'aura pas bougé de sa place. Comment il le sait, c'est une chose qui reste un peu mystérieuse pour lui, mais le fait est qu'il ne se trompe jamais et lorsque ce sentiment l'envahit, Bleu est au-delà du doute et de l'hésitation. En revanche, il n'y a pas que des moments comme ceux-là. Il arrive aussi qu'il se sente totalement éloigné de Noir, coupé de lui d'une façon si totale et absolue qu'il se met à perdre le sens de qui il est. La solitude l'enveloppe, l'enferme, et avec elle survient une terreur plus atroce que tout ce qu'il a jamais connu. Il ne comprend pas comment il peut passer si vite d'un état à l'autre, et pendant longtemps il oscille entre les extrêmes, ne sachant pas lequel est vrai et lequel est faux.

Après avoir traversé des jours particulièrement pénibles, il commence à avoir grande envie de compagnie. Il s'assoit et rédige une lettre détaillée à Brun, exposant l'affaire à grands traits et lui demandant son avis. Brun a pris sa retraite en Floride où il passe la plupart du temps à la pêche, et Bleu sait que la réponse prendra pas mal de temps. Pourtant, dès le jour qui suit l'envoi de sa lettre, il se met à attendre celle de Brun avec une impatience qui tourne vite à l'obsession. Chaque matin, une heure environ avant l'arrivée du courrier, il se poste près de la fenêtre, guettant le moment où le facteur apparaîtra au coin de la rue, plaçant tous ses espoirs en ce que Brun lui écrira. Ce qu'il escompte de cette réponse n'est pas évident. Il ne se pose même pas la question, mais il s'agit sûrement de quelque chose de monumental, de paroles lumineuses et extraordinaires qui le ramèneront dans le monde des vivants.

Les jours et les semaines passant sans aucun courrier de Brun, la déception de Bleu se mue en désespoir douloureux et irrationnel. Mais ce n'est rien en comparaison de ce qu'il ressent lorsque la missive arrive enfin. Car Brun ne répond même pas à ce que Bleu lui a écrit. Je suis heureux d'avoir de tes nouvelles, commence-t-il, et content de savoir que tu travailles si dur. Ça a l'air d'une affaire intéressante. Je ne peux pourtant pas dire que ça me manque. Pour moi, ici, c'est la bonne vie – debout le matin de bonne heure et à la pêche, puis je passe un moment avec bobonne, je lis un peu, je dors au soleil, je n'ai pas lieu de me plaindre. La seule chose que je ne comprends pas c'est pourquoi je ne me suis pas installé ici il y a des années.

La lettre se poursuit dans la même veine pendant plusieurs pages, n'abordant pas une seule fois le sujet des tourments et des angoisses de Bleu, qui se sent trahi par celui qui avait été jadis un père pour lui ; et lorsqu'il a fini de lire, il se sent vide, comme une poupée de chiffon qui a perdu sa bourre. Je suis livré à moi-même, se dit-il, je n'ai plus personne vers qui me tourner. Pendant plusieurs heures il tombe dans l'accablement, se prenant en pitié et arrivant une ou deux fois au point de se dire qu'il vaudrait peut-être mieux qu'il soit mort. Mais il finit par s'extraire de cet état lugubre. Car Bleu est globalement un type solide, moins prédisposé que la plupart à des pensées sombres, et s'il y a bien des moments où il trouve que le monde est un sale endroit, qui sommes-nous pour l'en blâmer ? Lorsque s'annonce l'heure du dîner, il a déjà commencé à regarder du bon côté de la vie. C'est là peut-être son talent le plus grand : non qu'il ne désespère pas, mais il ne désespère jamais très longtemps. Ce pourrait être une bonne chose, après tout, se dit-il. Il vaut peut-être mieux se tenir sur ses propres pieds que dépendre de qui que ce soit d'autre. Bleu y réfléchit un moment et trouve que ça se défend. Il n'est plus un apprenti. Il n'y a plus de maître au-dessus de lui. Je m'appartiens, se dit-il. Je m'appartiens et je ne rends de comptes à personne d'autre qu'à moi-même.

Inspiré par cette nouvelle façon d'aborder les choses, il découvre qu'il a enfin trouvé le courage de se mettre en rapport avec la future Mme Bleu. Mais lorsqu'il soulève le combiné et compose son numéro, personne ne répond. Il en est déçu mais ne se laisse pas abattre. J'essaierai à un autre moment, dit-il. A un autre moment, bientôt.

Les jours continuent à passer. A nouveau Bleu se remet au diapason de Noir, peut-être encore plus harmonieusement qu'avant. Ce faisant, il découvre le paradoxe inhérent à sa situation. Car, plus il se sent proche de Noir, moins il se trouve obligé de penser à lui. Autrement dit, plus ses liens sont profonds, plus il est libre. Ce n'est pas en s'impliquant qu'il s'empêtre, mais en se séparant. Et c'est seulement lorsque Noir semble dériver loin de lui qu'il doit sortir à sa recherche, ce qui prend du temps et de la peine, sans parler de la lutte qu'il faut alors livrer. Tandis qu'aux moments où il se sent le plus près de Noir il peut même commencer à mener un semblant de vie indépendante. Au début il n'est pas très audacieux dans ce qu'il s'autorise, mais même alors il considère cela comme une sorte de triomphe, presque un acte de bravoure. Ainsi le fait de sortir et d'arpenter le pâté de maisons. Aussi insignifiant qu'il soit, cet acte le remplit de bonheur, et dans ses allées et venues le long d'Orange Street sous le beau ciel printanier, il éprouve un plaisir à être vivant qu'il n'a pas ressenti depuis des années. A une extrémité de la rue on a vue sur le fleuve, le port, les ponts et la crête des immeubles de Manhattan qui se découpe contre le ciel. Bleu trouve cela très beau et, certains jours, il s'autorise même à rester assis plusieurs minutes sur l'un des bancs et à regarder les bateaux. A l'autre bout il y a l'église, et parfois Bleu va s'asseoir un moment dans le petit enclos planté d'herbe, examinant la statue en bronze de Henry Ward Beecher. Deux esclaves se cramponnent aux jambes de Beecher comme s'ils l'imploraient de les aider, de les libérer enfin, et dans le mur de brique, au fond, il y a un bas-relief en porcelaine montrant Abraham Lincoln. Bleu ne peut s'empêcher d'être inspiré par ces images, et chaque fois qu'il pénètre dans l'enclos de l'église, sa tête se remplit de nobles pensées sur la dignité de l'homme.

Petit à petit, il s'enhardit loin de Noir dans ses errances. Cela se passe en 1947, l'année où Jackie Robinson réussit à entrer dans l'équipe des *Dodgers*, et Bleu suit attentivement sa progression, car il se souvient de l'enclos de l'église et sait qu'il en va d'autre chose que du simple base-ball. Par un radieux mardi après-midi de mai, il décide de faire une excursion jusqu'à Ebbets Field, et lorsqu'il laisse Noir dans sa chambre d'Orange Street, penché sur son bureau comme d'habitude avec son stylo et ses papiers, il n'éprouve aucune raison de s'inquiéter, car il a l'assurance que tout sera exactement pareil à son retour. Il prend le métro, il se mêle à la foule, il court après la sensation du moment présent. Lorsqu'il s'assoit sur les gradins, il est happé par la vive clarté des couleurs qui l'entourent : le gazon vert, la terre brune, la balle blanche, le ciel bleu par-dessus. Chaque chose se distingue de toutes les autres, totalement séparée et définie, et la simplicité géométrique de ce dessin impressionne Bleu par sa force. En suivant la partie, il a du mal à quitter Robinson des yeux, constamment attiré par la couleur noire de son visage. Il pense alors qu'il faut du courage pour réaliser ce que fait cet homme, pour se tenir ainsi tout seul devant tant d'inconnus dont la moitié ne lui souhaitent sans doute que la mort. A mesure que la partie progresse, Bleu s'aperçoit qu'il applaudit tout ce que fait Robinson, et lorsque le joueur noir vole une base dans la troisième reprise, il se met carrément debout. Plus tard, dans la septième, quand Robinson frappe un double dans le champ gauche, Bleu tape même de joie sur le dos de son voisin. Les *Dodgers* arrachent la victoire dans la neuvième grâce à une chandelle sacrifiée, et lorsque Bleu reflue avec le reste de la foule pour rentrer chez lui, il s'aperçoit que Noir ne lui a même pas traversé l'esprit une seule fois.

Mais les matches ne sont qu'un début. Certains soirs, lorsqu'il est évident à ses yeux que Noir n'ira nulle part, Bleu fait une escapade et se rend à un bar des environs pour boire une bière ou deux. Il prend plaisir parfois à bavarder avec le serveur, un dénommé Roux qui ressemble étrangement à Vert, le barman de l'affaire Gris, il y a si longtemps. Une cocotte débraillée du nom de Violette est souvent là, et une ou deux fois Bleu réussit à la griser assez pour qu'elle le ramène chez elle à deux pas de là. Il sait qu'elle l'aime bien parce qu'elle ne le fait jamais payer, mais il sait aussi que ça n'a rien à voir avec de l'amour. Elle l'appelle mon chou et elle a une chair aussi vaste que douce, mais dès qu'elle a bu un verre de trop elle se met à pleurer et Bleu doit alors la consoler tout en se demandant à part lui si ça vaut bien le dérangement. Sa culpabilité envers la future Mme Bleu est assez légère, cependant, car il justifie ces séances avec Violette en se comparant à un soldat en guerre dans un pays étranger. Tout homme a besoin de réconfort, surtout lorsque demain pourrait venir son tour. Et puis, se dit-il, il n'est pas de bois.

Mais le plus souvent Bleu dépasse le bar et se rend au cinéma à plusieurs rues de distance. Avec l'été qui arrive et la chaleur qui se maintient désagréablement dans sa petite chambre, il se sent bien de pouvoir s'asseoir dans la fraîcheur de la salle pour regarder le long métrage. Bleu est amateur de films, pas seulement à cause des histoires qu'ils racontent et des belles femmes qu'ils montrent, mais aussi à cause de l'obscurité de la salle, car les images à l'écran ont une certaine ressemblance avec les pensées qui défilent dans sa tête lorsqu'il ferme les yeux. Il est plus ou moins indifférent au genre des films qu'il va voir, comédie ou drame, et ne se soucie guère qu'ils soient en couleurs ou en noir et blanc. Mais il a un faible très marqué pour les films policiers, auxquels il est nettement lié, et leurs scénarios le passionnent plus que les autres : *La Dame du lac, Crime passionnel, Les Passages de la nuit, Sang et Or, Et tournent les chevaux de bois, Désespérés*, etc. Il y en a même un qui, aux yeux de Bleu, se détache du reste et qui lui plaît tant qu'il y retourne le lendemain soir. Cela s'appelle *La Griffe du passé*. Dans le rôle principal, Robert Mitchum joue un ancien détective privé qui tente de refaire sa vie dans une petite ville, sous le couvert d'une fausse identité. Il a une amie, une gentille fille de la campagne qui s'appelle Anne, et il tient une station-service avec l'aide d'un jeune sourd-muet, Jimmy, qui lui est dévoué sans réserve. Mais le passé rattrape Mitchum sans qu'il y puisse grand-chose. Bien des années auparavant il avait été engagé pour rechercher Jane Greer, la maîtresse du gangster Kirk Douglas. Or, lorsqu'il l'a trouvée, ils sont tombés amoureux l'un de l'autre et ils ont pris la fuite pour mener ensemble une vie cachée. Une chose en a entraîné une autre – un vol d'argent, puis un meurtre – jusqu'à ce que Mitchum, revenu à la maison, ait quitté Greer car il a compris à quel point cette femme était corrompue. A présent, Douglas et Greer veulent le forcer, sous la menace du chantage, à commettre un crime qui n'est en réalité qu'un traquenard. Car lorsque Mitchum réalise ce qui se passe, il s'aperçoit qu'ils ont l'intention de lui faire porter le chapeau pour un autre meurtre. Se déroule alors une histoire compliquée où Mitchum s'efforce désespérément de se dégager du piège. A un certain moment il retourne dans la petite ville où il habite, il affirme à Anne qu'il est innocent et il la persuade à nouveau qu'il l'aime. Mais c'est vraiment trop tard et Mitchum le sait. Vers la fin, il réussit à convaincre Douglas de donner Greer à la police pour le meurtre qu'elle a commis, mais à cet instant Greer pénètre dans la pièce, sort tranquillement un pistolet et tue Douglas. Elle déclare à Mitchum qu'ils sont faits l'un pour l'autre et lui, fataliste jusqu'au bout, semble marcher. Ils décident de fuir ensemble à l'étranger, et puis, alors que Greer est allée faire ses valises, Mitchum téléphone au commissariat. Ils montent en voiture et s'en vont, mais tombent très vite sur un barrage de police. Comprenant qu'elle a été trompée, Greer sort un pistolet de son sac et descend Mitchum. La police ouvre alors le feu sur la voiture et Greer est tuée à son tour. Ensuite, il y a une dernière scène – le lendemain matin, à nouveau dans la petite ville de Bridgeport. Jimmy est assis sur un banc devant la station-service. Anne arrive et s'assoit à côté de lui. Dis-moi une chose, Jimmy, demande-t-elle, une chose qu'il faut que je sache : est-ce qu'il s'enfuyait avec elle, ou pas ? Le garçon réfléchit un instant, essayant de choisir entre la vérité et la gentillesse. Qu'est-ce qui est le plus important : préserver la réputation de son ami ou ménager la jeune fille ? Tout cela se déroule en un bref moment, pas plus. Il regarde la jeune fille dans les yeux et opine de la tête, comme pour dire oui, finalement il était amoureux de Greer. Anne tapote le bras de Jimmy, le remercie puis s'en va vers son ancien fiancé, un gendarme local tout ce qu'il y a de plus conventionnel et qui a toujours méprisé Mitchum. Jimmy lève les yeux vers le panneau de la station-service où est marqué le nom de Mitchum, il lui adresse un petit salut en signe d'amitié, puis tourne le dos et s'en va en marchant le long de la route. Il est le seul à savoir la vérité et il ne la dira jamais.

Pendant quelques jours Bleu ressasse cette histoire. C'est une bonne chose, se dit-il, que le film se termine avec le jeune sourd-muet. Le secret est enterré et Mitchum restera un marginal même dans la mort. Son ambition était pourtant assez simple : devenir un citoyen normal dans une ville américaine normale, épouser la fille d'à côté, mener une vie tranquille. Il est bizarre, pense Bleu, que Mitchum se soit donné Jeff Bailey comme nouveau nom. C'est remarquablement proche du nom d'un autre personnage de film qu'il a vu l'année précédente avec la future Mme Bleu : George Bailey, joué par James Stewart dans *La vie est belle*. Cette histoire-là parlait aussi de l'Amérique des petites villes, mais du point de vue contraire : les frustrations d'un homme qui passe toute sa vie à vouloir s'échapper. A la fin il arrive à comprendre que l'existence qu'il a menée était bonne, qu'il a toujours suivi le bon chemin. Le Bailey de Mitchum voudrait sans aucun doute être le même homme que le Bailey de Stewart. Mais, dans son cas, il porte un faux nom issu d'un souhait irréalisable. Car il s'appelle en réalité Markham, ou – selon la manière qu'a Bleu de le prononcer – Marqué. Et c'est là qu'est le nœud de l'affaire. Il a été marqué par le passé, et lorsqu'une telle chose arrive on ne peut rien lui opposer. Quelque chose se produit, re-marque Bleu, et puis cette même chose continue à se produire pour toujours. On ne peut jamais rien y changer, ça ne peut jamais être autrement. Cette pensée se met à hanter Bleu car il y voit une sorte d'avertissement, un message qui lui est adressé de l'intérieur de lui-même, et il a beau faire tout ce qu'il peut pour la chasser, son ombre continue à planer sur lui.

Un soir, donc, Bleu se tourne enfin vers son exemplaire de *Walden*. L'heure est venue, se dit-il, et s'il ne fait pas cet effort-là à présent il sait qu'il ne s'y résoudra jamais. Mais ce livre n'est rien de simple. Dès qu'il commence à lire, Bleu a l'impression de pénétrer dans un monde qui lui est complètement étranger. Progressant avec peine à travers des marécages et des ronces, se hissant sur de lugubres éboulis et des roches traîtresses, il se sent comme un prisonnier au cours d'une marche forcée, et il n'a qu'une seule pensée, s'échapper. Les mots de Thoreau l'ennuient, il a du mal à se concentrer. Des chapitres entiers défilent, et lorsqu'il arrive au bout il se rend compte qu'il n'en a rien retenu. Pour quelle raison quelqu'un aurait-il envie de partir vivre seul dans les bois ? Qu'est-ce que c'est que ces histoires de planter des haricots et de ne pas boire de café ou de ne pas manger de viande ? Pourquoi toutes ces descriptions interminables d'oiseaux ? Bleu croyait qu'on allait lui servir un récit ou au moins quelque chose qui ressemble à un récit, mais ce n'est rien de plus qu'un fatras de sornettes, une harangue sans fin à propos de rien du tout.

Il ne serait pourtant pas juste de l'en blâmer. Bleu n'a jamais lu grand-chose si ce n'est des journaux et des magazines, avec occasionnellement un roman d'aventures lorsqu'il était jeune garçon. Même des lecteurs subtils et expérimentés sont connus pour avoir eu du mal avec *Walden*, et un personnage aussi éminent qu'Emerson a pu écrire dans son journal que la lecture de Thoreau l'énervait et le mettait très mal à l'aise. Mais Bleu n'abandonne pas, ce qui est à son honneur. Le jour suivant il recommence et cette reprise se déroule avec moins de heurts que la première séance. Dans le troisième chapitre il tombe sur une phrase qui lui dit enfin quelque chose : "Les livres doivent être lus avec autant de considération et de réserve qu'on a mis à les écrire." Alors, soudain, il comprend que le secret c'est d'aller lentement, plus lentement qu'il ne l'a jamais fait jusqu'alors quand il s'agit de mots. Cela l'aide en effet jusqu'à un certain point, et quelques passages commencent à se clarifier : l'histoire des vêtements au début, la bataille entre les fourmis rouges et les fourmis noires, l'argument contre le travail. Mais Bleu trouve cela encore pénible, et bien qu'il admette à contrecœur que Thoreau n'est peut-être pas aussi abruti qu'il le pensait, il se met à en vouloir à Noir de lui infliger une telle torture. Ce qu'il ne sait pas, c'est que s'il arrivait à avoir la patience de lire ce livre dans l'esprit que sa lecture exige, sa vie entière commencerait à changer et petit à petit il parviendrait à une compréhension pleine et entière de sa situation – c'est-à-dire de Noir, de Blanc, de l'affaire, de tout ce qui le concerne. Mais les chances perdues font autant partie de la vie que les chances saisies, et une histoire ne peut s'attarder sur ce qui aurait pu avoir lieu. Jetant le livre avec dégoût, Bleu met son manteau (car c'est l'automne, à présent) et sort prendre l'air. Il est loin de se rendre compte que c'est le début de la fin. Car quelque chose est sur le point de se produire, et lorsqu'il aura eu lieu rien ne sera plus jamais pareil.

Il va à Manhattan, s'éloignant de Noir plus qu'il ne l'a encore fait, déchargeant sa frustration dans son activité motrice, espérant se calmer en exténuant son corps. Il marche vers le nord, seul dans ses pensées, sans prendre la peine de remarquer ce qui l'entoure. Il se trouve dans la 26e rue est lorsque son lacet gauche se défait, et c'est au moment précis où il a le genou à terre que le ciel lui tombe sur la tête. Qui aperçoit-il en effet à cet instant, sinon la future Mme Bleu ? Elle remonte la rue, les deux bras noués autour du bras droit d'un homme que Bleu n'a jamais vu. Elle a aux lèvres un sourire radieux, elle est complètement prise par ce que son compagnon lui raconte. Pendant plusieurs secondes Bleu est tellement décontenancé qu'il ne sait pas s'il va baisser la tête encore plus et cacher son visage ou s'il va se lever et saluer la femme dont il comprend à présent – par une prise de conscience aussi soudaine et irrévocable qu'une porte qui se ferme en claquant – qu'elle ne sera jamais la sienne. Mais il se trouve qu'il ne réussit à accomplir aucune de ces deux choses. Il commence par rentrer la tête pour découvrir la seconde suivante qu'il souhaite que la femme le reconnaisse ; et lorsqu'il s'aperçoit qu'elle ne le voit pas, tellement elle est absorbée par les paroles de son compagnon, Bleu se redresse brusquement, surgissant du trottoir alors qu'ils sont à peine à deux mètres de lui. C'est comme si un revenant venait de prendre corps devant elle et l'ex-future Mme Bleu lâche un petit cri de surprise avant même d'avoir reconnu le revenant. Bleu prononce le nom de son ex-fiancée d'une voix qu'il trouve lui-même étrange, et elle se fige sur place. Sa figure traduit le choc de voir Bleu – et puis, très vite, prend une expression de colère.

Toi ! lui dit-elle. Toi !

Avant qu'il ait même pu articuler une parole, elle se dégage du bras de son compagnon et se met à taper sur la poitrine de Bleu à grands coups de poing, lui hurlant des insanités, l'accusant de toutes sortes d'horribles crimes. La seule chose que Bleu parvient à faire, c'est de l'appeler encore et encore par son nom, comme s'il essayait désespérément de distinguer la femme qu'il aime de la bête sauvage qui s'est mise à l'attaquer. Il se sent totalement sans défense, et au fur et à mesure que l'agression se poursuit, il en vient à accueillir chaque nouveau coup comme un juste châtiment de son comportement. Mais l'autre homme y met rapidement le holà, et Bleu, tout tenté qu'il est de lui en allonger un bon, est trop abasourdi pour passer à l'action en temps utile. Avant qu'il ait pu faire ouf, l'autre homme entraîne l'ex-future Mme Bleu tout en pleurs le long de la rue ; ils tournent à l'angle et c'est la fin.

Cette courte scène, si inattendue et si dévastatrice, bouleverse complètement Bleu. Lorsque, enfin, son calme revenu, il réussit à prendre le chemin du retour, il s'aperçoit qu'il a gâché sa vie. Ce n'est pas la faute de son ex-fiancée, se dit-il, voulant l'accuser mais n'y réussissant pas. Car, pour ce qu'elle en savait, il aurait pu être mort, et comment lui reprocher d'avoir envie de vivre ? Bleu sent des larmes se former dans ses yeux, mais, plus que de la douleur, c'est de la colère qu'il éprouve envers lui-même, envers l'imbécile qu'il a été. Il a perdu toute chance, toute possibilité d'être heureux, et, si tel est le cas, il n'est pas faux de dire que c'est vraiment le début de la fin.

Bleu regagne son studio d'Orange Street, s'allonge sur le lit et s'efforce de soupeser les possibilités. A un moment donné il se tourne vers le mur et ses yeux rencontrent la photo de Doré, le médecin légiste de Philadelphie. Il pense au vide blanc et triste de cette affaire non résolue, à l'enfant qui gît sans nom dans sa tombe et, en étudiant le masque mortuaire du petit garçon, il commence à caresser une idée dans sa tête. Peut-être y a-t-il moyen de s'approcher de Noir, un moyen qui ne le trahira pas forcément. Dieu sait que ça doit bien exister. Il y a des coups à jouer, des plans à mettre en œuvre – peut-être deux ou trois à la fois.

Ne nous occupons pas du reste, se dit-il. Il est temps de tourner la page.

Son prochain rapport doit être rendu le surlendemain. Il s'y attelle donc tout de suite pour pouvoir le poster à l'heure. Au cours des quelques derniers mois ses rapports ont été plutôt hermétiques : un paragraphe ou deux qui s'en tiennent au strict essentiel et rien d'autre. Cette fois encore il ne s'écarte pas de cette ligne. Pourtant, au bas de la page, il ajoute une remarque obscure qui servira de test, car il espère provoquer chez Blanc un peu plus que du silence : Noir paraît malade. Je crains qu'il ne soit en train de mourir. Puis il met le rapport sous enveloppe, en se disant que ce n'est qu'un début.

Deux jours plus tard, Bleu se presse de bon matin vers le bureau de poste de Brooklyn, un édifice aussi imposant qu'un château, à portée de vue du pont de Manhattan. Tous les rapports de Bleu ont été adressés à la boîte numéro mille un. Il va vers elle comme par hasard, passe devant en flânant, et jette furtivement un coup d'œil dedans pour voir si le rapport est arrivé. Il y est. Ou en tout cas il y a là un pli, une enveloppe blanche solitaire inclinée à quarante-cinq degrés dans la petite niche, et Bleu n'a aucune raison de douter qu'il s'agisse de sa propre lettre. Il entame alors une marche lente et circulaire dans ce périmètre, décidé à rester jusqu'à ce qu'apparaisse Blanc ou quelqu'un qui travaille pour Blanc, les yeux fixés sur l'énorme mur de boîtes numérotées dont chacune possède une combinaison propre et un secret particulier. Les gens vont et viennent, ouvrent des boîtes et les referment, tandis que Bleu continue à décrire son cercle, s'arrêtant de temps en temps à un endroit ou à un autre puis reprenant sa marche. Tout lui paraît brun, comme si le temps d'automne était entré dans la salle où flotte une agréable odeur de cigare. Après plusieurs heures il commence à avoir faim, mais il ne cède pas à l'appel de son ventre, se répétant que c'est le moment ou jamais et par conséquent tenant bon. Il observe tous ceux qui s'approchent des rangées des boîtes postales, braquant son regard sur chaque personne qui frôle les abords du numéro mille un, conscient du fait que si ce n'est pas Blanc en personne qui vient chercher le pli, ce peut être n'importe qui – une vieille femme ou un jeune enfant, et que par conséquent tout doit retenir son attention. Mais aucune de ces éventualités ne se concrétise, car durant tout ce temps personne ne touche à la boîte. Bien que Bleu concocte une histoire pour chaque candidat qui s'approche, essayant d'imaginer comment cette personne peut être liée à Blanc ou à Noir, quel rôle elle peut jouer dans l'affaire et ainsi de suite, il se trouve obligé de les chasser une à une de son esprit et de les rejeter dans les ténèbres d'où elles sont sorties.

A peine passé midi, à un moment où il commence à y avoir affluence dans les locaux de la poste – un flot de gens qui se précipitent pendant l'heure du déjeuner pour poster des lettres, acheter des timbres ou accomplir quelque autre démarche –, entre un homme portant un masque sur la figure. D'abord Bleu ne le remarque pas – il y a tellement d'usagers qui franchissent la porte en même temps que lui –, mais, au moment où il se détache de la foule pour aller vers les cases numérotées, Bleu aperçoit enfin le masque en caoutchouc, du genre de ceux que mettent les enfants à Hallowe'en. Il représente un monstre affreux avec des plaies ouvertes dans le front, des globes oculaires sanguinolents et des crocs à la place des dents. Quant au reste, l'homme ne se signale en rien (pardessus de tweed gris, écharpe

rouge enroulée autour du cou), et Bleu a le pressentiment dès ce premier instant que derrière le masque ne
se tient nul autre que Blanc. A mesure que l'inconnu
progresse vers la boîte mille un, ce pressentiment se
mue en certitude. En même temps, Bleu a l'impression
que cet homme n'est pas vraiment présent ; Bleu sait
bien qu'il le voit mais très vraisemblablement il est le
seul dans ce cas. Or, Bleu a tort sur ce point. En effet,
tandis que l'homme au masque continue à avancer sur
le grand dallage de marbre, Bleu remarque plusieurs
personnes qui rient et le montrent du doigt – mais il ne
saurait dire si ça arrange les choses ou si ça les aggrave.
L'homme au masque atteint la boîte mille un, fait pivo-
ter le roulement de la combinaison vers l'avant, vers
l'arrière, puis à nouveau vers l'avant et il ouvre la
petite porte. Dès que Bleu constate qu'il s'agit indubitablement de celui qu'il attend, il avance vers lui sans
être tout à fait sûr de ce qu'il va faire mais certainement avec l'intention plus ou moins consciente de s'en
saisir et de lui arracher le masque. L'autre est hélas trop
vif ; à peine a-t-il glissé l'enveloppe dans sa poche et
refermé la boîte qu'il parcourt la salle d'un œil rapide,
aperçoit Bleu qui s'approche, et il détale aussitôt, fon-
çant vers la porte à toute vitesse. Bleu se lance à ses
trousses, espérant l'agripper par-derrière et le plaquer
au sol, mais il s'empêtre un instant dans une cohue de
gens qui entrent, et lorsqu'il réussit à s'en extraire il voit
l'homme au masque dévaler les marches en bondissant,
atterrir sur le trottoir et partir dans la rue à toutes jambes.
Bleu continue sa poursuite et il a même l'impression de
gagner du terrain lorsque l'autre parvient à l'angle de la
rue où un autobus est justement en train de quitter son
arrêt. Il saute dedans comme à point nommé et laisse
Bleu en rade, tout bête et tout pantelant.

Deux jours plus tard, lorsque Bleu reçoit son chèque par courrier, il trouve enfin un mot de Blanc. Plus d'âneries, écrit-il, et bien que ce ne soit pas grand-chose comme missive, Bleu est quand même content de l'avoir reçue, heureux d'avoir enfin ébranlé le mur de silence de Blanc. Il ne sait pas clairement, cependant, si le message a trait au dernier rapport ou à l'incident de la poste. Après y avoir réfléchi quelque temps il décide que ça n'a pas d'importance. D'un côté comme de l'autre, la clé de cette affaire c'est l'action. Il faut qu'il continue à déranger les choses partout où c'est en son pouvoir, un petit peu ici, un petit peu là, faisant éclater chaque bout d'énigme jusqu'à ce qu'un jour toute cette saleté d'affaire s'écroule.

Pendant quelques semaines Bleu retourne plusieurs fois au bureau de poste, espérant apercevoir encore une fois Blanc. Mais sans aucun résultat. Soit le rapport n'est déjà plus dans la boîte à l'arrivée de Bleu, soit Blanc ne vient pas. Comme cette aile de la poste reste ouverte vingt-quatre heures sur vingt-quatre, Bleu n'a guère le choix. Blanc est averti, à présent, et il ne fera pas deux fois la même erreur. Il lui suffira d'attendre que Bleu soit parti avant de se rendre à la boîte. A moins qu'il ne veuille passer toute sa vie à la poste, Bleu ne peut absolument plus compter surprendre Blanc une autre fois.

Le tableau est bien plus compliqué que Bleu ne se l'était jamais imaginé. Voilà presque un an qu'il se croit essentiellement libre. Tant bien que mal il a fait son travail, regardant droit devant lui et observant Noir, à l'affût d'une ouverture éventuelle, s'efforçant de ne pas décrocher. Mais pendant tout ce temps il n'a pas accordé la moindre pensée à ce qui pouvait se passer derrière son dos. Maintenant, après l'incident avec l'homme au masque et les autres obstacles qui en ont découlé, Bleu ne sait plus quelle opinion avoir. Il lui semble tout à fait plausible qu'il soit lui-même espionné, guetté par un autre de la même façon qu'il surveille Noir. Si tel est le cas, il n'a jamais été libre. D'emblée il a eu la place de l'homme du milieu, barré devant et coincé derrière. Curieusement cette pensée le ramène à quelques phrases de *Walden*, et il en cherche dans son cahier la formulation exacte car il est à peu près sûr de les avoir notées. Nous ne sommes pas où nous sommes, trouve-t-il, mais dans une fausse position. Par une infirmité de notre nature nous supposons une affaire dans laquelle nous nous mettons ; du coup nous sommes dans deux affaires à la fois et il est doublement difficile d'en sortir. C'est un propos qui parle à Bleu, et bien qu'il commence à se sentir un peu effrayé, il estime qu'il n'est peut-être pas trop tard pour qu'il puisse y faire quelque chose.

Le vrai problème revient à identifier la nature dudit problème. Et d'abord qui le menace le plus, Blanc ou Noir ? Blanc a tenu sa part du contrat : les chèques sont arrivés à l'heure toutes les semaines, et se retourner contre lui maintenant – Bleu le sait bien – serait mordre la main qui le nourrit. C'est bien pourtant Blanc qui a lancé ce cas, jetant Bleu dans une pièce vide, en quelque sorte, puis éteignant la lumière et verrouillant la porte. Depuis lors, Bleu tâtonne dans l'obscurité, cherchant à l'aveuglette l'interrupteur, et il se trouve prisonnier de l'affaire. Tout cela est bel et bon, mais pourquoi Blanc ferait-il une chose pareille ? Lorsque Bleu se heurte à cette question il ne peut plus penser. Son cerveau s'arrête de fonctionner, il n'est pas capable d'aller plus loin.

Prenons Noir, alors. Jusqu'à présent il constituait toute l'affaire, c'était la cause apparente de tous les ennuis de Bleu. Mais si Blanc cherche en réalité à atteindre Bleu – et pas Noir –, alors il se peut que Noir n'ait rien à voir dans tout ça, qu'il ne soit rien de plus qu'un figurant innocent. Dans ce cas, c'est Noir qui occupe la position que Bleu a toujours cru être la sienne propre et Bleu prend le rôle de Noir. C'est une éventualité qui se tient. Par ailleurs, il se peut aussi que Noir soit de mèche avec Blanc et qu'ensemble ils aient conspiré pour régler son compte à Bleu.

Si tel est le cas, que lui infligent-ils ? Rien de très méchant, en fin de compte, du moins dans un sens absolu. Ils ont coincé Bleu de telle façon qu'il ne puisse rien faire, ils l'ont rendu si peu actif que sa vie en est presque réduite à ne pas être une vie du tout. Oui, se dit Bleu, c'est la sensation que ça donne : de rien du tout. Il se sent comme un homme condamné à rester assis dans une pièce et à lire le même livre pour le restant de ses jours. C'est assez bizarre d'être tout au plus à moitié en vie et de voir le monde à travers des mots seulement, de ne vivre qu'à travers les vies d'autres personnes. Si le livre était intéressant, peut-être ne serait-ce pas une si mauvaise chose. Bleu pourrait alors se laisser prendre par le récit, pour ainsi dire, et petit à petit se mettre à s'oublier lui-même. Mais ce livre ne lui dit rien. Il n'y a pas d'histoire, pas d'intrigue, pas d'action – rien qu'un homme assis tout seul dans une pièce en train d'écrire un livre. C'est tout ce qu'il y a, réalise Bleu, et il ne veut plus du tout y être mêlé. Mais comment sortir ? Comment quitter la pièce que constitue le livre qui continuera d'être écrit tant que Bleu restera dans la pièce ?

Quant à Noir, l'auteur prétendu de ce livre, Bleu ne peut plus accorder confiance à ce qu'il voit. Est-il possible qu'existe réellement un tel individu – qui ne fait rien, qui reste simplement assis dans sa chambre à écrire ? Bleu l'a suivi en tous lieux, l'a pourchassé jusque dans les coins les plus reculés, l'a surveillé si intensément que ses yeux semblaient le lâcher. Même lorsqu'il quitte sa chambre Noir ne va jamais nulle part, ne fait jamais grand-chose : des courses alimentaires, de temps à autre chez le coiffeur, une sortie au cinéma, ainsi de suite. Mais la plupart du temps il se contente de déambuler dans les rues, regardant quelque spectacle insolite, rassemblant quelques données apparues au hasard, et même cela ne se produit que par à-coups. Pendant un temps il s'agira de bâtiments : il se tordra le cou pour avoir un aperçu des toits, il inspectera les entrées d'immeuble en passant doucement ses mains sur les façades de pierre. Puis, pendant une semaine ou deux, ce seront les statues publiques ou les bateaux sur le fleuve, ou les panneaux dans la rue. Rien de plus, avec à peine un mot à l'adresse de quelqu'un, et sans rencontrer quiconque si ce n'est cet unique déjeuner avec la femme en pleurs il y a si longtemps déjà. Dans un sens, Bleu est au courant de tout ce qu'on peut savoir sur Noir : le genre de savon qu'il achète, les journaux qu'il lit, les vêtements qu'il porte, et il a consigné fidèlement chacun de ces détails dans son cahier. Il a découvert des milliers de faits, mais la seule chose qu'ils lui aient apprise c'est qu'il ne sait rien. Car ce qui demeure c'est que rien de tout cela n'est possible. Il n'est pas possible qu'un homme comme Noir existe.

Par conséquent Bleu commence à soupçonner que Noir n'est rien d'autre qu'un subterfuge, c'est encore un stipendié de Blanc, payé à la semaine pour rester dans cette chambre sans rien faire. Il se peut que toute cette écriture ne soit qu'un faux-semblant – et toutes ces pages : peut-être une liste des noms de l'annuaire du téléphone, ou les entrées du dictionnaire par ordre alphabétique, ou une copie manuscrite de *Walden*. Peut-être ne s'agit-il même pas de mots, mais de gribouillages absurdes, de traces de stylo faites au hasard, d'une masse toujours plus volumineuse de non-sens et de fatras divers. Ce qui ferait de Blanc le véritable écrivain – Noir ne serait alors que sa doublure, un leurre, un acteur sans aucune substance. Puis il y a les fois où, poussant cette pensée plus loin, Bleu croit que la seule explication logique serait de voir en Noir non pas un seul individu mais plusieurs. Deux, trois, voire quatre hommes d'aspect identique qui jouent le rôle de Noir au bénéfice de Blanc, chacun remplissant le temps qui lui est dévolu avant de retourner aux conforts de son foyer et de sa famille. Mais cette pensée est trop monstrueuse pour que Bleu puisse l'envisager très longtemps. Les mois passent et il finit par se dire à haute voix : Je ne peux plus respirer. C'est la fin. Je meurs.

C'est en plein été 1948. Trouvant enfin le courage d'agir, Bleu fouille dans son sac de déguisements et se met à chercher une nouvelle identité. Après avoir rejeté plusieurs possibilités, il opte pour un vieillard qui avait coutume de mendier dans son quartier lorsqu'il était jeune garçon – un personnage du cru local nommé Jimmy Rose – et il revêt la panoplie du clochard : des guenilles de laine, des souliers avec une ficelle qui empêche les semelles de claquer, un sac de voyage râpé où il met ses affaires, et puis, pour finir, une opulente barbe blanche et de longs cheveux blancs. Ces derniers détails lui donnent l'air d'un prophète de l'Ancien Testament. Sous l'aspect de Jimmy Rose, Bleu n'est pas tant un miséreux scrofuleux qu'un sage illuminé, un saint apôtre de la pénurie vivant dans les marges de la société. Un peu timbré, peut-être, mais inoffensif.

Il émane de lui une douce indifférence au monde qui l'entoure : tout lui étant déjà arrivé, rien ne peut plus le troubler.

Bleu se poste à un endroit convenable de l'autre côté de la rue, sort de sa poche un morceau de loupe cassée et commence à lire un journal froissé de la veille, récupéré dans une des poubelles du voisinage. Deux heures plus tard, Noir apparaît : il descend les marches de son immeuble puis tourne en direction de Bleu. Perdu dans ses pensées, ou faisant exprès de ne pas le remarquer, Noir n'accorde pas la moindre attention au clochard. Aussi, dès qu'il est à portée de voix, Bleu lui adresse-t-il la parole d'un ton agréable.

Hé, m'sieu, vous n'auriez pas un peu de monnaie ?

Noir s'arrête, examine la créature ébouriffée qui vient de l'interpeller, et se détend progressivement jusqu'à sourire lorsqu'il comprend qu'il n'est pas en danger. Alors il fouille dans sa poche, sort une pièce et la dépose dans la main de Bleu.

Voilà pour vous, dit-il.

Que Dieu vous bénisse, dit Bleu.

Merci, répond Noir, touché par le sentiment exprimé.

N'ayez crainte, reprend Bleu. Dieu nous bénit tous.

Sur ce mot rassurant, Noir soulève son chapeau vers Bleu et poursuit son chemin.

Le lendemain après-midi, à nouveau paré des atours du clochard, Bleu attend Noir au même endroit. Maintenant qu'il a gagné la confiance de Noir, il est déterminé à pousser un peu plus loin la conversation, mais le problème s'évanouit car c'est Noir lui-même qui manifeste l'envie de s'attarder. Le jour tire à sa fin, ce n'est déjà plus l'après-midi mais pas encore le soir, c'est l'heure crépusculaire des lents changements, des briques rougeoyantes et des ombres. Après avoir cordialement salué le clochard et lui avoir donné une autre pièce, Noir hésite un moment, comme s'il débattait en lui-même de l'opportunité de se jeter à l'eau, puis il lance :

Est-ce qu'on vous a jamais dit que vous ressemblez parfaitement à Walt Whitman ?

Walt comment ? répond Bleu qui n'oublie pas de jouer son rôle.

Walt Whitman. Un poète célèbre.

Non, dit Bleu. Je ne pourrais pas jurer que je le connais.

Vous ne risquez pas de le connaître, dit Noir. Il n'est plus en vie. Mais la ressemblance est frappante.

Ah, vous savez ce qu'on dit, remarque Bleu. Tout homme a son double quelque part. Je ne vois pas pourquoi le mien ne pourrait pas être un mort.

Ce qu'il y a de marrant, poursuit Noir, c'est que Walt Whitman travaillait dans cette rue. Il a imprimé son premier livre ici même, pas loin de là où nous sommes.

Ah, ça alors, répond Bleu en secouant la tête d'un air pensif. Ça donne à réfléchir, pas vrai ?

On en raconte de drôles, sur Whitman, déclare Noir en faisant un geste pour inviter Bleu à s'asseoir sur les marches du bâtiment derrière eux, ce que fait Bleu. Noir l'accompagne et soudain les voilà ensemble, rien que tous les deux dans la lumière de l'été, en train de bavarder de tout et de rien comme de vieux copains.

Oui, dit Noir, s'installant confortablement dans l'indolence de ce moment, on raconte à son propos pas mal d'histoires très curieuses. Sur son cerveau, par exemple. Toute sa vie, Whitman a cru à la phrénologie – vous savez, ce qu'on peut déduire à partir des bosses du crâne. C'était très en vogue à son époque.

Je ne pourrais pas dire que j'en ai entendu parler, répond Bleu.

D'accord, mais ça n'a pas grande importance, reprend Noir. Ce qui compte c'est que Whitman s'intéressait aux cerveaux et aux crânes – il croyait que ça pouvait tout dire sur le caractère de quelqu'un. Bref, quand Whitman était à l'article de la mort, là-bas dans le New Jersey, il y a cinquante ou soixante ans, il a autorisé son autopsie après sa mort.

Comment pouvait-il l'autoriser après sa mort ?

Ah, bien vu. Je l'ai mal dit. Il était encore en vie quand il a donné l'autorisation. Il voulait seulement qu'on sache qu'il ne s'opposait pas à ce qu'on l'ouvre plus tard. C'est ce qu'on pourrait appeler son dernier vœu.

Les dernières paroles célèbres.

Exactement. Beaucoup de gens pensaient que c'était un génie, vous comprenez, et ils voulaient regarder dans son cerveau pour savoir s'il avait quelque chose de spécial. Donc, le jour après sa mort, un médecin a extrait le cerveau de Whitman – il a carrément ouvert la tête pour le sortir – et l'a envoyé à la Société américaine d'anthropométrie pour le faire mesurer et peser.

Comme un chou-fleur géant, ajoute Bleu.

Absolument. Comme un gros légume gris. Mais nous touchons au point intéressant de l'histoire. Le cerveau parvient au laboratoire, et au moment où on va se mettre à plancher dessus un des assistants le laisse tomber par terre.

Il a éclaté ?

Bien entendu. Un cerveau n'est pas très solide, voyez-vous. Il est parti en éclaboussures dans tous les coins. Terminé. Le cerveau du plus grand poète américain a été balayé et jeté à la poubelle.

Bleu, n'oubliant pas de rester dans son rôle, part de plusieurs rires sifflants et poussifs, mimant assez bien une gaieté de vieille baderne. Noir rit à son tour et l'atmosphère en vient à se dégeler au point que personne ne saurait dire qu'il ne s'agit pas de deux vieux copains.

C'est quand même triste, remarque Noir, de penser à ce pauvre Walt allongé dans sa tombe, tout seul et sans cerveau.

Exactement comme l'autre épouvantail, dit Bleu.

Vous l'avez dit, approuve Noir. Exactement comme l'épouvantail du pays d'Oz.

Après un autre bon éclat de rire, Noir reprend : Et puis il y a la fois où Thoreau a rendu visite à Whitman. Elle est bien, celle-là aussi.

C'était un autre poète ?

Pas précisément. Mais quand même un grand écrivain. C'est celui qui vivait seul dans les bois.

Ah oui, s'exclame Bleu qui ne veut pas pousser trop loin l'ignorance. On m'en a parlé, une fois. Il était très amoureux de la nature. C'est celui-là que vous voulez dire ?

Parfaitement, répond Noir. Henry David Thoreau. Il est descendu quelque temps du Massachusetts et il est venu à Brooklyn pour voir Whitman. Mais la veille il s'est rendu ici même, Orange Street.

Pour une raison précise ?

L'église Plymouth. Il voulait écouter le sermon de Henry Ward Beecher.

Un endroit superbe, dit Bleu qui pense aux douces heures qu'il a passées dans l'enclos semé d'herbe. J'aime bien y aller moi aussi.

Nombreux sont les grands hommes qui s'y sont rendus, déclare Noir. Abraham Lincoln, Charles Dickens – ils ont tous parcouru cette rue pour aller à l'église.

Des revenants.

Oui, nous sommes entourés de revenants.

Et l'histoire ?

Elle est très simple, en réalité. Thoreau et Bronson Alcott, un de ses amis, sont arrivés à la maison de Whitman, dans Myrtle Avenue, et la mère de Walt les a fait monter jusqu'à la chambre mansardée qu'il partageait avec son frère arriéré mental, Eddy. Tout était parfait. Ils se sont serré la main, ont échangé des salutations, et ainsi de suite. Et puis lorsqu'ils se sont assis pour discuter de leur conception du monde, Thoreau et Alcott ont remarqué un pot de chambre plein au beau milieu du plancher. Walt était bien entendu de nature très expansive, il n'y faisait pas attention. Mais les deux visiteurs de Nouvelle-Angleterre avaient du mal à continuer à parler devant un seau rempli d'excréments. Ils finirent donc par descendre au salon où ils poursuivirent leur conversation. C'est un détail secondaire, j'en ai bien conscience. Et pourtant : lorsque deux grands écrivains se rencontrent, c'est un moment historique et il est important de bien respecter les faits. Ce pot de chambre, voyez-vous, me rappelle le cerveau éclaté sur le plancher. Et si on veut bien y réfléchir, il y a là une certaine ressemblance de forme. Je veux parler des bosses et des circonvolutions. Il y a un lien indéniable. Le cerveau et les entrailles, l'intérieur de l'homme. On parle toujours d'essayer de se mettre dans la peau d'un auteur pour mieux comprendre son œuvre. Mais finalement il n'y a pas grand-chose à découvrir – du moins pas grand-chose qui diffère de ce qu'on trouverait chez n'importe qui d'autre.

Vous avez l'air d'en savoir pas mal là-dessus, remarque Bleu qui commence à perdre le fil du discours de Noir.

C'est mon violon d'Ingres, répond Noir. J'aime savoir comment vivent les écrivains, surtout ceux d'Amérique. Ça m'aide à comprendre des choses.

Je vois, dit Bleu qui ne voit rien du tout, car à chaque mot que Noir ajoute il découvre qu'il comprend de moins en moins.

Prenez Hawthorne, poursuit Noir. Un grand ami de Thoreau et probablement le premier véritable écrivain que l'Amérique ait jamais eu. Après ses études universitaires il est revenu dans la maison de sa mère à Salem, s'est enfermé dans sa chambre et n'en est pas sorti pendant douze ans.

Qu'est-ce qu'il faisait là-dedans ?

Il écrivait des récits.

C'est tout ? Il ne faisait qu'écrire ?

L'écriture est une occupation solitaire qui accapare votre vie. Dans un certain sens, un écrivain n'a pas de vie propre. Même lorsqu'il est là il n'est pas vraiment là.

Un autre revenant.

C'est cela même.

Ça fait mystérieux.

Ça l'est. Mais Hawthorne, voyez-vous, a écrit des histoires formidables que nous lisons encore, plus de cent ans après. Il y en a une avec un homme du nom de Wakefield qui décide de jouer une farce à sa femme. Il lui dit qu'il doit partir quelques jours en voyage d'affaires, mais au lieu de quitter la ville, il va quelques rues plus loin, loue une chambre et attend de voir ce qui va arriver. Il ne saurait dire exactement pourquoi, mais il le fait quand même. Trois ou quatre jours se passent sans qu'il se sente prêt à rentrer chez lui, et il reste dans la pièce louée. Les jours se changent en semaines, les semaines en mois. Un jour Wakefield, marchant dans son ancienne rue, voit sa maison parée en signe de deuil. Il s'agit de ses propres funérailles, et sa femme est devenue une veuve solitaire. Les années s'écoulent. De temps à autre il croise sa femme en ville et une fois, au milieu d'une foule assez considérable, il la frôle même. Mais elle ne le reconnaît pas. D'autres années passent, plus de vingt, et petit à petit Wakefield est devenu un vieillard. Une nuit de pluie, en automne, en parcourant les rues vides, il passe par hasard devant son ancienne maison et jette un coup d'œil par la fenêtre. Un bon feu brûle dans la cheminée, et il pense à part lui : Que ce serait agréable d'être là-dedans en ce moment, d'être assis dans un de ces confortables fauteuils près de l'âtre au lieu de rester ici, dehors, sous la pluie. Et voilà que sans y réfléchir davantage il gravit le perron de la maison et frappe à la porte.

Et alors ?

C'est tout. C'est la fin de l'histoire. La dernière chose que nous voyons c'est la porte qui s'ouvre et Wakefield qui entre avec un sourire rusé aux lèvres.

Et nous n'apprenons jamais ce qu'il dit à sa femme ?

Non. C'est la fin. Pas un mot de plus. Mais il a réemménagé, ça nous le savons, et jusqu'à sa mort il s'est conduit en bon mari.

Maintenant le ciel a commencé à s'assombrir et la nuit arrive à toute vitesse. Un dernier reflet rose reste à l'ouest, mais la journée est bien finie. Noir, prenant l'obscurité comme un signal, se lève et tend la main à Bleu.

J'ai été très heureux de parler avec vous, dit-il. Je n'avais pas du tout l'impression d'être resté si longtemps.

Tout le plaisir a été pour moi, répond Bleu, soulagé de voir la conversation prendre fin, car il sait qu'il ne faudra pas longtemps, à présent, pour que sa barbe se mette à glisser, avec toute cette chaleur d'été et son énervement qui le fait transpirer dans la colle.

Je m'appelle Noir, dit Noir en serrant la main de Bleu

Moi c'est Jimmy, dit Bleu, Jimmy Rose.

Je me souviendrai longtemps de notre petite discussion, Jimmy, ajoute Noir.

Moi aussi, répond Bleu. Vous m'avez donné beaucoup de sujets de réflexion.

Que Dieu vous bénisse, Jimmy Rose, dit Noir.

Que Dieu vous bénisse aussi, monsieur, dit Bleu.

Puis, après une ultime poignée de main, ils s'en vont dans des directions opposées, et chacun est accompagné par ses pensées.

Cette nuit-là, lorsque Bleu rentre dans son studio, il décide qu'il ferait mieux d'enterrer Jimmy Rose tout de suite, de s'en débarrasser définitivement. Le vieux clochard a rempli son rôle mais il ne serait pas judicieux d'aller au-delà.

Bleu est content d'avoir noué ce premier contact avec Noir, mais la rencontre n'a pas eu le résultat recherché et au total il s'en trouve plutôt ébranlé. Car, même si leur bavardage n'avait rien à voir avec l'affaire, Bleu ne peut s'empêcher d'éprouver le sentiment que Noir y faisait tout le temps référence – il parlait par énigmes, pour ainsi dire, comme s'il voulait communiquer quelque chose à Bleu mais n'osait pas l'exprimer de façon claire et nette. Oui, Noir était plus qu'amical, il avait des manières franchement agréables, et pourtant Bleu ne peut pas s'ôter de l'esprit que d'emblée il avait percé son jeu. Dans ce cas Noir est sûrement l'un des conspirateurs – pour quelle autre raison aurait-il parlé à Bleu comme il l'a fait ? Certainement pas parce qu'il se sentait seul. En supposant que Noir ne soit pas un leurre, il ne peut pas être question de sentiment de solitude. Tout dans sa vie, jusqu'ici, s'inscrit dans un plan délibéré pour rester seul, et il serait absurde d'interpréter son empressement à parler comme un effort pour échapper aux affres de la solitude. Pas à ce stade tardif, pas après plus d'une année à éviter tout contact humain. Si Noir s'était enfin décidé à rompre sa routine d'ermite, pourquoi commencerait-il par une conversation avec un vieillard en loques au coin d'une rue ? Non, Noir savait qu'il parlait à Bleu. Et dans ce cas, il sait aussi qui est Bleu. Aucun doute là-dessus, se dit Bleu : il est au courant de tout.

Quand vient le moment où il doit à nouveau rédiger son rapport, Bleu se trouve obligé d'affronter le dilemme suivant. Blanc n'a jamais rien dit d'une prise de contact avec Noir. Bleu devait l'espionner, un point c'est tout, et il se demande à présent s'il n'a pas outrepassé les règles de sa mission. S'il inclut la conversation dans son rapport, il se pourrait que Blanc y trouve à redire. En revanche, s'il n'en fait pas mention et si Noir travaille réellement avec Blanc, ce dernier saura aussitôt que Bleu lui ment. Malgré toutes les ruminations auxquelles il se livre, Bleu n'a pas de solution en vue. Il est coincé d'un côté comme de l'autre et il le sait. A la fin, il opte pour ne pas mentionner la conversation, mais seulement parce qu'il espère encore faiblement qu'il n'a pas deviné juste, que Blanc et Noir ne sont pas de mèche. Cet ultime petit sursaut d'optimisme s'effondre pourtant assez vite. Trois jours après avoir posté son compte rendu expurgé, il reçoit un chèque hebdomadaire et, dans l'enveloppe, il trouve aussi une enveloppe avec les mots : Pourquoi mentez-vous ? Cette preuve-là balaie tous ses doutes. Dès lors, Bleu vit en sachant qu'il se noie. Le lendemain soir, il prend le métro pour Manhattan à la suite de Noir. Il a remis ses vêtements habituels car il n'estime plus devoir cacher quoi que ce soit. Noir descend à Times Square et déambule quelque temps dans l'éclat des lumières, le bruit, les foules qui se pressent de-ci, de-là. Bleu, guettant

Noir comme si sa vie en dépendait, n'est jamais plus de trois ou quatre pas derrière lui. A neuf heures, Noir pénètre dans le hall de l'hôtel *Algonquin* où Bleu le suit. L'affluence est considérable et les tables sont rares. Aussi, lorsque Noir s'installe dans un coin qui vient juste de se libérer, Bleu trouve-t-il tout naturel de s'approcher et de demander poliment s'il peut s'asseoir à la même table. Noir n'y voit pas d'objection. Avec un haussement d'épaules indifférent, il fait signe à Bleu de prendre la chaise en face de lui. Pendant plusieurs minutes ils ne se disent rien, attendant qu'un serveur vienne prendre leur commande. Pendant ce temps ils regardent les femmes passer dans leurs robes d'été et respirent les divers parfums qui flottent dans leur sillage. Bleu n'éprouve aucun besoin de se précipiter, il se contente d'attendre le bon moment et de laisser les choses suivre leur cours. Lorsque enfin le garçon vient demander ce que désirent ces messieurs, Noir commande un Black and White avec des glaçons, ce que Bleu ne peut s'empêcher de prendre comme un message secret voulant dire que la rigolade va commencer, en même temps qu'il est ulcéré par l'effronterie de Noir, son manque de délicatesse, la vulgarité de son obsession. Pour être dans le ton, Bleu commande le même whisky. Ce faisant, il fixe Noir droit dans les yeux, mais celui-ci ne trahit rien et renvoie à Bleu un regard totalement vide, des yeux morts qui semblent dire qu'il n'y a rien derrière et que Bleu peut chercher avec autant d'acharnement qu'il voudra, il ne trouvera jamais rien.

Cette manœuvre a pourtant réussi à briser la glace et ils se mettent à comparer les mérites des diverses marques de whisky. Comme on pouvait s'y attendre, un sujet en appelle un autre et tandis qu'ils sont là, assis, à discuter de l'inconfort de l'été new-yorkais, du décor de l'hôtel, des Indiens algonquins qui vivaient ici il y a si longtemps, quand cette cité n'était que bois et champs, Bleu détermine peu à peu le personnage qu'il veut jouer ce soir, choisissant un vantard bon vivant du nom de Snow, courtier en assurances-vie à Kenosha, Wisconsin. Je dois faire l'âne, se dit Bleu, car tout en ayant conscience que Noir n'est pas dupe, il estime qu'il serait absurde de révéler qui il est. Il faut que ce soit une partie de cache-cache, pense-t-il, du cache-cache jusqu'au bout.

Après avoir fini leur premier verre ils commandent une deuxième tournée, puis une troisième, et, alors que la conversation dévie des tables actuarielles vers l'espérance de vie masculine dans diverses professions, Noir se permet une remarque qui donne à leur discussion un tour tout différent.

Je suppose, dit-il, que je ne serais pas placé très haut, sur votre liste.

Ah bon ? répond Bleu, ne sachant pas du tout ce qui va suivre. Dans quelle branche êtes-vous donc ?

Je suis détective privé, déclare Noir, carrément, avec le plus grand flegme, et pendant un petit instant Bleu a la tentation de lui jeter son verre au visage, tellement il est scandalisé, outré devant un tel toupet.

Pas possible, s'écrie Bleu, se ressaisissant vite et réussissant à feindre un étonnement de lourdaud. Détective privé. Voyez-moi ça. En chair et en os. Imaginez ce qu'elle dira, la Marie, quand je lui raconterai ça. Moi à New York en train de boire un coup avec un privé. Elle ne me croira jamais.

Ce que je veux dire, coupe Noir assez brusquement, c'est que je suppose que mon espérance de vie n'est pas très élevée. Du moins selon vos statistiques.

Probablement, continue à déblatérer Bleu. Mais il faut voir ce que ça a de fascinant ! La vie c'est quand même autre chose que de survivre longtemps, vous êtes bien d'accord. La moitié des hommes, en Amérique, donneraient dix ans de leur retraite pour vivre comme vous. Elucider des affaires, vivre d'expédients, séduire des femmes, larder les vilains de balles de plomb – bon Dieu, ça se défend, tout de même !

Tout ça n'est que du trompe-l'œil, répond Noir. Le vrai travail de détective peut être assez ennuyeux.

Bah, tout travail a sa routine, poursuit Bleu. Mais dans votre cas vous savez au moins que toutes les tâches ingrates conduiront un jour à quelque chose qui sort de l'ordinaire.

Parfois c'est vrai, parfois ça ne l'est pas. Prenez l'affaire qui m'occupe en ce moment. Ça fait déjà plus d'un an que je suis dessus et rien ne saurait être plus assommant. Je m'ennuie tellement que j'ai parfois l'impression de devenir fou.

Comment donc ?

Eh bien, voyez vous-même. Je suis chargé de surveiller quelqu'un – pour autant que je puisse en juger il ne s'agit de personne de bien particulier –, et d'envoyer un rapport chaque semaine. C'est tout. Surveiller ce mec et écrire ce que je constate. Rien de plus.

Qu'est-ce que ça a de si dur ?

Mais c'est qu'il ne fait rien. Il est là assis dans sa pièce toute la journée et il écrit. Ça suffirait à vous rendre fou.

Il se peut qu'il vous mène en bateau. Vous savez bien, qu'il vous endorme avant de passer soudain à l'action.

C'est ce que je pensais au premier abord. Mais à présent j'ai la certitude qu'il ne se passera rien – jamais. Je le ressens jusqu'à la moelle des os.

Quel dommage, déclare Bleu avec empathie. Vous devriez peut-être démissionner de cette affaire.

J'y pense. Je me dis aussi que je devrais peut-être plaquer tout ce bazar et me recaser. Dans une autre branche. Peut-être vendre des polices d'assurance ou foutre le camp et faire le pantin n'importe où.

Je ne me figurais pas que ça pouvait dégénérer à ce point-là, dit Bleu en secouant la tête. Mais, dites-moi, pourquoi n'êtes-vous pas en train de surveiller votre homme, en ce moment ? Ne devriez-vous pas le tenir à l'œil ?

C'est justement la question, répond Noir. Je n'ai même plus besoin de prendre de précautions. Je l'épie depuis si longtemps que je le connais mieux que moi-même. Il suffit que je pense à lui et aussitôt je sais ce qu'il fait, je sais où il est, je sais tout. C'en est arrivé au point que je peux le surveiller les yeux fermés.

Est-ce que vous savez où il se trouve en ce moment ?

Il est chez lui. Comme d'habitude. Il est assis dans sa chambre en train d'écrire.

Qu'est-ce qu'il écrit ?

Je n'en suis pas certain mais j'en ai une bonne idée. Je crois qu'il écrit sur lui-même. L'histoire de sa vie. C'est la seule réponse possible. Rien d'autre ne colle.

Dans ce cas, pourquoi tout ce mystère ?

Je n'en sais rien, déclare Noir, et pour la première fois sa voix trahit une émotion qui s'étend impercepti-blement aux mots.

Tout se réduit à une seule question, n'est-ce pas ? déclare Bleu en oubliant entièrement Snow et en dévi-sageant Noir. Sait-il que vous l'espionnez ou non ?

Noir se détourne, incapable de continuer à regarder Bleu, et il dit d'une voix tout à coup tremblante : Bien sûr qu'il le sait. C'est ça le nœud de l'histoire, n'est-ce pas ? Il faut qu'il soit au courant, sinon rien n'a de sens.

Pourquoi ?

Parce qu'il a besoin de moi, dit Noir, gardant toujours ses yeux ailleurs. Il a besoin de mes yeux braqués sur lui. Il a besoin de moi pour prouver qu'il est en vie.

Bleu aperçoit une larme qui coule le long de la joue de Noir, mais avant qu'il puisse dire quoi que ce soit, avant qu'il ait le temps de poursuivre son avantage jusqu'au bout, Noir se lève précipitamment et s'excuse en disant qu'il doit téléphoner. Bleu attend sur sa chaise dix ou quinze minutes, mais il sait qu'il est en train de perdre son temps. Noir ne reviendra pas. Leur conversation est terminée, et il peut rester assis là aussi longtemps qu'il voudra, rien d'autre n'aura lieu ce soir.

Bleu paie les consommations et reprend la direction de Brooklyn. Arrivé à l'angle d'Orange Street, il lève les yeux vers la fenêtre de Noir et constate que tout est noir. C'est égal, dit Bleu, il sera de retour sous peu. Nous ne sommes pas encore au bout. La fête ne fait que commencer. Attendez qu'on ouvre les bouteilles de champagne et alors on verra ce qu'il en est.

Une fois dedans, Bleu fait les cent pas, essayant de mettre au point son prochain coup. Il lui apparaît que Noir vient enfin de commettre une faute, mais il n'en est pas tout à fait sûr. Car, malgré l'évidence, Bleu ne peut pas se débarrasser du sentiment que tout cela a été monté délibérément, que Noir commence à l'inciter à agir, qu'il lui donne des indications, pour ainsi dire, et le pousse vers le but qu'il a en tête.

Pourtant, Bleu vient de réussir une percée, et pour la première fois depuis le début de l'affaire il n'est plus à la même place qu'avant. D'ordinaire Bleu fêterait ce petit triomphe, mais ce soir il n'est pas d'humeur à se féliciter. C'est surtout de la tristesse qu'il éprouve, il se sent vidé de son enthousiasme et trahi par le monde. D'une certaine façon les faits ont fini par le lâcher et il a du mal à ne pas en être affecté car il sait fort bien que quelle que soit la manière dont il se représentera l'affaire il en fera toujours partie. Puis il va jusqu'à la fenêtre, regarde de l'autre côté de la rue et voit que chez Noir les lampes sont maintenant allumées.

Il se couche sur son lit et pense : Au revoir, monsieur Blanc. Vous n'avez jamais vraiment existé, n'est-ce pas ? Il n'y a jamais eu personne qui fût Blanc. Et puis : Pauvre Noir. Pauvre âme. Pauvre inexistant réduit à néant. Et enfin, tandis que ses yeux se font lourds et que le sommeil commence à le submerger, la pensée lui vient combien il est étrange que chaque chose ait sa couleur. Tout ce que nous voyons, tout ce que nous touchons – tout ce qui est au monde a sa couleur propre. En luttant pour rester un peu plus longtemps éveillé, il commence à établir une liste. Prenez le bleu, par exemple. Il y a l'oiseau bleu des fées, le geai bleu et le héron bleu. Il y a les bleuets et les pervenches. Il y a midi sur New York. Il y a les airelles, les myrtilles et l'océan Pacifique. Il y a les bleus à l'âme, les cordons-bleus et le sang bleu. Il y a une voix qui chante le blues. L'uniforme de police de mon père. Le bleu d'Auvergne et le bleu de Prusse. Mes yeux et mon nom. Il s'arrête, soudain à court d'autres choses bleues, et passe au blanc. Il y a les mouettes, dit-il, et les sternes et les cigognes et les cacatoès. Les murs de cette pièce et les draps de mon lit. Le muguet, le lis, les pétales des marguerites. Le drapeau de la paix et la mort en Chine. Le lait de mère et le sperme. Il y a mes dents. Le blanc de mes yeux. Il y a des choux blancs, des livres blancs et des fourmis blanches. La Maison-Blanche et le mal blanc.

Il y a chauffer à blanc et saigner à blanc. Puis sans hésitation il passe au noir, en commençant par la bête noire, le marché noir et la Main noire. Il y a la nuit sur New York, dit-il. Il y a les *Black Sox* de Chicago. Les mûres et les corbeaux, le noir de fumée et les idées noires, le Mardi noir et la Mort noire. Il y a les caisses noires. Il y a mes cheveux. Il y a l'encre qui sort d'un stylo. Il y a le monde que voit un aveugle. Alors, se fatiguant à la fin de ce jeu, il commence à dériver en se disant que ça n'a pas de fin. Il s'endort, rêve de choses qui ont eu lieu jadis, et puis, au milieu de la nuit, se réveille tout à coup et se met à nouveau à arpenter la pièce en pensant à ce qu'il va faire maintenant.

Puis c'est le matin et Bleu se met au travail sur un autre déguisement. Cette fois il s'agit d'un marchand de brosses Fuller, un truc qu'il a utilisé dans le passé. Bleu, assis devant son petit miroir comme jadis un acteur de vaudeville en tournée, passe deux heures à se façonner patiemment un crâne chauve, une moustache et des plis de vieillesse autour des yeux et de la bouche. Peu après sept heures, il met en ordre sa valise à brosses et, traversant la rue, arrive à l'immeuble de Noir. Forcer la serrure de la porte d'entrée n'est pour lui qu'un jeu d'enfant de quelques secondes. En se glissant dans le hall, il ne peut s'empêcher de retrouver un peu le frisson d'autrefois. Rien de bien compliqué, se répète-t-il en gravissant l'escalier jusqu'à l'étage où habite Noir. Cette visite n'a pas d'autre but que de me permettre de jeter un coup d'œil à l'intérieur, de jauger la pièce pour en tenir compte plus tard. Pourtant, ce moment l'emplit d'une excitation qu'il n'arrive pas à refréner entièrement. Car il s'agit d'autre chose que de simplement voir la pièce, et cela il le sait – c'est la pensée d'y être lui-même, de se trouver entre ces quatre murs et de respirer le même air que Noir. Désormais, estime-t-il, tout ce qui se produira affectera tout le reste. La porte s'ouvrira, et ensuite Noir sera à l'intérieur de Bleu pour toujours.

Il frappe, la porte s'ouvre, et il n'y a soudain plus de distance, la chose et la pensée de la chose ne sont plus qu'une seule et même entité. Puis c'est Noir qui est là, debout dans l'embrasure de la porte avec, dans sa main droite, un stylo décapuchonné, comme s'il avait été interrompu dans son travail. Pourtant, il y a dans son regard quelque chose qui dit à Bleu qu'il l'attendait, qu'il s'est résigné à la dure vérité, mais il semblerait à présent que ça lui soit devenu égal.

Bleu se lance dans son boniment sur les brosses, montrant la valise du doigt, s'excusant, demandant à être reçu, tout cela sans reprendre haleine, avec ce ton de voix frénétique de vendeur qu'il a déjà pratiqué un millier de fois. Calmement, Noir le fait entrer en déclarant qu'une brosse à dents pourrait l'intéresser, et, tandis qu'il franchit le seuil, Bleu continue son laïus sur les brosses à cheveux et à habits, n'importe quoi pourvu que se poursuive le flot de paroles derrière lequel il reste assez disponible pour bien repérer la pièce, observer ce qui peut l'être et réfléchir tout en détournant Noir de son véritable objectif.

La chambre ressemble assez à ce que Bleu s'était imaginé, bien qu'elle soit peut-être plus austère. Rien sur les murs, par exemple, ce qui l'étonne un peu car il avait toujours pensé qu'il y aurait un tableau ou deux, une quelconque image pour briser la monotonie, un paysage, peut-être, ou le portrait de quelqu'un que Noir a aimé jadis. Bleu avait toujours eu envie de savoir quelle serait cette image car il pensait qu'elle fournirait un indice précieux. Mais en s'apercevant qu'il n'y a rien, il comprend que c'est à cela qu'il aurait toujours dû s'attendre. A part cela, il trouve vraiment peu de choses qui aillent à l'encontre de ses suppositions antérieures. C'est exactement la cellule monacale qu'il avait envisagée : le petit lit bien fait dans le coin, la kitchenette dans un autre, le tout d'une propreté immaculée, sans une miette qui traîne. Puis, au centre de la pièce, en face de la fenêtre, la table en bois à dossier droit. Des crayons, des stylos, une machine à écrire. Une commode, une table de chevet, une lampe. Contre le mur du côté nord une bibliothèque avec peu de livres : *Walden*, *Feuilles d'herbe*, *Contes deux fois contés*, et quelques autres. Pas de téléphone, pas de radio, pas de magazines. Sur la table, bien empilées près du bord, des feuilles de papier en tas : vierges ou noircies, remplies à la machine ou à la main. Des centaines de pages, voire des milliers. On ne peut pourtant pas appeler ça une vie, pense Bleu. En fait ça n'a pas de nom. C'est un nulle part, le territoire qu'on trouve au bout du monde.

Ils passent les brosses à dents en revue et Noir finit par en choisir une rouge. Ils se mettent ensuite à examiner les diverses brosses à habits. Bleu en fait la démonstration sur son propre costume. Pour quelqu'un d'aussi soigné que vous, déclare Bleu, il me semble que ça devrait être indispensable. Mais Noir répond que jusqu'à présent il s'est débrouillé sans en avoir. En revanche, une brosse à cheveux pourrait l'intéresser. Ils explorent donc les ressources de la valise de démonstration, comparant les formes et les tailles, les diverses qualités de soie, etc. Bien entendu, Bleu a déjà terminé ce qui constitue son véritable travail, mais il continue son jeu car il veut bien faire les choses, même si ça n'a pas d'importance. Pourtant, lorsque Noir a payé ses brosses, Bleu ne résiste pas à l'envie de lui décocher une petite remarque en même temps qu'il range sa valise. Il semble que vous soyez écrivain, déclare-t-il en désignant la table d'un geste. Noir répond qu'en effet, c'est exact, il est écrivain.

Ça a l'air d'un gros livre, poursuit Bleu.

Oui, dit Noir. J'y travaille depuis un bon nombre d'années.

Vous êtes près de la fin ?

J'y arrive, déclare Noir pensivement. Mais parfois il est difficile de savoir où on en est. Je crois avoir presque terminé et puis je me rends compte que j'ai omis quelque chose d'important. Il faut alors que je revienne au début. Mais oui, je rêve pourtant de le finir un jour. Un jour peut-être proche.

J'espère avoir l'occasion de le lire, dit Bleu.

Tout est possible. Mais il faut d'abord que je le finisse. Il y a des jours où je me demande même si je vivrai assez longtemps.

Eh oui, on ne sait jamais, n'est-ce pas ? fait Bleu en approuvant philosophiquement de la tête. Un jour on est en vie et le lendemain on est mort. Ça nous arrive à tous.

Parfaitement vrai, dit Noir. Ça nous arrive à tous.

Ils se tiennent debout près de la porte. Quelque chose en Bleu veut continuer à énoncer des niaiseries de ce genre. C'est drôle de faire le bouffon, remarque-t-il, mais en même temps il se sent poussé à jouer au chat et à la souris avec Noir, à lui démontrer que rien ne lui a échappé. Car, au fond, Bleu veut que Noir sache qu'il est aussi malin que lui et que son esprit peut se mesurer au sien à n'importe quel moment. Bleu arrive pourtant à se refréner et à tenir sa langue. Il incline poliment la tête en remerciement pour les achats, puis il s'en va. Ainsi finit le marchand de brosses Fuller qui, une heure plus tard, disparaît dans le vieux sac où reposent les restes de Jimmy Rose. Bleu sait qu'il n'aura pas besoin de déguisement. L'étape suivante est devenue inévitable ; seul importe désormais le choix du moment opportun.

Or, trois soirs plus tard, au moment où l'occasion se présente enfin, Bleu s'aperçoit qu'il a peur. Noir sort à neuf heures, longe la rue et disparaît à l'angle. C'est un signal direct, et Bleu le sait, de même qu'il comprend que par là Noir l'implore pratiquement de passer à l'action, mais il a pourtant le sentiment qu'il pourrait s'agir d'un traquenard. Et c'est en cet instant, le dernier possible (alors qu'une minute plus tôt il était plein de confiance et se vautrait presque dans la sensation de son propre pouvoir), qu'il retombe dans les affres du doute de soi. Pourquoi devrait-il tout à coup faire confiance à Noir ? Où est donc la raison qui pourrait lui faire croire qu'ils travaillent désormais du même côté ? Comment cela s'est-il produit, et pourquoi se trouve-t-il encore en train d'obéir obséquieusement au moindre appel de Noir ? Puis, sans prétexte apparent, il se met à envisager une autre possibilité. Et s'il s'en allait, tout simplement ? S'il se levait, prenait la porte et laissait choir tout ce bazar ? Il y réfléchit un instant, il retourne en pensée cette éventualité et petit à petit commence à trembler, submergé par la terreur et le bonheur, comme un esclave débouchant par hasard sur une vision de sa liberté. Il s'imagine ailleurs, loin d'ici, en train de marcher dans les bois, une hache se balançant sur son épaule. Seul et libre, s'appartenant enfin. Il referait sa vie depuis le début, comme un exilé, un pionnier, un pèlerin du Nouveau Monde. Mais il ne va pas plus loin. Car, dès qu'il se met à parcourir ces forêts au milieu de nulle part, il sent que Noir y est aussi, qu'il se cache derrière un arbre, qu'il s'approche sous le couvert de quelque fourré, guettant le moment où Bleu s'allongera et fermera les yeux pour se glisser jusqu'à lui et lui trancher la gorge. Ça continue sans arrêt, se dit Bleu. S'il ne s'occupe pas de Noir dès maintenant, ça ne finira jamais. C'est ce que les anciens appelaient le destin et tout héros doit s'y soumettre. On n'a pas le choix et s'il y a une chose à faire c'est uniquement celle qui ne donne pas le choix. Bleu renâcle à l'admettre : il lutte, il refuse, son cœur se soulève. Mais c'est seulement parce qu'il sait déjà tout, et que combattre ce savoir revient à l'avoir déjà accepté, que vouloir dire non c'est déjà dire oui. Bleu en arrive ainsi à décrire graduellement un cercle complet et finit par céder à la nécessité de ce qui doit s'accomplir. Ce qui ne signifie nullement qu'il n'ait pas peur. Dès lors, en effet, il n'y a qu'un mot pour rendre compte de Bleu, et ce mot est celui de peur.

Il a perdu un temps précieux et il doit à présent se précipiter dans la rue en espérant fiévreusement qu'il n'est pas trop tard. Noir ne va pas rester éternellement dehors, et qui sait s'il n'est pas à l'affût, à l'angle, en attendant le moment de se ruer à l'attaque ? Bleu gravit à la course le perron de l'immeuble de Noir, force la serrure de la porte d'entrée avec des gestes maladroits, regardant sans cesse par-dessus son épaule, puis monte l'escalier jusque chez Noir. La deuxième serrure lui résiste davantage que la première, bien qu'en théorie elle soit plus simple à crocheter, qu'elle ne présente pas de difficulté, même pour le débutant le plus inexpérimenté. Sa gaucherie montre à Bleu qu'il perd sa maîtrise, qu'il laisse les choses l'enfoncer ; mais, bien qu'il en ait conscience, il ne peut guère faire mieux que de tenir bon et d'espérer que ses mains vont arrêter de trembler. Mais ça va de mal en pis et, dès l'instant où il met le pied dans le studio de Noir, il sent que tout s'obscurcit en lui-même comme si la nuit le pénétrait par les pores de sa peau et pesait sur lui de toute son énorme masse. En même temps il lui semble que sa tête s'enfle, s'emplit d'air, qu'elle est sur le point de se détacher de son corps et de partir en flottant. Il fait un pas de plus dans la pièce avant de sombrer dans le noir et de s'écrouler sur le plancher comme un homme mort.

Sa montre s'est arrêtée dans la chute, et lorsqu'il revient à lui il ne sait pas combien de temps il est resté évanoui. D'abord vaguement conscient, il a la sensation d'avoir déjà été en ce lieu, il y a fort longtemps, peut-être. En voyant les rideaux qui volettent devant la fenêtre ouverte et les ombres qui gesticulent bizarrement au plafond, il a l'impression d'être couché chez lui, dans la maison familiale lorsqu'il était petit garçon, et il s'imagine qu'en écoutant assez fort il pourra entendre les voix de son père et de sa mère qui parlent tranquillement dans la pièce à côté. Mais cela ne dure qu'un moment. Il commence à ressentir la douleur dans sa tête, à éprouver au niveau du ventre une pénible sensation de nausée, et puis, lorsqu'il se rend compte où il est, il se met à revivre la panique qui s'est emparée de lui lorsqu'il est entré dans la pièce. Il se relève en chancelant, non sans avoir d'abord trébuché deux ou trois fois, puis il se dit qu'il lui est impossible de rester là, qu'il lui faut partir, oui, et même tout de suite. Il s'agrippe au bouton de porte lorsque, se souvenant soudain de ce qui l'a poussé ici, il tire vivement la lampe de poche et la promène en zigzag autour de la pièce jusqu'à ce que par hasard le rayon de lumière tombe sur une pile de papiers soigneusement entassés au bord du bureau de Noir. Sans y réfléchir à deux fois, Bleu ramasse les feuillets de sa main libre en se disant que ça n'a pas d'importance, ce sera un début, puis il revient vers la porte.

Rentré dans son studio de l'autre côté de la rue, Bleu se verse un verre d'eau-de-vie, s'assoit sur son lit et s'ordonne de rester calme. Il boit l'alcool par petites gorgées puis se remplit un autre verre. A mesure que sa panique s'apaise, c'est une sensation de honte qui l'envahit. Il a bousillé son affaire, se dit-il, en gros comme en détail. Pour la première fois de sa vie il n'a pas été à la hauteur du moment, et il en éprouve un véritable choc car il se voit comme un raté et réalise qu'il n'est au fond qu'un poltron.

Il prend alors les feuilles qu'il a volées, espérant fuir ces pensées. Mais le problème ne fait que s'aggraver car, dès qu'il commence à lire, il s'aperçoit que ces papiers ne sont rien d'autre que les rapports qu'il a lui-même rédigés. Les voilà, l'un après l'autre, ces comptes rendus hebdomadaires, écrits noir sur blanc, dénués de sens et de parole, aussi éloignés de la vérité de l'affaire que l'aurait été le simple silence. A leur vue, Bleu commence par gémir, se repliant au fond de lui-même. Ensuite, devant ce qu'il trouve, il se met à rire, d'abord faiblement, puis avec force et de plus en plus bruyamment jusqu'à ce qu'il perde souffle et suffoque presque comme s'il voulait s'annihiler une fois pour toutes. Prenant les feuilles fermement dans sa main il les jette au plafond et regarde le tas se désagréger, se disperser et retomber en voltigeant, une saleté de page après l'autre.

Il n'est pas certain que Bleu se remette vraiment des événements de cette nuit. Même s'il y parvient, on doit noter qu'il lui faut plusieurs jours avant de recouvrer un semblant de son identité antérieure. Entre-temps il ne se rase pas, ne change pas de vêtements, ne bouge pas de sa pièce. Quand vient le jour de rédiger son rapport, il n'en prend pas la peine. C'est fini, à présent, dit-il en balançant un coup de pied à l'un des anciens comptes rendus épars sur le plancher. Plutôt crever qu'écrire encore un de ces machins.

La plupart du temps, soit il reste allongé sur le lit, soit il arpente le studio. Il regarde les diverses images qu'il a punaisées sur les murs depuis le début de l'affaire, les examinant tour à tour et se concentrant sur chacune aussi longtemps qu'il peut avant de passer à la suivante. Il y a là le médecin légiste de Philadelphie, Doré, avec le masque mortuaire du petit garçon. Puis une montagne couverte de neige avec, dans l'angle supérieur droit de la photo, un cartouche montrant le skieur français au visage encadré par une petite boîte. Ensuite le pont de Brooklyn et, à côté, les deux Roebling, père et fils. Il y a le père de Bleu, cette fois en costume de ville, debout, un bras passé autour de la mère de Bleu. C'est au début de leur mariage et ils font tous les deux un beau sourire devant l'appareil. Il y a une photo de Brun, le bras passé autour de Bleu, devant leur bureau, le jour où Bleu a été promu associé. Au-dessous, un instantané de Jackie Robinson le montre en train de glisser en deuxième base. A côté, un portrait de Walt Whitman. Enfin, immédiatement à gauche du poète, une photo de Robert Mitchum découpée dans un magazine de fans : il tient un pistolet à la main et il a l'air d'attendre que le monde lui dégringole dessus. Il n'y a pas de photo de l'ex-future Mme Bleu, mais chaque fois que Bleu passe en revue sa petite galerie il s'arrête devant un certain endroit vide sur le mur et fait semblant qu'elle s'y trouve elle aussi.

Pendant plusieurs jours, Bleu ne prend pas la peine de regarder par la fenêtre. Il s'est tellement enfermé dans ses propres pensées que Noir paraît ne plus être là. Il n'y a plus qu'un drame, celui de Bleu, et si Noir dans un certain sens en est la cause, on pourrait dire qu'il a déjà joué son rôle, récité son texte et qu'il a quitté la scène. Car à ce stade Bleu ne peut plus accepter l'existence de Noir ; par conséquent il la nie. Après avoir pénétré dans la chambre de Noir, après y avoir été seul, après s'être trouvé pour ainsi dire dans le Saint des Saints de la solitude de Noir, il ne peut répondre à l'obscurité de ce moment autrement qu'en le remplaçant par sa propre solitude. Entrer dans Noir était donc l'équivalent d'entrer en lui-même, et une fois parvenu à l'intérieur de lui-même il ne peut plus concevoir d'être ailleurs. Or, c'est précisément là que se trouve Noir, même si Bleu n'en sait rien.

C'est ainsi qu'un après-midi, apparemment par hasard, Bleu s'approche un peu plus de la fenêtre qu'il ne l'a fait en bien des jours. Il s'y arrête et puis, comme pour sacrifier au bon vieux temps, il écarte les rideaux et regarde dehors. Ce qu'il voit en premier c'est Noir – pas dans son studio, mais assis sur les marches d'entrée de son immeuble et les yeux levés vers la fenêtre de Bleu. A-t-il donc fini ? se demande Bleu. Cela veut-il dire que c'est terminé ?

Bleu va chercher ses jumelles au fond de la pièce et revient à la fenêtre. Il met au point sur Noir dont il étudie le visage pendant plusieurs minutes : d'abord une partie, puis une autre, les yeux, les lèvres, le nez et ainsi de suite, démontant la figure pour la remonter ensuite. Il est touché par l'intensité de la tristesse de Noir, par la façon dont ses yeux, tournés vers lui, paraissent dénués d'espérance, et, malgré lui, Bleu est tellement pris au dépourvu par ce spectacle qu'il sent monter en lui une certaine compassion, une bouffée de pitié pour cette figure désolée de l'autre côté de la rue. Ce n'est pourtant pas ce qu'il voudrait, non, il souhaiterait avoir le courage de charger son pistolet, de viser Noir et de lui envoyer une balle dans la tête. Noir ne saurait jamais ce qui l'a frappé, se dit Bleu, il serait au ciel avant même de toucher terre. Mais à peine Bleu a-t-il mentalement répété cette petite scène qu'elle le fait reculer. Non, ce n'est pas du tout ce qu'il désire. Mais alors, quoi ? Luttant toujours contre l'émergence d'une certaine tendresse, se répétant qu'il veut qu'on le laisse en paix, qu'il ne cherche que le calme et la tranquillité, il réalise progressivement que depuis plusieurs minutes il reste planté là à se demander s'il n'y a pas moyen d'aider Noir, s'il ne lui est pas possible de lui tendre amicalement la main. Cela changerait sans doute les données, la situation en serait certainement renversée. Et pourquoi pas ? Pourquoi ne pas faire ce à quoi on ne s'attend pas ? Frapper à la porte et effacer toute l'histoire n'est pas une chose moins absurde que les autres. Car le fait est que Bleu a été vidé de sa pugnacité. Il n'a plus les tripes pour se battre. Et, selon toutes les apparences, Noir est dans le même cas. Il suffit de le voir, se dit Bleu. C'est l'être le plus pitoyable au monde. Alors, au moment où il prononce ces mots, il comprend qu'il parle aussi de lui-même.

Longtemps après que Noir a quitté les marches, qu'il s'est retourné et qu'il est entré dans l'immeuble, Bleu continue de fixer des yeux l'emplacement vide. Une ou deux heures avant le crépuscule, il finit par s'arracher à la fenêtre. Il voit alors le désordre qu'il a laissé s'installer dans sa pièce et il passe l'heure qui suit à tout remettre en place – faire la vaisselle et le lit, ranger ses vêtements, ôter les vieux rapports du plancher. Puis il va dans la salle de bains, prend une longue douche, se rase, et met des habits propres en choisissant pour l'occasion son plus beau costume bleu. Pour lui, tout est différent, à présent, soudainement et irrévocablement différent. Il n'y a plus de craintes, plus de tremblements. Il ne lui reste qu'une assurance tranquille, la sensation que ce qu'il va faire est juste.

Peu après la tombée de la nuit il ajuste une dernière fois sa cravate devant le miroir, puis il quitte le studio, sort, traverse la rue et entre dans l'immeuble de Noir. Il sait que Noir est là, puisqu'une petite lampe est allumée dans sa pièce, et en gravissant l'escalier il essaie d'imaginer l'expression que prendra le visage de Noir lorsqu'il lui dira ce qu'il a en tête. Il frappe deux fois sur la porte, très poliment, et entend alors à l'intérieur la voix de Noir : La porte est ouverte. Entrez.

Il est difficile d'établir exactement ce à quoi s'attendait Bleu, mais en tout cas ce n'est pas cela, pas ce sur quoi il bute en pénétrant dans la pièce. Noir est là, assis sur son lit, et il porte à nouveau le masque, celui que Bleu a vu au bureau de poste. Dans sa main droite il tient un revolver, un trente-huit qui, de si près, peut déchiqueter un homme : il le braque directement sur Bleu. Bleu se fige sur place sans dire une parole. Au temps pour mon idée d'enterrer la hache de guerre, pense-t-il. Au temps pour ce qui est de renverser la situation.

Prenez cette chaise, Bleu, lance Noir en désignant de son revolver la chaise en bois du bureau. Bleu n'a pas le choix et s'assoit donc en face de Noir, mais trop loin pour pouvoir se jeter sur lui, et il est dans une position trop maladroite pour pouvoir intervenir contre l'arme à feu.

Je vous attendais, déclare Noir. Je suis content que vous soyez enfin arrivé.

C'est la moindre des choses, répond Bleu.

Ça vous surprend ?

Pas vraiment. Du moins pas de vous. Je m'étonne moi-même, peut-être – mais seulement d'être aussi bête. Voyez-vous, j'étais venu ce soir en toute amitié.

Mais bien sûr, répond Noir d'une voix légèrement moqueuse. Bien sûr, nous sommes amis. Nous sommes amis depuis le début, n'est-ce pas ? Les meilleurs amis.

Si c'est votre façon de traiter vos amis, déclare Bleu, alors j'ai de la chance de ne pas être l'un de vos ennemis.

Très drôle.

En effet, je suis M. Rigolo en personne. Vous pouvez vous attendre à de la rigolade quand je suis dans le coin.

Et le masque – vous n'allez pas m'interroger sur le masque ?

Je ne vois pas pourquoi. Si vous voulez porter ce machin, ce n'est pas mon problème.

Mais c'est vous qui l'avez devant les yeux, non ?

Pourquoi poser des questions dont vous connaissez la réponse ?

Il est grotesque, ne trouvez-vous pas ?

Bien sûr, il est grotesque.

Il fait peur quand on le voit.

Oui, très peur.

Bien. Je vous aime bien, Bleu. J'ai toujours su que vous étiez l'homme qu'il me fallait. Un homme selon mon cœur.

Si vous vous absteniez de brandir ce pistolet, je pourrais peut-être avoir les mêmes sentiments à votre égard.

Désolé, je ne peux pas. C'est trop tard.

Ce qui veut dire ?

Que je n'ai plus besoin de vous, Bleu.

Ce n'est peut-être pas si facile que ça de se débarrasser de moi, voyez-vous. C'est vous qui m'avez entraîné là-dedans et maintenant vous êtes coincé avec moi.

Non, Bleu, vous vous trompez. Tout est fini, maintenant.

Parlez clairement.

C'est terminé. Le dernier acte est joué. Il n'y a plus rien à faire.

Depuis quand ?

Depuis maintenant. Depuis ce moment.

Vous avez perdu l'esprit.

Non, Bleu. S'il y a une chose que j'ai c'est bien mon esprit, et j'en ai même trop. Il m'a bouffé et maintenant il ne reste plus rien. Mais vous êtes au courant, Bleu, vous savez tout cela mieux que quiconque.

Dans ce cas, pourquoi n'appuyez-vous pas sur la gâchette ?

Quand je serai prêt, je le ferai.

Et puis vous sortirez en laissant mon cadavre sur le plancher ? Ça m'étonnerait.

Oh non, Bleu, vous n'y êtes pas. Ça va être nous deux ensemble, comme toujours.

Mais vous oubliez quelque chose, n'est-ce pas ?

Quoi donc ?

Vous êtes censé me raconter l'histoire. N'est-ce pas ainsi que ça doit finir ? Vous me racontez l'histoire et puis adieu.

Vous la connaissez déjà, Bleu. Ne comprenez-vous donc pas cela ? Vous connaissez l'histoire par cœur.

Alors, pourquoi vous êtes-vous donné cette peine ?

Ne posez pas de questions idiotes.

Et moi – j'étais là pour quoi ? Pour un effet de diversion comique ?

Non, Bleu, j'ai eu besoin de vous dès le départ. Sans vous, je n'aurais pas pu le faire.

Besoin de moi pour quoi ?

Pour me rappeler ce que je devais accomplir. Chaque fois que je levais les yeux, vous étiez là, en train de m'observer ou de me suivre, toujours en vue, en train de me percer de vos yeux. Pour moi vous étiez le monde, Bleu, et j'ai fait de vous ma propre mort. Vous êtes la seule chose qui ne change pas, la seule chose qui retourne tout.

Et maintenant il ne reste rien. Vous avez rédigé votre mot de suicide et c'est la fin.

Exactement.

Vous êtes un imbécile. Vous êtes un misérable, un pauvre imbécile.

Je le sais. Mais pas plus qu'un autre. Est-ce vous qui du haut de votre chaise allez me dire que vous êtes plus malin que moi ? Au moins je sais ce que j'ai fait. J'avais mon boulot et je l'ai mené à bien. Mais vous, Bleu, vous êtes dans les choux. Vous avez été paumé dès le premier jour.

Pourquoi n'appuyez-vous pas sur la gâchette, alors, espèce de sale con ? lance Bleu en se levant d'un seul coup et en se battant la poitrine de rage, mettant Noir au défi de le tuer. Pourquoi ne tirez-vous pas pour en finir ?

Bleu fait un pas vers Noir et, comme la balle ne vient pas, il en fait un autre, puis un autre, hurlant à l'homme au masque de tirer, ne se souciant plus de vivre ou de mourir. L'instant suivant il est contre lui. Sans hésiter il fait sauter d'un coup le revolver de la main de Noir, l'agrippe au collet et le met violemment sur ses pieds. Noir tente de résister, de lutter, mais il n'est pas de taille à s'opposer à Bleu rendu fou par la passion de la colère, comme changé en quelqu'un d'autre, et lorsque les premiers coups se mettent à pleuvoir sur son visage, son ventre, son aine, Noir ne peut rien faire. Peu après il gît par terre sans connaissance, ce qui n'empêche pas Bleu de poursuivre ses violences, de frapper Noir inconscient à coups de pied, de le soulever et de lui cogner la tête contre le plancher, de lui cribler le corps de coups de poing. A la fin, lorsque la fureur de Bleu commence à faiblir et qu'il voit ce qu'il a fait, il ne saurait dire au juste si Noir est encore en vie. Lui débarrassant le visage de son masque, il met l'oreille sur la bouche de Noir pour écouter sa respiration. Il croit entendre quelque chose sans pouvoir juger si ça provient de Noir ou de lui-même. S'il est en vie, estime Bleu, ce n'est plus pour longtemps. Et s'il est mort, ainsi soit-il.

Bleu se lève, son costume tout déchiré. Il rassemble alors les pages du manuscrit de Noir sur le bureau, ce qui lui prend plusieurs minutes. Lorsqu'il a toutes les feuilles, il éteint la lampe dans l'angle sans prendre la peine d'accorder à Noir un dernier regard.

Il est minuit passé lorsque Bleu regagne sa chambre de l'autre côté de la rue. Il pose le manuscrit sur la table, passe dans la salle de bains et lave le sang sur ses mains. Puis il change de vêtements, se verse un verre de whisky et s'assoit à sa table devant le livre de Noir. Le temps presse. Ils seront là avant qu'il ait pu se retourner, et alors ça va lui coûter cher. Il arrive pourtant à ne pas laisser cette pensée le distraire du travail qu'il a devant lui.

Il lit toute l'histoire, sans sauter un mot d'un bout à l'autre. Lorsqu'il a fini, l'aurore est arrivée et la chambre a commencé à s'éclairer. Il entend un oiseau qui chante, des pas le long de la rue, une voiture qui traverse le pont de Brooklyn. Noir avait raison, se dit-il. Je la connaissais par cœur.

Mais l'histoire n'est pas encore terminée. Reste le moment final qui ne viendra pas avant que Bleu ait quitté la pièce. Ainsi va le monde : pas un instant de plus, pas un instant de moins. Lorsque Bleu se lèvera de sa chaise, mettra son chapeau et passera la porte, ce sera la fin.

Où il se rendra ensuite n'a pas d'importance. Car nous devons nous rappeler que tout cela a eu lieu il y a plus de trente ans, à l'époque de notre plus tendre enfance. Tout est donc possible. Quant à moi, j'aime mieux penser qu'il est parti très loin, qu'il est monté dans un train ce matin-là et qu'il est allé dans l'Ouest pour refaire sa vie. Il est même possible que l'Amérique n'ait pas été le point final de son voyage. Dans mes rêves secrets, j'aime imaginer Bleu en train de réserver une place sur un bateau et voguant vers la Chine. Disons donc que c'est la Chine, et tenons-nous-en là. Car voici le moment où Bleu se lève de sa chaise, met son chapeau et passe la porte. Et à partir de ce moment, nous ne savons plus rien.

LA CHAMBRE DÉROBÉE

1

Il me semble maintenant que Fanshawe a toujours été là. C'est lui *le lieu* où tout commence pour moi, et sans lui c'est à peine si je saurais qui je suis. Nous nous sommes connus avant de savoir parler, bébés emmaillotés de couches qui rampaient dans l'herbe, et nous n'avions pas sept ans qu'en nous piquant les doigts avec des aiguilles nous étions devenus frères de sang pour la vie. Dès que je pense à mon enfance, à présent, je vois Fanshawe. C'était lui qui était avec moi, celui qui partageait mes pensées, celui qui m'apparaissait chaque fois que j'élevais mes regards au-dessus de moi.

Mais c'était il y a longtemps. Nous avons grandi, nous sommes partis pour des lieux différents, nous avons dérivé loin l'un de l'autre. Il n'y a là rien de très étrange, me semble-t-il. Nos vies nous emportent selon des modes que nous ne pouvons maîtriser, et presque rien ne nous reste. Ce presque rien meurt avec nous et la mort est quelque chose qui nous arrive chaque jour.

Voilà sept ans en novembre que j'ai reçu une lettre d'une femme nommée Sophie Fanshawe. "Vous ne me connaissez pas, commençait sa missive, et je m'excuse de vous écrire ainsi à l'improviste. Mais il s'est passé bien des choses et en tout cas je n'ai guère le choix." Il s'avéra que c'était la femme de Fanshawe. Elle savait que j'avais grandi avec son mari et aussi que j'habitais New York car elle avait lu un bon nombre des articles que j'avais publiés dans des revues.

L'explication venait au deuxième paragraphe, très directement et sans aucun préambule. Fanshawe avait disparu, écrivait-elle, la dernière fois qu'elle l'avait vu remontait à plus de six mois. Pas un mot pendant tout ce temps, pas la moindre indication de l'endroit où il pouvait être. La police n'en avait trouvé aucune trace et le détective privé qu'elle avait engagé pour le rechercher était resté bredouille. Il n'y avait rien de sûr, mais les faits semblaient parler d'eux-mêmes : Fanshawe était probablement mort, il était vain de croire qu'il reviendrait. En considération de quoi il y avait quelque chose d'important dont elle devait m'entretenir, et elle se demandait si j'accepterais de la voir.

Cette lettre produisit en moi toute une série de petits chocs. Elle me donnait trop d'informations à intégrer d'un seul coup ; trop de forces me tiraient à hue et à dia. Fanshawe avait soudain surgi du néant pour réapparaître dans ma vie. Or, à peine avait-on mentionné son nom qu'il s'évanouissait à nouveau. Il était marié, il avait vécu à New York – et je ne savais plus rien de lui. Je me sentis égoïstement blessé à la pensée qu'il ne s'était pas soucié de prendre contact avec moi. Un coup de téléphone, une carte postale, un verre pour retrouver le bon vieux temps – ce n'aurait pas été difficile à réaliser. Mais la faute m'en incombait tout autant. Si j'avais voulu le retrouver, j'aurais facilement pu demander à sa mère, puisque je savais où elle habitait. En réalité, j'avais laissé filer Fanshawe. Sa vie s'était arrêtée à l'instant où nous étions partis, chacun de son côté, et pour moi, il appartenait maintenant au passé, pas au présent. C'était un spectre que je trimbalais à l'intérieur de moi-même, une fiction préhistorique, une chose qui avait perdu sa réalité. Je m'efforçai de me souvenir de la dernière fois que je l'avais vu, mais rien n'était clair. Mon esprit vagabonda pendant plusieurs minutes puis s'arrêta brusquement, se fixant sur le jour de la mort de son père. Nous étions alors au lycée et ne pouvions pas avoir plus de dix-sept ans.

Je téléphonai à Sophie Fanshawe et lui dis que je serais heureux de la voir dès que ça lui conviendrait. Nous choisîmes le lendemain et elle parut reconnaissante bien que je lui eusse expliqué que je n'avais pas entendu parler de Fanshawe et n'avais pas la moindre idée de l'endroit où il était.

Elle vivait dans un bâtiment de brique rouge à Chelsea, un vieil immeuble sans ascenseur avec des cages d'escalier sinistres et de la peinture écaillée sur les murs. Je montai les cinq étages accompagné par les bruits de postes de radio, de disputes et de chasses d'eau en provenance des appartements que je dépassais. Je fis une pause pour reprendre souffle et je frappai. Un œil regarda à travers le judas, il y eut un cliquetis de verrous tournés, puis Sophie Fanshawe apparut devant moi avec un petit bébé sur le bras gauche. Tandis qu'elle me souriait et m'invitait à entrer, le bébé lui tira ses longs cheveux bruns. Elle esquiva doucement cette attaque, puis, prenant l'enfant à deux mains, elle le plaça face à moi. Voici Ben, dit-elle, le fils de Fanshawe ; il n'était âgé que de trois mois et demi. Je fis semblant d'admirer le bébé qui agitait ses bras et dont la salive blanchâtre dégoulinait sur le menton, mais la mère m'intéressait davantage. Fanshawe avait eu de la chance. Cette femme était belle, avec des yeux sombres et intelligents, presque farouches dans leur fermeté. Elle était mince, un peu plus grande que la moyenne, et son attitude avait quelque chose de lent qui la rendait à la fois sensuelle et attentive, comme si elle regardait le monde du plus profond d'une vigilance intérieure. Jamais un homme n'aurait quitté cette femme de son plein gré – surtout pas au moment où elle allait avoir son enfant. De cela au moins j'étais certain. Avant même d'avoir mis le pied dans l'appartement j'avais la conviction que Fanshawe devait être mort.

C'était un petit appartement de quatre pièces en enfilade, meublé avec parcimonie. Une des pièces était réservée aux livres et au bureau, une autre servait de séjour et les deux dernières de chambres à coucher. L'endroit était bien tenu, miteux quand on s'arrêtait aux détails, mais ne manquant pas au total de confort. A défaut d'autre chose il prouvait que Fanshawe n'avait pas passé son temps à gagner de l'argent. Mais je n'étais pas du genre à faire la fine bouche devant ce côté miteux. Mon propre appartement était encore plus sombre et étriqué que celui-ci, et je savais ce qu'il en coûtait de se battre mois après mois pour rassembler l'argent du loyer.

Sophie Fanshawe m'offrit une chaise, me prépara une tasse de café puis s'assit sur le canapé bleu râpé. Tenant son bébé sur les genoux, elle me conta l'histoire de la disparition de Fanshawe.

Ils s'étaient connus à New York trois ans plus tôt. Au bout d'un mois ils avaient emménagé ensemble, et moins d'une année plus tard ils s'étaient mariés. Fanshawe n'était pas un homme avec qui la vie était facile, dit-elle, mais elle l'aimait et rien dans le comportement de Fanshawe n'avait jamais indiqué qu'il ne l'aimait pas de son côté. Ensemble ils avaient été heureux ; Fanshawe s'était réjoui à l'idée de la naissance du bébé ; entre eux il n'y avait pas de tirage. Un jour d'avril il lui avait dit qu'il se rendait dans le New Jersey pour voir sa mère et il n'était pas revenu. Lorsque Sophie téléphona à sa belle-mère ce soir-là, elle découvrit que Fanshawe n'y était pas allé. Rien de tel n'avait eu lieu auparavant, mais Sophie décida de patienter. Elle ne voulait pas être une de ces femmes qui paniquent dès que leur mari n'est pas à l'heure et elle savait que Fanshawe avait besoin de plus d'espace respirable que la plupart des hommes. Elle résolut même de ne pas lui poser de questions lorsqu'il rentrerait. Mais une semaine passa, puis une autre, et c'est alors, seulement, qu'elle se rendit au commissariat. Comme elle s'y attendait, les policiers ne se montrèrent pas exagérément concernés par son problème. Sauf en cas de crime apparent, ils ne pouvaient pas faire grand-chose. Car c'est tous les jours que des maris abandonnent leur femme et la plupart d'entre eux ne tiennent pas à ce qu'on les retrouve. Après s'être livrés à quelques investigations de routine les policiers se déclarèrent bredouilles et suggérèrent à Sophie d'engager un détective privé. Avec l'aide de sa belle-mère qui avait proposé de payer les frais, elle engagea un dénommé Quinn qui travailla d'arrache-pied sur l'affaire cinq ou six semaines, mais rendit son tablier parce qu'il ne voulait pas continuer à leur prendre de l'argent pour rien. Il déclara à Sophie que selon toute vraisemblance Fanshawe n'avait pas quitté le pays, mais il ne pouvait pas affirmer qu'il fût vivant, ni d'ailleurs qu'il fût mort. Quinn n'était pas un charlatan. Sophie le jugea sympathique, c'était un homme qui avait un désir sincère de lui venir en aide, et lorsqu'il lui rendit visite pour la dernière fois elle comprit qu'il était impossible de s'opposer raisonnablement à son verdict. Il n'y avait rien à faire. Si Fanshawe avait décidé de la quitter, il ne se serait pas esquivé sans un mot. Ça ne lui ressemblait pas de se défiler devant la vérité, de reculer devant des confrontations désagréables. Sa disparition ne pouvait donc avoir qu'une seule signification : il lui était arrivé quelque chose de terrible.

Sophie continuait pourtant à espérer du nouveau. Elle avait lu qu'il existait des cas d'amnésie et pendant quelque temps une idée la hanta comme une issue désespérée : celle de Fanshawe titubant quelque part sans savoir qui il était, dépouillé de sa vie et pourtant vivant, peut-être sur le point de revenir à lui d'un instant à l'autre. D'autres semaines passèrent jusqu'à ce qu'approche le terme de sa grossesse. Le bébé devait naître avant un mois – ce qui signifiait qu'il pouvait arriver à n'importe quel moment – et peu à peu cet enfant qui n'était pas encore né se mit à absorber toutes les pensées de Sophie, comme si elle n'avait plus de place en elle pour Fanshawe. Ce furent les mots exacts qu'elle employa pour décrire ce qu'elle avait ressenti – plus de place en elle –, puis elle poursuivit en disant que cela signifiait qu'elle était malgré tout en colère contre Fanshawe, furieuse qu'il l'ait abandonnée même si ce n'était pas sa faute. Cette déclaration me frappa comme étant d'une honnêteté brutale. Je n'avais jamais entendu quelqu'un parler ainsi de ses sentiments personnels – en s'épargnant si peu et en négligeant autant les faux-semblants de convention – et lorsque aujourd'hui j'écris ces paroles je me rends compte que dès ce premier jour j'avais glissé dans un trou de la terre, que je tombais vers un lieu où je n'avais encore jamais été.

Un matin, poursuivit Sophie, elle s'était réveillée après une nuit difficile et avait compris que Fanshawe ne reviendrait pas. Ce fut une vérité soudaine et absolue qu'elle ne devait jamais plus remettre en doute. Elle fondit alors en larmes et continua de pleurer pendant une semaine, faisant le deuil de Fanshawe comme s'il était mort. Lorsqu'elle s'arrêta de pleurer elle se découvrit sans regret. Fanshawe lui avait été donné pour un certain nombre d'années, décida-t-elle, et c'était tout. Il y avait maintenant l'enfant à qui elle devait penser et rien d'autre ne comptait. Elle savait bien ce que ces mots avaient de pompeux – mais en fait elle continua de vivre en gardant aux choses ce sens qui, pour sa part, lui rendait la vie possible.

Je lui posai une série de questions. Elle répondit à toutes calmement et posément comme si elle s'efforçait de ne pas colorer ses paroles par ses sentiments. Par exemple, comment ils avaient vécu, quel travail Fanshawe avait fait et ce qui lui était arrivé dans les années où je ne l'avais plus revu. Le bébé commença à s'agiter sur le canapé, et, sans aucune interruption dans notre conversation, Sophie ouvrit son chemisier et lui donna sa tétée, d'abord un sein puis l'autre.

Elle ne pouvait rien affirmer avec certitude sur ce qui précédait sa première rencontre avec Fanshawe, déclara-t-elle. Elle savait qu'il n'avait fait que deux ans à l'université, qu'il avait obtenu un sursis du service militaire et qu'il s'était retrouvé à travailler quelque temps sur un bateau – elle ne savait pas de quelle sorte, un pétrolier, pensait-elle, ou peut-être un cargo. Après quoi il avait vécu en France plusieurs années, d'abord à Paris puis dans le Midi où il avait été gardien dans un mas. Mais tout cela était assez flou pour Sophie parce que Fanshawe n'avait jamais beaucoup parlé du passé. Au moment de leur rencontre il n'était de retour en Amérique que depuis huit ou dix mois. Ils avaient littéralement buté l'un contre l'autre un jour de pluie, à l'entrée d'une librairie de Manhattan un samedi après-midi, en regardant la vitrine et en attendant la fin de l'averse. Ce fut le commencement, et à partir de là jusqu'au jour de la disparition de Fanshawe ils étaient restés pratiquement tout le temps ensemble.

Fanshawe n'avait jamais eu de travail régulier, dit-elle, rien qu'on puisse appeler un véritable emploi. L'argent n'avait guère de sens pour lui et il s'efforçait d'y songer aussi peu que possible. Au cours des années précédant sa rencontre avec Sophie il avait fait toutes sortes de choses – ce passage dans la marine marchande, un autre dans un entrepôt, il avait donné des leçons particulières, servi de nègre à un écrivain, travaillé comme garçon de restaurant, repeint des appartements, transporté des meubles pour une société de déménagements –, mais chaque emploi était temporaire et dès qu'il avait gagné assez pour se tenir à flot quelques mois il démissionnait. Lorsque Sophie et lui commencèrent à vivre ensemble, Fanshawe ne travaillait pas du tout. Elle enseignait la musique dans une école privée et son salaire suffisait pour les deux. Ils devaient certes faire attention, mais il y avait toujours de quoi manger et aucun des deux ne se plaignait.

Je me gardai de l'interrompre. Il me semblait évident que ce catalogue n'était qu'un début, qu'il s'agissait de détails dont on devait se débarrasser avant de passer au vrai problème. Ce que Fanshawe avait fait de sa vie n'avait guère de rapport avec cette liste de petits boulots. J'en eus immédiatement la conviction, bien avant tout ce qui me fut dit. Car nous ne parlions quand même pas de n'importe qui. Il s'agissait de Fanshawe, et le passé n'était pas si lointain que je fusse incapable de me rappeler qui il était.

Sophie sourit lorsqu'elle vit que je la précédais, que je savais ce qui allait venir. Je crois qu'elle s'était attendue à cela de ma part et la confirmation de ses attentes effaçait les doutes qu'elle aurait pu nourrir quant à l'opportunité de ma venue. Je savais sans qu'on eût à me dire, ce qui me donnait le droit d'être là, d'écouter ce qu'elle avait à raconter.

Il a continué à écrire, dis-je. Il est devenu écrivain, n'est-ce pas ?

Elle fit oui de la tête. C'était exactement ça. Ou en tout cas partiellement ça. Ce qui me posait question était de savoir pourquoi je n'avais jamais entendu parler de lui. Si Fanshawe était écrivain j'aurais dû rencontrer son nom quelque part. C'était mon travail d'être au courant de ces choses et il me semblait peu probable que Fanshawe, surtout lui, eût à échapper à ma vigilance. Je me demandais s'il avait réussi à trouver un éditeur pour son œuvre. C'était la seule question qui semblait logique.

Non, répondit Sophie, c'était plus compliqué que cela. Il n'avait jamais essayé de se faire publier. D'abord, lorsqu'il était très jeune, il était trop timide pour envoyer quoi que ce soit, car il avait l'impression que son travail n'était pas assez bon. Mais même plus tard, lorsque sa confiance s'accrut, il découvrit qu'il préférait rester caché. Il se disperserait en cherchant un éditeur, lui avait-il déclaré, et s'il fallait vraiment dire les choses, il préférait de beaucoup consacrer son temps à l'œuvre elle-même. Sophie fut troublée par cette indifférence, mais chaque fois qu'elle le pressa à ce sujet il répondit par un haussement d'épaules : il n'y avait pas le feu, tôt ou tard il y viendrait.

A une ou deux reprises elle songea à prendre elle-même les choses en main et à faire parvenir secrètement un manuscrit à un éditeur. Mais elle ne passa jamais à l'acte. Il y a dans un mariage des règles qu'on ne peut enfreindre, et aussi obstinément erronée qu'ait pu être l'attitude de Fanshawe, Sophie ne pouvait guère faire autrement que de s'y plier. Il y avait une grande quantité d'écrits, ajouta-t-elle, et ça la rendait furieuse de penser qu'ils étaient là bêtement dans l'armoire, mais Fanshawe méritait qu'elle fût loyale envers lui et elle fit tout son possible pour ne rien dire.

Un jour, environ trois ou quatre mois avant sa disparition, Fanshawe vint la trouver avec une proposition de compromis. Il lui donna sa parole qu'il s'en occuperait dans l'année et, pour prouver son sérieux, il lui dit que si pour quelque raison il ne respectait pas le marché conclu elle devrait m'apporter tous ses manuscrits et me les remettre en main propre. J'étais le gardien de son œuvre, déclara-t-il, et c'était à moi de décider ce qui allait en advenir. Si je pensais qu'elle méritait d'être publiée il se plierait à mon jugement. De plus, ajouta-t-il, si quoi que ce soit devait lui arriver entre-temps, elle devait me remettre les manuscrits sur-le-champ et m'autoriser à prendre toutes les dispositions nécessaires, étant entendu que je recevrais vingt-cinq pour cent des revenus que cette œuvre pourrait rapporter. Si j'estimais en revanche que ces écrits ne valaient pas d'être publiés, je rendrais les manuscrits à Sophie qui, elle, devait les détruire jusqu'à la dernière page.

Elle fut stupéfiée par ces déclarations, poursuivit Sophie, et elle se moqua presque de Fanshawe en le voyant aussi solennel. Toute cette scène détonnait chez lui et elle se demanda si ce n'était pas en rapport avec le fait qu'elle venait juste d'être enceinte. Peut-être la conscience de la paternité l'avait-elle dégrisé en lui donnant un sens nouveau de la responsabilité ; peut-être était-il si avide de prouver ses bonnes résolutions qu'il était tombé dans l'exagération. Quelle que soit la raison, Sophie s'estima contente qu'il eût changé d'avis. A mesure que sa grossesse avança, elle commença même à rêver secrètement au succès de Fanshawe, espérant pouvoir lâcher son travail et élever l'enfant sans soucis financiers. Or, tout était évidemment allé de travers et les manuscrits de Fanshawe avaient vite été oubliés, perdus dans la tourmente qui avait suivi sa disparition. Plus tard, lorsque la poussière avait commencé à retomber, Sophie avait renâclé pour suivre ses instructions, craignant de jeter le mauvais sort sur les chances qui restaient de le revoir. Mais elle avait fini par céder car elle savait qu'il fallait respecter la parole de Fanshawe. Voilà pourquoi elle m'avait écrit. Voilà pourquoi j'étais à présent assis près d'elle.

Quant à moi, je ne savais comment réagir. La proposition m'avait pris au dépourvu et pendant une minute ou deux je suis resté là à lutter avec cet énorme pavé qu'on venait de me jeter. Pour autant que je pouvais en juger il n'y avait aucune raison au monde qui aurait pu me qualifier pour cette tâche aux yeux de Fanshawe. Je ne l'avais pas vu depuis plus de dix ans et j'étais presque surpris d'apprendre qu'il se souvenait encore de moi. Comment pouvait-on attendre de moi que j'endosse une telle responsabilité – m'ériger en juge d'un homme et dire si sa vie avait valu d'être vécue ? Sophie s'efforça d'expliquer. Fanshawe n'avait pas gardé le contact avec moi, dit-elle, mais il lui avait souvent parlé de moi et chaque fois que mon nom était mentionné j'étais décrit comme son meilleur ami au monde – le seul véritable qu'il ait jamais eu. Il se débrouillait aussi pour rester informé de mon travail, achetant toujours les revues où paraissaient mes articles et parfois même il lui lisait mes textes. Il admirait ce que je faisais, déclara Sophie ; il était fier de moi et pensait que j'avais en moi ce qu'il faut pour accomplir quelque chose de grand.

Toutes ces louanges me causèrent quelque gêne. La voix de Sophie avait une telle intensité, j'avais l'impression que Fanshawe parlait à travers elle, que c'était lui, avec ses propres lèvres, qui me disait ces choses. J'avoue m'être senti flatté et il est certain qu'en ces circonstances c'était un sentiment naturel. Il se trouvait que je traversais alors une mauvaise passe et qu'en réalité je ne partageais pas cette haute opinion de moi. J'avais bien écrit un grand nombre d'articles mais je ne voyais pas là une raison de me réjouir et je n'en étais pas particulièrement fier. A mon avis, mon travail frisait le bâclage alimentaire. J'avais démarré avec de grandes espérances, pensant devenir romancier, croyant être un jour capable d'écrire quelque chose qui toucherait les gens et qui marquerait leur vie. Mais le temps passant, je compris petit à petit que ça ne se réaliserait pas. Je ne portais pas un tel livre en moi et, à un moment donné, je me suis dit que je devais renoncer à mes rêves. De toute façon il était plus simple de continuer à écrire des articles. En travaillant dur, en passant sans m'arrêter d'un texte au suivant, j'arrivais plus ou moins à gagner ma vie – et, vaille que vaille, j'avais le plaisir de voir mon nom presque constamment imprimé. Je me rendais compte que les choses auraient pu être bien plus sombres qu'elles ne l'étaient. Je n'avais pas encore tout à fait trente ans et j'avais déjà une sorte de réputation. J'avais débuté par des critiques de poésie et de romans ; maintenant je pouvais écrire sur pratiquement n'importe quoi et m'en tirer honorablement. Les films, les pièces de théâtre, les expositions, les concerts, les livres, même les matches de base-ball – il suffisait de me le demander et je le faisais. Le monde me considérait comme un homme jeune et brillant, un nouveau critique en pleine ascension, mais à l'intérieur je me

sentais vieux, déjà usé. Ce que j'avais accompli jusque-
là se ramenait à une simple fraction de rien du tout.
Autant de poussière que le moindre vent balaierait.

Les louanges de Fanshawe me laissèrent donc avec
des sentiments mêlés. D'un côté je savais qu'il avait
tort. De l'autre (et c'est là que ça devient trouble), je
voulais croire qu'il avait raison. Je me suis demandé :
Est-il possible que j'aie été trop dur envers moi-même ?
Et dès que j'ai eu cette pensée, j'ai été perdu. Mais qui
ne saisirait pas à bras-le-corps la chance de se racheter
– quel est l'homme qui est assez fort pour rejeter la
possibilité d'espérer ? Comme une étincelle, l'idée a
jailli en moi qu'un jour je pourrais renaître à mes propres
yeux et j'ai éprouvé une soudaine bouffée d'amitié
pour Fanshawe par-delà les années, par-delà tout le
silence de ces années qui nous avaient tenus à l'écart
l'un de l'autre.

C'est ainsi que ça s'est passé. J'ai succombé à la
flatterie d'un homme qui n'était pas là et en cet instant
de faiblesse j'ai dit oui. Je serais heureux de lire cette
œuvre, ai-je déclaré, et d'apporter toute l'aide que je
peux. Sophie en a souri – de bonheur ou de déception,
je ne l'ai jamais su –, puis elle s'est levée du canapé et
elle a porté le bébé dans l'autre pièce. Elle s'est arrêtée
devant un grand buffet de chêne, a tourné le loquet et a
laissé la porte s'ouvrir en pivotant sur ses charnières. Et
voilà, a-t-elle dit. Il y avait des boîtes et des classeurs et
des chemises et des cahiers, les étagères en étaient
bourrées – plus de choses que je n'aurais cru possible.
Je me souviens que j'ai ri dans ma gêne et que j'ai
lancé une blague débile. Puis, tout à notre affaire, nous
avons examiné quelle était la meilleure façon pour moi
de sortir les manuscrits de l'appartement. Au bout du
compte nous avons opté pour deux grandes valises. Il a

bien fallu une heure, mais à la fin nous avons réussi, en serrant fort, à tout faire entrer. Il était évident, ai-je dit, qu'il me faudrait pas mal de temps pour décanter tout ce matériau. Sophie m'a dit de ne pas m'inquiéter, puis elle s'est excusée de me charger d'une telle tâche. J'ai répondu que je comprenais, qu'elle n'avait aucun moyen de refuser d'exécuter la requête de Fanshawe. Tout cela avait un aspect très dramatique, mais en même temps horrible, presque comique. La belle Sophie a posé délicatement le bébé par terre, m'a serré entre ses bras pour me remercier avant de m'embrasser sur la joue. J'ai cru un instant qu'elle allait pleurer mais ce moment est passé et les larmes ne sont pas venues. Puis j'ai transporté lentement les deux valises dans l'escalier, jusque dans la rue. Ensemble elles avaient le poids d'un homme.

2

La vérité est beaucoup moins simple que je ne le voudrais. Que j'aie aimé Fanshawe, qu'il ait été mon meilleur ami, que je l'aie mieux connu que quiconque – ce sont là des faits auxquels mes paroles ne pourront jamais rien enlever. Mais ce n'est qu'un début, et dans mes efforts pour me souvenir des choses telles qu'elles furent vraiment, je vois à présent que je me suis également tenu en retrait par rapport à Fanshawe, qu'une partie de moi-même lui a toujours résisté. J'ai l'impression qu'en grandissant, surtout, je n'ai jamais été entièrement à l'aise en sa présence. Puisque le mot jalousie est trop fort pour ce que je veux exprimer, je dirai suspicion, le sentiment secret que Fanshawe, d'une certaine façon, était meilleur que moi. Tout cela m'était inconnu à l'époque et il n'y a jamais eu d'événement particulier dont je puisse faire état. Mais je gardais en moi la sensation qu'il y avait davantage de bonté naturelle chez Fanshawe que chez les autres, qu'une sorte de feu inextinguible le tenait en vie, qu'il était plus réellement lui-même que je ne pourrais jamais espérer l'être.

Dans les débuts son influence était déjà très marquée. Elle s'étendait jusqu'à de toutes petites choses. Si Fanshawe portait sa boucle de ceinture sur le côté de son pantalon, je plaçais la mienne dans la même position.

Si Fanshawe arrivait au terrain de jeux avec des tennis noires, je demandais des tennis noires dès que ma mère m'emmenait au magasin de chaussures. Si Fanshawe venait à l'école avec un exemplaire de *Robinson Crusoé*, je me mettais à lire *Robinson Crusoé* chez moi le soir même. Je n'étais pas le seul à agir ainsi, mais j'étais peut-être le plus à sa dévotion, celui qui acceptait le plus volontiers le pouvoir où il nous tenait. Fanshawe, pour sa part, ne se rendait pas compte de cette domination et c'était sans doute la raison pour laquelle il continuait à l'exercer. Il était indifférent aux attentions dont il était l'objet, s'occupant calmement de ses affaires et n'utilisant jamais son influence pour manipuler autrui. Il ne se livrait pas à nos espiègleries ; il ne faisait pas de bêtises ; il n'avait pas d'ennuis avec les professeurs. Mais personne ne lui en voulait de cela. Fanshawe se tenait à l'écart de nous et il était pourtant celui qui nous ressemblait, celui que nous consultions pour arbitrer nos différends, celui qui avait assez d'esprit de justice pour trancher nos menues querelles. Il y avait en lui quelque chose de si attirant qu'on le voulait toujours près de soi, comme si on pouvait vivre dans sa sphère et être touché par son être. Il était là pour les autres et en même temps il était inaccessible. On avait l'impression qu'existait en lui un noyau caché où on ne pourrait jamais accéder, un centre mystérieux du secret. L'imiter revenait d'une certaine façon à participer à ce mystère mais aussi à comprendre qu'on ne pourrait jamais vraiment le connaître.

Je parle de notre première enfance – d'âges aussi lointains que nos cinquième, sixième et septième années. Une grande partie en est ensevelie à présent et je sais que même les souvenirs sont parfois erronés. Je ne crois pourtant pas me tromper en disant que j'ai gardé à l'intérieur de moi l'aura de ces temps-là, et dans la mesure où je peux ressentir ce que j'éprouvais alors, il me paraît difficile que ces sensations puissent mentir. Quoi que Fanshawe ait pu devenir par la suite, j'ai la sensation qu'il a commencé à le devenir dès cette époque. Il s'était formé très vite et possédait une présence déjà nettement définie au moment où nous sommes entrés à l'école. Fanshawe était visible tandis que nous autres n'étions que des créatures informes, livrées à une agitation constante, trébuchant comme des aveugles d'un instant au suivant. Je ne veux pas dire qu'il ait grandi vite – il n'a jamais paru plus âgé qu'il ne l'était – mais il était déjà lui-même avant d'avoir grandi. Pour une raison ou une autre il n'a jamais subi les mêmes bouleversements que nous. Ses drames étaient d'un registre différent – plus intériorisés et sans doute plus brutaux –, mais sans aucun des brusques changements qui semblaient ponctuer la vie de tous les autres.

Un incident me revient avec une vivacité particulière. Il s'agit d'une fête d'anniversaire où Fanshawe et moi avions été conviés en première ou deuxième année d'école primaire, donc au tout début de la période dont je peux parler avec quelque précision. C'était un samedi après-midi de printemps et nous nous sommes rendus à la fête à pied, accompagnés d'un autre garçon, un de nos camarades du nom de Dennis Walden. La vie de Dennis était bien plus dure que la nôtre : une mère alcoolique, un père écrasé de travail, d'innombrables frères et sœurs. J'étais allé deux ou trois fois dans sa maison – une ruine immense et sombre – et je me souviens d'avoir été effrayé par sa mère qui me rappelait une sorcière de contes de fées. Elle passait toute sa journée derrière la porte fermée de sa chambre, toujours en peignoir, avec une figure pâle couverte de rides cauchemardesques, sortant sa tête de temps à autre pour hurler quelque chose aux enfants. Le jour de sa fête, Fanshawe et moi avions été dûment munis de cadeaux pour le garçon chez qui nous allions, des paquets emballés dans du papier aux jolies couleurs et attachés par des rubans. Dennis, en revanche, ne portait rien et s'en trouvait mal à l'aise. Je me rappelle avoir essayé de le consoler par quelque phrase vide : Ça ne fait rien, personne ne s'en soucie, dans la confusion on ne le remarquera pas. Mais Dennis s'en souciait, et Fanshawe s'en aperçut immédiatement. Sans commentaire, il se tourna vers Dennis et lui tendit son cadeau. Tiens, dit-il, prends-le – je leur dirai que j'ai oublié le mien chez moi. Ma première réaction fut de penser que Dennis allait être blessé par ce geste, qu'il se sentirait insulté par la pitié de Fanshawe. Mais j'avais tort. Il hésita un instant, essayant d'assimiler ce soudain changement de fortune, puis il approuva d'un hochement de tête, comme s'il reconnaissait la sagesse de ce que Fanshawe avait fait. Ce n'était pas tant un acte de charité que de justice, et pour cette raison Dennis était en mesure de l'accepter sans s'humilier. Il y avait eu conversion de l'un en l'autre. Il s'agissait d'un tour de magie, d'un mélange de spontanéité et de conviction totale, et je ne crois pas que quelqu'un d'autre que Fanshawe eût été capable de le réussir.

Après la fête j'étais revenu avec Fanshawe chez lui. Sa mère était là, assise dans la cuisine ; elle nous posa des questions sur l'après-midi, et demanda si le petit garçon avait aimé le cadeau qu'elle lui avait acheté. Avant que Fanshawe eût le temps de dire un mot je lâchai de but en blanc l'histoire de ce qu'il avait fait. Je n'avais nullement l'intention de lui attirer des ennuis, mais il m'était impossible de garder tout cela pour moi.

Son geste m'avait ouvert un monde nouveau : comment quelqu'un pouvait entrer dans les sentiments d'un autre et les assumer si complètement que les siens propres n'avaient plus d'importance. C'était le premier acte véritablement moral auquel j'avais jamais assisté, et rien d'autre ne me paraissait digne d'être relaté. Mais la mère de Fanshawe ne partagea pas mon enthousiasme. Oui, dit-elle, c'était une action aimable et généreuse, mais elle n'était pas non plus sans faute. Le présent lui avait coûté de l'argent, et, en le donnant à quelqu'un d'autre, Fanshawe lui avait d'une certaine façon volé cet argent. De plus, Fanshawe s'était conduit impoliment en se présentant sans cadeau – ce qui rejaillissait négativement sur elle, puisque c'était elle qui était responsable des actes de son fils. Fanshawe écouta sa mère avec attention sans prononcer une parole. Lorsqu'elle eut terminé, il s'abstint encore de parler et elle lui demanda s'il avait compris. Oui, répondit-il, il avait compris. Les choses en seraient probablement restées là si, après une brève pause, Fanshawe n'avait pas repris en déclarant qu'il estimait quand même avoir eu raison. Peu lui importait comment elle réagissait : il referait la même chose une autre fois. Une scène suivit ce petit échange. Mme Fanshawe s'irrita de l'impertinence de son fils, mais celui-ci resta sur ses positions, refusant de bouger malgré le tir nourri des reproches maternels. A la fin il fut envoyé dans sa chambre et je fus prié de quitter la maison. L'injustice de sa mère m'avait horrifié, mais lorsque je voulus prendre la parole pour le défendre, Fanshawe m'en dispensa d'un geste. Au lieu de continuer à protester, il accepta sa punition en silence et disparut dans sa chambre.

Cette anecdote c'était du pur Fanshawe : l'acte de bonté spontané, la croyance inflexible en ce qu'il avait fait, et l'acceptation muette, presque passive, des conséquences qui en découlaient. Aussi extraordinaire que puisse être son comportement, on avait toujours l'impression qu'il en restait détaché. Plus que toute autre chose, c'était cette qualité qui parfois m'éloignait craintivement de lui. J'étais arrivé à une telle proximité de Fanshawe, je m'étais mis à l'admirer, à souhaiter désespérément être à sa hauteur – lorsque soudain venait le moment où je me rendais compte qu'il m'était étranger, que la façon dont il vivait en lui-même ne correspondrait jamais à ce que j'avais besoin de vivre. Je demandais trop aux choses, j'avais un trop grand nombre de désirs, je subissais trop l'emprise de l'immédiat pour jamais parvenir à une telle indifférence. Il m'était important de réussir, d'impressionner les gens par les signes vides de mon ambition : les bonnes notes, les initiales gagnées en compétition sportive, les récompenses pour telle ou telle épreuve jugée cette semaine-là. Fanshawe restait à l'écart de ces choses, tranquille dans son coin, n'y prêtant pas attention. S'il réussissait c'était toujours malgré lui, sans lutte, sans effort, sans investir dans ce qu'il avait fait. Cette attitude pouvait être décourageante et il me fallut longtemps pour apprendre que ce qui était bon pour Fanshawe ne l'était pas forcément pour moi.

Je ne voudrais pourtant pas exagérer. Si Fanshawe et moi avions à l'occasion nos différends, ce dont je me souviens le mieux dans notre enfance c'est la passion de notre amitié. Nous étions voisins et les terrains derrière nos maisons, dépourvus de clôture, se rejoignaient en une seule étendue de gazon, de gravier et de terre comme si nous faisions partie d'une seule et même maisonnée. Nos mères étaient très amies, nos pères jouaient ensemble au tennis, et aucun de nous deux n'avait de frère : des conditions par conséquent idéales, avec rien qui fasse barrière entre nous. Nous étions nés à moins d'une semaine l'un de l'autre et nous avions passé notre petite enfance ensemble dans l'arrière-cour, explorant l'herbe à quatre pattes, arrachant les fleurs, nous mettant debout et faisant nos premiers pas le même jour. (Il existe des photographies pour le prouver.) Plus tard nous avons appris à jouer au base-ball et au football ensemble dans cette arrière-cour. C'est là que nous avons construit nos forts, que nous avons fait nos jeux et inventé des mondes ; plus tard, encore, il y a eu nos promenades à travers la ville, les longs après-midi à bicyclette, les conversations sans fin. Je crois qu'il me serait impossible de connaître quiconque aussi bien que j'ai connu Fanshawe en ce temps-là. Ma mère se souvient que nous étions si liés l'un à l'autre qu'à l'âge de six ans nous lui avons un jour demandé s'il était possible que des hommes se marient. Nous voulions vivre ensemble lorsque nous serions grands, et qui donc pouvait le faire sinon des gens mariés ? Fanshawe allait devenir astronome et moi vétérinaire. Nous avions en tête une grande maison à la campagne – un endroit où le ciel serait assez sombre la nuit pour qu'on y voie toutes les étoiles et où on ne manquerait pas d'animaux à soigner.

Rétrospectivement il me semble normal que Fanshawe soit devenu écrivain. La rigueur de sa nature intérieure l'exigeait presque. Même à l'école primaire il composait des historiettes et je serais étonné qu'après l'âge de dix ou onze ans il ne se soit pas toujours considéré lui-même comme un écrivain. Au début, évidemment, ça ne paraissait pas grand-chose. Poe et Stevenson lui servaient de modèles et il en résultait le verbiage habituel des jeunes garçons. "Une nuit, en l'an de grâce mil sept cent cinquante et un, je regagnais à pied la maison de mes ancêtres au milieu d'un blizzard meurtrier lorsque je butai sur une forme spectrale dans la neige." Ce genre de prose, donc, truffée de phrases hyperboliques et de rebondissements extravagants. Je me souviens que l'avant-dernière année d'école primaire, Fanshawe avait écrit un roman policier d'une cinquantaine de pages, et que l'instituteur le lui laissait lire chaque jour à la fin de la classe par tranches de dix minutes. Nous étions tous fiers de Fanshawe et surpris par la qualité dramatique de sa lecture, car il jouait le rôle de chacun des personnages. L'histoire m'échappe à présent, mais je me rappelle qu'elle était infiniment complexe et que le dénouement reposait sur quelque chose comme une confusion d'identité entre deux paires de jumeaux.

Malgré tout Fanshawe n'était pas un garçon livresque. Il excellait trop dans les sports pour cela, et il représentait pour nous une figure trop centrale pour qu'il eût la possibilité de se retirer en lui-même. Pendant toutes ces années d'enfance on avait l'impression qu'il n'existait rien qu'il ne fût capable de bien faire, rien qu'il ne sût accomplir mieux que tous les autres. C'était le plus fort au base-ball, le meilleur élève, le plus beau des garçons. Une seule de ces distinctions aurait suffi à lui conférer un statut particulier – mais ensemble elles lui donnaient l'apparence d'un héros, d'un enfant touché par les dieux. Aussi extraordinaire qu'il fût, cependant, il restait des nôtres. Fanshawe n'était pas un enfant génial ou un prodige ; il n'avait pas de don miraculeux qui l'aurait détaché des enfants de son âge. C'était un garçon parfaitement normal – mais davantage, si c'était possible, davantage en harmonie avec lui-même, plus idéalement normal que les autres.

Au fond de lui le Fanshawe que je connaissais n'était pas un être audacieux. Il y eut néanmoins des occasions où il me stupéfia par la facilité avec laquelle il se lançait dans des situations dangereuses. Derrière le grand flegme de surface, semblait régner une grande obscurité : un besoin de s'éprouver, de prendre des risques, de hanter la bordure des choses.

Lorsqu'il était jeune garçon, il avait la passion de jouer dans des chantiers, d'escalader des échelles et des échafaudages, de se balancer sur des planches au-dessus d'abîmes remplis de machines, de sacs de sable et de boue. Je rôdais à l'arrière-plan pendant que Fanshawe se livrait à ces acrobaties, l'implorant silencieusement d'arrêter mais ne disant jamais rien – souhaitant m'en aller mais me retenant de peur qu'il ne tombe. A mesure que le temps passait, ces impulsions se faisaient plus éloquentes. Fanshawe me parlait de l'importance de "goûter la vie". De rendre les choses difficiles, disait-il, de rechercher l'inconnu – c'était ce qu'il voulait, et cela d'autant plus qu'il avançait en âge. Un jour, nous avions alors environ quinze ans, il me persuada de passer le week-end avec lui à New York – de courir les rues, de dormir sur un banc dans la vieille gare de Penn Station, de parler à des clochards, de voir combien de temps nous pouvions tenir sans manger. Je me rappelle m'être soûlé à sept heures du matin dans Central Park et avoir vomi partout sur l'herbe. Pour Fanshawe il s'agissait là d'une entreprise essentielle – un pas de plus pour se prouver – mais pour moi ce n'était qu'une chute sordide et pitoyable dans quelque chose que je n'étais pas. Je continuai pourtant à l'accompagner, témoin confus qui partageait sa recherche sans y prendre vraiment part, Sancho adolescent à califourchon sur mon mulet, regardant mon ami se battre contre lui-même.

Un mois ou deux après notre week-end de clochards, Fanshawe m'emmena dans un bordel de New York (un de ses amis avait préparé cette visite) et ce fut là que nous perdîmes notre pucelage. Je me souviens d'un petit appartement ancien dans l'Upper West Side, près du fleuve – une minuscule cuisine qu'un rideau d'une extrême minceur séparait d'une chambre sombre. Il y avait là deux Noires, l'une vieille et grosse, l'autre jeune et jolie. Comme aucun de nous ne voulait la vieille, il nous fallut décider qui passerait le premier. Si je peux me fier à ma mémoire, nous sommes en fait sortis dans le couloir où nous avons joué à pile ou face. Bien entendu, ce fut Fanshawe qui gagna, et deux minutes plus tard je me retrouvai dans la petite cuisine avec la grosse tenancière. Elle m'appelait son petit chou, me rappelant régulièrement qu'elle était disponible au cas où je changerais d'inclination. J'étais trop agité pour faire autre chose que secouer la tête, et puis je suis resté assis à écouter la respiration rapide et haletante de Fanshawe de l'autre côté du rideau. Je n'avais plus qu'une seule pensée : que ma queue allait entrer à l'endroit où celle de Fanshawe était à présent. Puis ce fut mon tour et jusqu'à ce jour je n'ai pas la moindre idée du prénom que pouvait porter cette fille. C'était la première femme nue que j'aie vue en chair et en os, et elle était si décontractée et si amicale vis-à-vis de sa nudité que les choses auraient pu bien marcher pour moi si je n'avais pas été dérangé par les chaussures de Fanshawe – je les voyais entre le rideau et le plancher, brillant dans la lumière de la cuisine comme si elles étaient détachées de son corps. La fille était gentille et faisait de son mieux pour m'aider, mais ce fut une longue lutte et même à la fin je ne ressentis aucun plaisir véritable. Plus tard, lorsque je ressortis avec Fanshawe dans le crépuscule, je n'avais, pour ma part, pas grand-chose à dire. Fanshawe, en revanche, semblait plutôt satisfait, comme si cette expérience avait d'une certaine façon corroboré sa théorie sur l'importance de goûter la vie. Je me rendis compte que Fanshawe était beaucoup plus affamé que je ne pourrais jamais l'être.

C'était une vie bien protégée que nous menions là-bas dans nos banlieues. New York n'était qu'à une trentaine de kilomètres, mais ç'aurait pu être aussi bien la Chine pour notre petit monde de pelouses et de maisons en bois. Lorsqu'il eut atteint l'âge de treize ou quatorze ans, Fanshawe se transforma en une sorte d'exilé intérieur, se pliant aux gestes de l'obéissance mais se coupant de son environnement et méprisant la vie qu'il était obligé de suivre. Il ne devint pas difficile, ni ouvertement rebelle, il se retira tout simplement. Après avoir tant monopolisé l'attention pendant son enfance, après s'être toujours placé au centre exact des choses, Fanshawe avait presque disparu au moment où nous entrions au lycée et il évitait les lumières de la rampe, leur préférant une marginalité obstinée. Je savais qu'il écrivait déjà sérieusement (bien qu'à l'âge de seize ans il ne montrât déjà plus ses travaux à personne), mais je considère cette activité davantage comme un symptôme que comme une cause. C'est ainsi qu'au cours de notre deuxième année Fanshawe fut le seul membre de notre classe à être admis dans l'équipe principale de base-ball. Il joua extrêmement bien pendant plusieurs semaines, puis, sans raison apparente, démissionna. Je me rappelle comment je l'écoutai lorsque le lendemain il me décrivit l'incident : il était entré dans le bureau de l'entraîneur après l'exercice et il avait rendu son uniforme. L'entraîneur venait juste de prendre sa douche, et au moment où Fanshawe entra dans la pièce il était debout près de son bureau, nu comme un ver, un cigare à la bouche et sa casquette de base-ball sur la tête. Fanshawe se délectait de sa description, soulignant l'absurdité de la scène qu'il ornait de détails sur le corps trapu et rondouillard de l'entraîneur, l'éclairage de la pièce, la flaque d'eau sur le sol de béton gris – mais ce n'était rien de plus qu'une description, une succession de mots coupés de tout ce qui aurait pu concerner Fanshawe lui-même. J'étais déçu de sa démission mais il n'expliqua jamais vraiment son geste, sinon pour dire qu'il trouvait le base-ball ennuyeux.

Ainsi qu'il arrive à bien des gens doués, vint un moment où Fanshawe ne se satisfit plus d'accomplir ce qui lui était facile. Comme il avait maîtrisé très jeune tout ce qu'on exigeait de lui, il était sans doute naturel qu'il commençât à chercher ailleurs des tâches à sa mesure. Etant donné les limites de sa vie de lycéen dans une petite ville, il n'est pas non plus étonnant, ni extraordinaire, qu'il ait trouvé ces épreuves à l'intérieur de lui-même. Mais il me semble qu'il y avait encore autre chose en jeu. A cette époque la famille Fanshawe fut le théâtre d'incidents qui eurent certainement leur importance et qu'on aurait tort de ne pas mentionner. Quant au degré de cette importance, qu'elle ait ou non revêtu un caractère essentiel, c'est une autre affaire, mais j'ai tendance à croire que chaque chose compte. Finalement toute vie n'est rien de plus que la somme de faits aléatoires, une chronique d'intersections dues au hasard, de coups de chance, d'événements fortuits qui ne révèlent que leur propre manque d'intentionnalité.

Lorsque Fanshawe eut seize ans, on découvrit que son père était atteint d'un cancer. Pendant un an et demi il regarda son père mourir, et durant ce laps de temps, la famille se désagrégea lentement. La mère de

Fanshawe fut peut-être la plus durement touchée. Préservant stoïquement les apparences, s'occupant des consultations médicales et des dispositions financières, tout en s'efforçant de maintenir la maisonnée, elle passait par à-coups d'un grand optimisme sur les chances de guérison à une sorte de désespoir paralysant. Selon Fanshawe, elle ne fut jamais capable d'accepter l'unique et inévitable évidence qu'elle avait devant les yeux. Elle savait ce qui allait arriver, mais elle n'avait pas la force d'admettre ce savoir, et, le temps passant, elle se mit à vivre comme si elle retenait sa respiration. Son comportement se fit de plus en plus bizarre : des frénésies de ménage qui l'occupaient des nuits entières, la peur de se trouver seule chez elle (associée à des absences de la maison aussi soudaines qu'inexpliquées), tout un éventail de maladies imaginaires (allergies, hypertension, vertiges). Vers la fin elle s'intéressa à diverses théories fumeuses – astrologie, phénomènes parapsychiques, vagues notions spiritualistes sur l'âme – jusqu'à ce qu'il devînt impossible d'avoir avec elle une conversation sans être réduit au silence par ses sermons sur la corruption du corps humain.

Les relations se tendirent entre Fanshawe et sa mère. Elle s'accrochait à lui pour trouver un soutien, comme si la douleur de la famille lui appartenait en propre. Fanshawe dut devenir l'élément solide de la maison ; il fut non seulement obligé de se prendre en charge, il lui fallut aussi assumer la responsabilité de sa sœur qui n'avait alors que douze ans. Ce qui suscita une nouvelle série de problèmes : Ellen, en effet, était une enfant troublée et instable ; dans le vide parental qui suivit la maladie, elle se mit à tout rechercher auprès de Fanshawe. Il devint son père, sa mère, son carré de sagesse et de réconfort. Fanshawe percevait bien ce qu'il y avait de malsain dans la dépendance de sa sœur à son égard, mais il n'y pouvait pas grand-chose à moins de la blesser de façon irréparable. Je me souviens de ma mère parlant de "cette pauvre Jane" (Mme Fanshawe) et quel terrible malheur tout cela représentait pour "la petite". Je savais pourtant qu'en un certain sens c'était Fanshawe qui souffrait le plus. Mais lui, il n'avait jamais l'occasion de le montrer.

Quant au père de Fanshawe, je ne peux en dire grand-chose avec certitude. Pour moi c'était un être sans substance, un homme silencieux, distraitement bienveillant, et je n'ai jamais réussi à bien le connaître. Alors que mon père avait tendance à être beaucoup avec nous, surtout les week-ends, il était rare de voir celui de Fanshawe. C'était un avocat d'une certaine éminence, et il avait un moment nourri des ambitions politiques qui avaient abouti à une série de déceptions. Il travaillait habituellement tard le soir, on entendait sa voiture dans l'allée vers huit ou neuf heures, et il passait souvent le samedi et une partie du dimanche à son bureau. Je ne crois pas qu'il se soit jamais vraiment senti à l'aise avec son fils, car il paraissait être du genre à éprouver peu de chose à l'égard des enfants, un de ces hommes qui ont perdu tout souvenir d'avoir eux-mêmes été enfants. M. Fanshawe était si totalement adulte, tellement plongé dans des affaires sérieuses de grandes personnes que j'imagine qu'il devait avoir du mal à ne pas nous considérer comme des créatures d'un autre monde.

Il n'avait pas encore cinquante ans lorsqu'il mourut. Pendant les six derniers mois de sa vie, lorsque les médecins eurent abandonné l'espoir de le sauver, il resta alité dans la chambre d'ami des Fanshawe, regardant la cour par la fenêtre, lisant un livre de temps à autre, prenant ses antalgiques et sommeillant. Fanshawe se mit alors à passer la plus grande partie de son temps libre avec lui, et, bien que je ne puisse avancer que des hypothèses sur ce qui eut lieu, je présume qu'entre eux les choses changèrent. A tout le moins je sais quelle énergie Fanshawe y consacra, car il manqua souvent l'école pour rester avec son père, s'efforçant de se rendre indispensable, le soignant avec une attention indéfectible. Ce fut pour Fanshawe une épreuve sévère, peut-être trop, et bien qu'il parût la prendre bien, trouvant un courage dont seuls les très jeunes gens sont capables, je me demande parfois s'il a jamais réussi à la surmonter.

Il n'y a qu'une chose encore que je veuille mentionner ici. Au bout de cette période – tout à la fin, alors que personne ne donnait plus de quelques jours à son père –, Fanshawe et moi sommes partis nous promener en voiture après la classe. C'était en février, et quelques minutes après notre départ une neige légère s'est mise à tomber. Nous allions au hasard, faisant un tour dans quelques-unes des villes voisines, ne nous souciant guère de l'endroit où nous étions. A une vingtaine de kilomètres de chez nous, nous sommes arrivés devant un cimetière ; le portail était ouvert et nous sommes entrés en roulant. Au bout d'un moment nous avons arrêté la voiture et nous avons commencé à nous promener à pied. Nous lisions les inscriptions sur les tombes, échafaudant des hypothèses sur ce qu'avaient pu être ces vies, puis nous nous taisions, marchions encore un peu, parlions, et nous nous taisions à nouveau. Il s'était mis à neiger très fort et le sol blanchissait. Quelque part au milieu du cimetière il y avait une tombe tout juste creusée ; Fanshawe et moi nous sommes arrêtés au bord et avons regardé dedans. Je peux me rappeler à quel point c'était calme et combien le monde nous paraissait loin. Pendant un long moment aucun de nous deux n'a parlé et puis Fanshawe a dit qu'il voulait voir comment c'était au fond. Je lui ai donné la main et je l'ai tenu fermement pendant qu'il descendait dans la tombe. Lorsque ses pieds ont touché le sol, il a levé les yeux vers moi avec un demi-sourire puis s'est étendu sur le dos, comme s'il jouait à être mort. J'en conserve une image d'une netteté absolue : mon regard baissé sur Fanshawe qui fixe le ciel, ses paupières cillant violemment tandis que les flocons lui tombent sur le visage.

Par un obscur cheminement de pensée, j'ai été ramené au temps où nous étions très petits – nous n'avions alors pas plus de quatre ou cinq ans. Les parents de Fanshawe avaient acheté un nouvel appareil pour la maison, peut-être un poste de télévision, et pendant plusieurs mois Fanshawe garda l'emballage en carton dans sa chambre. Il s'était toujours montré généreux pour partager ses jouets, mais cette boîte me fut interdite et il ne me laissa jamais y entrer. C'était son endroit secret, me déclara-t-il ; lorsqu'il était assis dedans et la refermait sur lui il pouvait aller où bon lui semblait, il pouvait se trouver là où il voulait être. Mais si un jour quelqu'un d'autre se mettait dans cette caisse, la magie en serait perdue à jamais. Je crus cette histoire et n'insistai pas pour avoir mon tour bien que j'en eusse presque le cœur brisé. Il nous arrivait de jouer dans sa chambre, dessinant ou alignant tranquillement des soldats lorsque soudain, sans prévenir, Fanshawe annonçait qu'il allait dans son emballage. Je m'efforçais de continuer à jouer comme avant, mais ça ne marchait jamais. Rien ne m'intéressait tant que ce qui arrivait à Fanshawe dans sa boîte et je passais ces minutes-là à essayer désespérément d'imaginer les aventures qu'il vivait. Mais je ne sus jamais en quoi elles consistaient car il était également interdit à Fanshawe d'en parler après en être sorti.

Quelque chose d'analogue venait de se produire dans cette tombe ouverte sous la neige. Là, au fond, Fanshawe était seul, avec ses propres pensées, traversant ces moments en toute solitude. J'avais beau être présent, j'étais coupé de cet événement comme si, en fait, je n'avais pas du tout été là. Je comprenais que c'était la façon qu'avait Fanshawe de se figurer la mort de son père. Encore une fois c'était une pure question de hasard : la tombe ouverte se trouvait là et Fanshawe en avait ressenti l'appel. Les histoires n'arrivent qu'à ceux qui sont capables de les raconter, a déclaré quelqu'un. De même, les expériences ne se présentent qu'à ceux qui peuvent les vivre. Mais il s'agit d'un sujet délicat sur lequel je ne peux pas avoir de certitude. Je suis resté là à attendre que Fanshawe se relève, essayant d'imaginer ce qu'il pensait, m'efforçant un bref instant de voir ce qu'il voyait. Puis j'ai levé la tête vers le ciel d'hiver qui s'assombrissait – et tout n'était qu'un chaos neigeux qui dégringolait sur moi.

Lorsque nous avons commencé à revenir vers la voiture, le soleil s'était couché. Nous avons traversé le cimetière en trébuchant, sans échanger une parole. Une couche de neige de plusieurs centimètres était déjà tombée, et ça continuait à descendre de plus en plus fort, comme si ça ne devait jamais s'arrêter. Nous sommes arrivés à la voiture, nous avons grimpé dedans et puis, contre toute attente, nous n'avons pas pu démarrer. Les pneus arrière étaient enfoncés dans une petite tranchée et tous nos efforts n'ont rien pu y faire. Nous avons poussé, nous avons secoué, mais les roues continuaient à tourner sans accrocher, avec un bruit horrible de futilité. Au bout d'une demi-heure nous avons abandonné, décidant à contrecœur de laisser la voiture. Nous avons fait du stop dans la tempête et il nous a fallu deux heures de plus avant de rentrer enfin. C'est alors, seulement, que nous avons appris que le père de Fanshawe était mort dans l'après-midi.

3

Plusieurs jours se sont écoulés avant que je trouve le courage d'ouvrir les valises. J'ai terminé l'article sur lequel je travaillais, je suis allé au cinéma, j'ai accepté des invitations que j'aurais refusées d'habitude. Je n'ai pourtant pas été dupe de ces tactiques. Trop de choses dépendaient de ma réponse, et je ne voulais pas affronter le risque d'être déçu. Dans mon esprit, il n'y avait aucune différence entre donner l'ordre de détruire l'œuvre de Fanshawe et le tuer de mes propres mains. J'avais reçu le pouvoir d'annihiler, de voler un cadavre dans sa tombe et de le déchirer en lambeaux. C'était me retrouver dans une position insupportable dont je ne voulais ni de près ni de loin. Tant que je ne toucherais pas aux valises ma conscience serait épargnée. Par ailleurs j'avais fait une promesse et je savais bien que je ne pourrais pas remettre éternellement à plus tard. C'est justement lorsque je suis parvenu à ce stade (où j'embrayais, où je m'apprêtais à agir) qu'une nouvelle crainte m'a saisi. J'ai découvert que si je ne voulais pas que le travail de Fanshawe fût mauvais, je ne voulais pas non plus qu'il fût bon. C'est là un sentiment que j'ai du mal à expliquer. Nos vieilles rivalités y jouaient sans doute quelque rôle, le désir de ne pas être humilié par l'éclat de Fanshawe – mais il y avait aussi la sensation d'être pris au piège. J'avais promis. Une fois les valises ouvertes, je deviendrais le porte-parole de Fanshawe – et je continuerais à parler en son nom, que je le veuille ou non. Les deux possibilités m'effrayaient. Passer une sentence de mort était déjà une chose atroce, mais travailler pour un mort ne me paraissait guère mieux. Pendant plusieurs jours j'ai oscillé entre ces peurs, incapable de décider laquelle était pire. En fin de compte, évidemment, j'ai ouvert les valises. Mais c'était sans doute déjà moins en pensant à Fanshawe qu'à Sophie. Je voulais la revoir, et plus tôt je me mettrais au travail, plus tôt j'aurais une raison de lui téléphoner.

Je n'ai pas l'intention d'entrer dans les détails. Aujourd'hui, tout le monde sait à quoi ressemble le travail de Fanshawe. On l'a lu, on l'a discuté, il y a eu des articles et des études, c'est devenu un patrimoine public. Si j'ai quelque chose à ajouter, c'est uniquement qu'il ne m'a pas fallu plus d'une heure ou deux pour comprendre que mes sentiments n'avaient aucune espèce d'importance. S'intéresser aux mots, s'investir dans ce qui est écrit, croire au pouvoir des livres – voilà qui submerge tout le reste, et en comparaison notre propre vie se rapetisse considérablement. Je ne dis pas cela pour m'envoyer des compliments ou pour placer mes actes sous un éclairage plus avantageux. J'ai été le premier, mais à part ça je ne vois rien qui me distingue des autres. Si les écrits de Fanshawe avaient été d'une qualité un peu moindre mon rôle aurait été différent – plus important, peut-être, plus essentiel à l'issue de cette affaire. Mais en tout état de cause je n'ai rien été de plus qu'un instrument invisible. Quelque chose avait eu lieu et à moins de le nier, à moins de faire croire que je n'avais pas ouvert les valises, cette chose continuerait à exister, à renverser tout obstacle devant elle, à se déplacer de son propre élan.

Il m'a fallu environ une semaine pour absorber et répartir les textes, pour séparer les écrits achevés des brouillons, pour disposer les manuscrits selon une apparence d'ordre chronologique. Le morceau le plus ancien était un poème remontant à 1963 (quand Fanshawe avait seize ans), le plus récent datait de 1976 (à peine un mois avant sa disparition). En tout il y avait plus de cent poèmes, trois romans (deux courts et un long), et cinq pièces de théâtre en un acte – ainsi que treize cahiers contenant un certain nombre de textes ratés, des esquisses, des notes, des remarques sur les livres que Fanshawe lisait, des idées pour des projets à venir. Il n'y avait pas de lettres, pas de journal intime, pas d'aperçu de la vie intérieure de Fanshawe. Mais je m'y attendais. On ne passe pas son temps à se cacher du monde sans s'assurer de recouvrir ses traces. J'aurais pourtant cru que quelque part dans tous ces papiers il aurait fait mention de moi – ne serait-ce que dans une lettre de directives ou une note sur un cahier me désignant comme son exécuteur littéraire. Mais il n'y avait rien. Fanshawe m'avait laissé me débrouiller tout seul.

J'ai téléphoné à Sophie et pris mes dispositions pour dîner avec elle le lendemain. Comme je proposais un restaurant français à la mode (bien au-dessus de mes moyens) elle a pu, je crois, deviner ma réaction aux écrits de Fanshawe. Mais à part cette allusion à des réjouissances, j'en ai dit aussi peu que possible. Je voulais que les choses progressent à leur rythme – pas de coups brusques, pas de gestes prématurés. J'avais déjà mes certitudes quant à l'œuvre de Fanshawe, mais, avec Sophie, je craignais la précipitation. Trop de choses reposaient sur ma façon d'agir, trop de choses risquaient d'être détruites par des maladresses de début. Sophie et moi étions désormais liés, qu'elle en ait conscience ou pas – ne serait-ce que par le fait que nous serions associés pour promouvoir l'œuvre de Fanshawe. Mais je désirais plus que cela et je voulais que Sophie le voulût aussi. Tout en luttant contre mon ardeur, je me suis exhorté à la prudence et me suis recommandé de penser à l'avenir.

Elle portait une robe de soie noire, de minuscules boucles d'oreilles en argent, et elle avait ramené ses cheveux en arrière pour découvrir la ligne de son cou. Lorsqu'elle est entrée dans le restaurant et m'a vu assis au bar, elle m'a adressé un sourire chaleureux et complice comme pour me dire qu'elle savait à quel point elle était belle et pour faire en même temps un commentaire sur la bizarrerie de ces circonstances – y prenant goût, d'une certaine façon, et bien évidemment consciente des implications étranges de ce moment. Je lui ai dit qu'elle avait une allure éblouissante et elle m'a répondu d'un ton fantasque que c'était sa première sortie le soir depuis la naissance de Ben – et qu'elle avait voulu "ne pas avoir le même air". Après cela je me suis cantonné à nos affaires, essayant de me retenir. Lorsqu'on nous a conduits à notre table et présenté nos chaises (une nappe blanche, des couverts massifs et, entre nous, une tulipe rouge dans un vase élancé), j'ai répondu à son deuxième sourire en parlant de Fanshawe.

Rien de ce que j'ai dit n'a paru l'étonner. C'était du réchauffé, pour elle, des choses qu'elle avait déjà assimilées, et ce que je lui racontais ne faisait que confirmer ce qu'elle avait toujours su. Curieusement, ça ne paraissait pas lui faire grand effet. Il y avait dans son attitude quelque chose de circonspect qui me troublait et pendant plusieurs minutes je me suis senti perdu. Puis, lentement, j'ai réalisé que ses sentiments n'étaient pas très différents des miens. Fanshawe avait disparu de sa vie et je voyais qu'elle pouvait avoir de bonnes raisons d'être irritée du fardeau qui lui était imposé. En publiant les œuvres de Fanshawe, en se vouant à un homme qui n'était plus là, elle serait obligée de vivre dans le passé, et l'avenir qu'elle voulait se construire, quel qu'il soit, serait contaminé par le rôle qu'elle devrait jouer : celui de la veuve officielle, de la muse de l'écrivain mort, de la belle héroïne dans une histoire tragique. Nul ne veut faire partie d'une fiction, encore moins si cette fiction est réelle. Sophie venait juste d'avoir vingt-six ans. Elle était trop jeune pour exister à travers quelqu'un d'autre, trop intelligente pour ne pas vouloir une vie complètement à elle. Qu'elle eût aimé Fanshawe n'était pas le problème. Fanshawe était mort, et il était temps pour elle de le laisser là où il était.

Rien de cela n'a été dit aussi explicitement. Mais c'était quelque chose qu'on ressentait et il aurait été absurde de ne pas en tenir compte. Etant donné mes réserves, il était curieux que ce fût à moi de porter le flambeau, mais je voyais que si je ne m'en emparais pas et ne me mettais pas en route, le travail ne serait jamais accompli.

Vous n'êtes pas vraiment obligée de vous impliquer, ai-je déclaré. Nous devrons nous consulter, bien entendu, mais ça ne devrait pas vous demander trop de temps. Si vous consentez à me laisser prendre les décisions, je pense que ça n'ira pas mal du tout.

Evidemment, je vous les laisserai prendre, a-t-elle dit. Je ne connais pas la moindre chose en ce domaine. Si j'essayais de le faire moi-même je serais perdue au bout de cinq minutes.

Ce qui compte, c'est de savoir que nous sommes du même côté, ai-je dit. Au fond, tout ça se ramène à une seule chose : est-ce que vous pouvez me faire confiance ou pas ?

Je vous fais confiance, a-t-elle répondu.

Sans que je vous aie donné de motif pour cela ? Du moins pas encore.

Je sais. Mais je vous fais tout de même confiance.

Comme ça ?

Oui. Comme ça.

Elle m'a souri à nouveau, et pendant le reste du dîner nous n'avons plus rien dit de l'œuvre de Fanshawe. J'avais envisagé d'en discuter en détail – quel serait le meilleur début, quels éditeurs pourraient s'y intéresser, quelles personnes et ainsi de suite – mais cela ne semblait plus avoir d'importance. Sophie était tout à fait satisfaite de ne pas y penser, et maintenant que je l'avais rassurée en lui montrant qu'elle n'y était pas obligée, elle redevenait graduellement enjouée. Après tant de mois difficiles, elle avait enfin une occasion d'oublier un peu tout cela quelques heures, et je voyais à quel point elle était décidée à se perdre dans les plaisirs tout simples de cet instant : le restaurant, la nourriture, le rire des gens autour de nous, le fait d'être là et nulle part ailleurs. Elle voulait se laisser aller à tout cela et quel genre d'individu aurais-je été pour refuser de l'accompagner ?

J'étais en bonne forme ce soir-là. Sophie m'inspirait et il ne m'a pas fallu longtemps pour me réchauffer. J'ai lancé quelques blagues, raconté des histoires, fait de petits tours d'adresse avec les couverts. Cette femme était si belle que j'avais du mal à la quitter des yeux. Je voulais la voir rire, regarder comment son visage répondrait à mes paroles, observer son regard, étudier ses gestes. Dieu sait quelles bêtises m'ont échappé, mais j'ai fait de mon mieux pour me montrer détaché, pour cacher mes véritables motivations sous cet assaut de charme. C'était cela qui était vraiment dur. Je savais que Sophie se sentait seule, qu'elle souhaitait le réconfort d'un corps chaud près du sien – mais je ne cherchais pas une culbute dans le foin à la va-vite, et si j'agissais avec trop de précipitation ce ne serait probablement rien d'autre. A ce stade précoce, Fanshawe se trouvait encore avec nous, c'était le chaînon tacite, la force invisible qui nous avait rassemblés. Il faudrait quelque temps avant qu'il eût disparu, et jusque-là je découvrais que j'étais d'accord pour attendre.

Tout cela créait une tension exquise. A mesure que la soirée avançait, les remarques les plus banales se teintaient de connotations érotiques. Les mots n'étaient plus seulement des mots mais un code étrange de silences, une façon de parler qui tournait sans cesse autour de la chose dite. Tant que nous éviterions le véritable sujet le charme ne serait pas rompu. Nous glissions naturellement tous les deux dans ce genre de badinage qui gagnait d'autant plus en force que nous n'abandonnions ni l'un ni l'autre notre rébus mimé. Nous savions ce que nous faisions mais en même temps nous prétendions ne pas le savoir. C'est ainsi que j'ai commencé à faire la cour à Sophie – lentement, dans les formes, par des ajouts successifs infiniment ténus.

Après dîner nous nous sommes promenés une vingtaine de minutes dans l'obscurité de la fin de novembre, puis nous avons terminé la soirée dans un bar du centre de la ville. Je fumais une cigarette après l'autre, mais c'était le seul indice de mon tumulte intérieur. Sophie a parlé un peu de sa famille dans le Minnesota, de ses trois sœurs cadettes, de son arrivée à New York il y avait de cela huit ans, de sa musique, des cours qu'elle donnait et de son projet de les recommencer à l'automne – mais nous étions tellement pris dans nos badineries que chaque remarque se transformait en prétexte à un nouvel éclat de rire. Nous aurions continué s'il n'avait fallu songer à la baby-sitter, et nous avons donc arrêté vers minuit. Je l'ai accompagnée jusqu'à la porte de son appartement, et là j'ai fait mon dernier grand effort de la soirée.

Merci, docteur, a dit Sophie. L'opération a réussi.

Mes patients en réchappent toujours, ai-je répondu. C'est le gaz hilarant. Il suffit que j'ouvre le robinet et peu à peu ils vont mieux.

On risque de ne plus pouvoir s'en passer.

C'est exactement ça. Les patients en redemandent toujours plus – parfois deux ou trois opérations par semaine. Comment pensiez-vous que j'aie pu payer mon appartement de Park Avenue et ma résidence d'été en France ?

Ah ah, il y a une motivation cachée.

Absolument. Je suis mû par la cupidité.

Vous devez avoir une clientèle en pleine expansion.

J'en avais une. Mais je me suis plus ou moins retiré des affaires. Je n'ai plus qu'une seule patiente, ces temps-ci – et je ne suis pas certain qu'elle revienne.

Elle reviendra, a déclaré Sophie avec le sourire le plus innocent et le plus rayonnant que j'aie jamais vu. Vous pouvez y compter.

Je suis heureux de l'entendre, ai-je dit. Je demanderai à ma secrétaire de lui téléphoner pour prendre le prochain rendez-vous.

Le plus tôt sera le mieux. Dans ces traitements de longue durée on n'a pas un moment à perdre.

Voilà un très bon conseil. Je n'oublierai pas de commander une nouvelle recharge de gaz hilarant.

N'y manquez pas, docteur. Je crois que j'en ai vraiment besoin.

Nous nous sommes à nouveau souri puis je l'ai entourée de mes bras dans une grande accolade, j'ai posé un léger baiser sur ses lèvres et j'ai dévalé l'escalier aussi vite que je le pouvais.

Je suis rentré directement chez moi, mais j'ai compris qu'il était hors de question d'aller au lit et j'ai passé deux heures devant la télévision à regarder un film sur Marco Polo. Je me suis finalement écroulé vers les quatre heures, au milieu d'une rediffusion de *Twilight Zone.*

Mon premier geste a été de pressentir Stuart Green, lecteur dans une des plus grandes maisons d'édition. Je ne le connaissais pas très bien mais nous avions grandi dans la même ville et Roger, son frère cadet, avait été à l'école avec Fanshawe et moi. Je supposais que Stuart se souviendrait de Fanshawe et cela me paraissait être une bonne façon de démarrer. J'étais tombé sur Stuart en divers endroits ces dernières années, peut-être à trois ou quatre reprises, et il s'était toujours montré aimable, parlant du bon vieux temps (c'étaient ses mots) et promettant invariablement de transmettre mes salutations à Roger dès qu'il le verrait. Je n'avais aucune idée de la manière dont Stuart réagirait, mais il a paru raisonnablement content d'avoir de mes nouvelles lorsque j'ai appelé. Nous sommes convenus de nous rencontrer dans son bureau la même semaine.

Il lui a fallu quelques moments pour resituer le nom de Fanshawe. Il lui semblait bien le connaître, assurait-il, mais il ne savait pas d'où. J'ai un peu stimulé sa mémoire, mentionnant Roger et ses camarades, et soudain ça lui est revenu. Oui, oui, bien sûr, a-t-il dit. Fanshawe. Cet extraordinaire petit garçon. Roger soutenait que lorsqu'il serait grand il deviendrait président. C'est lui, ai-je répondu, et puis je lui ai raconté l'histoire.

Stuart avait un style plutôt compassé, le genre Harvard avec un nœud papillon et une veste en tweed, et bien qu'au fond il ne fût guère plus qu'un cadre de société, dans le monde de l'édition il passait pour un intellectuel. Il s'était bien débrouillé jusqu'alors – responsable d'édition à un peu plus de trente ans, jeune travailleur solide et compétent – et il n'y avait aucun doute qu'il ne fût sur une voie ascendante. Je dis tout ceci pour prouver seulement qu'il n'était pas quelqu'un qui se laisserait automatiquement impressionner par le genre d'histoire que je racontais. Il y avait en lui fort peu de romanesque, fort peu qui dépassât la prudence et les rapports commerciaux – mais je pouvais percevoir qu'il s'intéressait à l'affaire et au fur et à mesure que je parlais il paraissait même s'emballer.

Evidemment, il n'avait rien à perdre. Si les écrits de Fanshawe ne lui plaisaient pas, il lui serait facile de les refuser. Les rejets étant au cœur même de son travail, il n'y regarderait pas à deux fois. En revanche, si Fanshawe était l'écrivain que je lui dépeignais, alors, en le publiant, Stuart ne ferait qu'améliorer sa réputation. Il participerait à la gloire d'avoir découvert un génie américain inconnu, et il pourrait vivre de ce coup pendant des années.

Je lui ai tendu le manuscrit du gros roman de Fanshawe. A la fin, lui ai-je déclaré, ce serait tout ou rien – les poèmes, les pièces de théâtre, les deux autres romans –, mais celui-ci constituait l'œuvre principale de Fanshawe et devait logiquement paraître en premier. Je parlais bien entendu de *Neverland*. Stuart a dit que le titre lui plaisait, mais lorsqu'il m'a demandé de décrire le livre j'ai répondu que je n'y tenais pas, que je pensais qu'il valait mieux qu'il le découvrît seul. Il a réagi en levant un sourcil (un truc qu'il avait sans doute appris pendant son année à Oxford), comme pour signifier qu'il ne faudrait pas que je joue avec lui. Mais j'étais sérieux, pour autant que je puisse en juger. Seulement je ne voulais pas le forcer. Le livre était en mesure de se présenter lui-même et je ne voyais pas de raison pour refuser à Stuart le plaisir d'y entrer directement : sans carte, sans boussole, sans guide qui le prenne par la main.

Il lui a fallu trois semaines pour me rappeler. Les nouvelles n'étaient ni bonnes ni mauvaises, plutôt prometteuses. Il y a sans doute assez d'opinions positives dans le comité éditorial pour faire passer le livre, a dit Stuart, mais avant de prendre leur décision finale ils voulaient voir les autres textes. Je m'étais attendu à cela – une certaine prudence, un jeu serré – et j'ai dit à Stuart que je passerais lui porter les manuscrits dans l'après-midi.

C'est un livre étrange, a-t-il déclaré en montrant du doigt la copie de *Neverland* sur son bureau. Ce n'est pas du tout un roman typique, vois-tu. Ce n'est d'ailleurs rien de typique. Il n'est pas encore bien certain que nous le publiions, mais si nous le faisons nous prendrons une sorte de risque.

Je sais bien, ai-je répondu. Mais c'est ce qui rend la chose intéressante.

Ce qui est vraiment dommage, c'est que Fanshawe ne soit pas là. J'aimerais beaucoup travailler avec lui. Il y a dans ce livre des choses à changer, me semble-t-il, des passages qu'il faudrait enlever. Ça le rendrait encore plus fort.

C'est de l'orgueil éditorial, ai-je répondu. Tu as du mal à voir un manuscrit sans vouloir l'attaquer au crayon rouge. Mais en fait, les parties que tu désapprouves à présent te paraîtront un jour très sensées et tu seras heureux de ne pas avoir pu y toucher.

On verra avec le temps, a dit Stuart qui n'était pas prêt à faire une concession sur ce point. Mais il n'y a pas de doute, a-t-il continué, pas de doute que c'était quelqu'un qui savait écrire. J'ai lu le livre il y a plus de deux semaines et il ne m'a pas quitté. Je ne peux pas me le sortir de la tête. Il me revient sans cesse, et toujours aux moments les plus bizarres. Quand je sors de la douche, quand je marche dans la rue, quand je me glisse dans mon lit le soir – chaque fois que je ne pense pas consciemment à quelque chose. Ce n'est pas très souvent que ça nous arrive, vois-tu. On lit tant de livres, dans ce boulot, et ils ont tendance à tous se confondre. Mais celui de Fanshawe se distingue. Il contient quelque chose de puissant, et ce qu'il y a de plus étrange c'est que je ne sais même pas ce que c'est.

C'est probablement ça, le critère, ai-je dit. Il m'est arrivé la même chose. Le livre se coince quelque part dans le cerveau et on ne peut pas s'en débarrasser.

Et le reste de ses écrits ?

Pareil, ai-je répondu. On ne peut pas s'arrêter d'y penser. Stuart a secoué la tête et pour la première fois j'ai vu qu'il était sincèrement impressionné. Ça n'a pas duré plus d'un instant, mais à ce moment-là son arrogance et ses poses ont subitement disparu et je me suis trouvé presque disposé à le trouver sympathique.

Je crois que nous tenons peut-être quelque chose, a-t-il déclaré. Si ce que tu dis est vrai, alors je crois vraiment que nous tenons peut-être quelque chose.

C'était en effet le cas, et comme il s'avéra, peut-être même davantage que Stuart ne l'avait imaginé. *Neverland* a été accepté ce mois-là, avec en plus une option sur les autres livres. Mes vingt-cinq pour cent d'avance m'ont suffi à m'acheter un peu de temps que j'ai utilisé pour travailler sur une édition des poèmes. Je suis aussi allé voir un certain nombre de directeurs de théâtre pour savoir si quelqu'un était susceptible de monter les pièces. A la fin les choses ont abouti là aussi et trois des pièces en un acte ont été programmées dans un petit théâtre d'off-Broadway – la première devait avoir lieu six semaines après la parution de *Neverland*. En attendant j'ai persuadé le rédacteur en chef d'une des revues les plus importantes, pour laquelle j'écrivais à l'occasion, de me laisser faire un article sur Fanshawe. Il en est sorti un texte long, plutôt étrange et sur le coup il m'a semblé que c'était une des meilleures choses que j'aie jamais écrites. L'article devait paraître deux mois avant la publication de *Neverland* – et soudain c'était comme si tout arrivait en même temps.

J'avoue que j'ai été pris dans cet enchaînement. Une chose menant sans cesse à une autre, avant que j'aie pu me retourner toute une petite industrie avait été mise en branle. C'était une sorte de délire, me semble-t-il. Je me faisais l'effet d'un ingénieur, appuyant sur les boutons et tirant des leviers, passant des chambres de distribution aux boîtes à circuits, ajustant une pièce ici, améliorant quelque chose là, écoutant le mécanisme ronfler, souffler et ronronner, oublieux de tout ce qui n'était pas le tintamarre de l'enfant de ses pensées. J'étais le savant fou qui avait inventé la grande machine qui en met plein les yeux, et plus elle produisait de fumée, plus elle faisait de vacarme, plus j'étais heureux.

Peut-être était-ce inévitable ; peut-être avais-je besoin d'être un peu fou pour me lancer. Etant donné l'effort qu'il me fallait pour me plier à ce projet, il était sans doute nécessaire que j'identifie le succès de Fanshawe au mien propre. J'étais tombé sur une cause, sur quelque chose qui me justifiait et me donnait une sensation d'importance. Plus je disparaissais derrière mes ambitions pour Fanshawe, plus je me dessinais nettement à mes propres yeux. Ce n'est pas une excuse, ce n'est qu'une description de ce qui s'est passé. Quand je vois les choses rétrospectivement, je me dis que je cherchais des ennuis mais à l'époque je n'en savais rien. Et, ce qui est plus important : même si j'avais su, je ne pense pas que ça aurait changé quoi que ce soit.

Il y avait au fond de tout cela le désir de rester en contact avec Sophie. A mesure que le temps passait, il devenait parfaitement naturel que je lui téléphone trois ou quatre fois par semaine, que je la voie pour déjeuner, que je m'arrête chez elle l'après-midi pour une promenade dans le quartier avec Ben. Je l'ai présentée à Stuart Green, je l'ai invitée à rencontrer le directeur du théâtre, je lui ai trouvé un avocat pour les contrats et autres problèmes juridiques. Sophie prenait tout cela avec décontraction, traitant ces rencontres davantage comme des entretiens agréables que comme des négociations commerciales et montrant sans ambiguïté à ceux que nous voyions que c'était moi qui avais la responsabilité des choses. Je devinais qu'elle était déterminée à ne pas se sentir en dette à l'égard de Fanshawe et qu'elle se tiendrait à distance de tout ce qui se passerait (ou ne se passerait pas). L'argent la rendait heureuse, évidemment, mais elle ne le rattachait jamais vraiment au travail de Fanshawe. C'était un don improbable, un billet de loterie gagnant tombé du ciel, un point c'est tout. Sophie avait vu à travers le tourbillon dès le début. Elle comprenait l'absurdité fondamentale de la situation, et comme il n'y avait en elle aucune avidité, nulle impulsion à pousser son avantage, elle ne perdait pas la tête.

J'ai travaillé dur à la courtiser. Je ne doute pas que mes motivations n'aient clairement transparu, mais c'était peut-être tant mieux. Sophie savait que j'étais tombé amoureux d'elle et le fait que je ne me sois pas jeté sur elle, que je ne l'aie pas obligée à déclarer ses sentiments à mon égard l'a probablement davantage convaincue de mon sérieux que toute autre chose. Cependant je ne pouvais pas attendre éternellement. La discrétion a ses mérites, mais à trop forte dose elle peut être fatale. Un moment est arrivé où j'ai eu le sentiment que nous n'étions plus à nous mesurer en combat, qu'entre nous les choses étaient déjà réglées. En pensant aujourd'hui à ce moment, je suis tenté d'utiliser le langage traditionnel de l'amour. Je voulais employer les métaphores de la chaleur, de la brûlure, des barrières qui fondent sous des passions irrésistibles. Je me rends compte à quel point ces termes peuvent paraître surfaits, mais finalement je les crois exacts. Tout avait changé pour moi et des mots que je n'avais encore jamais compris ont soudain commencé à prendre un sens. C'est venu comme une révélation, et lorsque j'ai enfin eu le temps de l'assimiler, je me suis demandé comment j'avais réussi à vivre aussi longtemps sans avoir appris une chose aussi simple. Je ne parle pas tant de désir que de connaissance, la découverte que deux personnes, par leur désir, peuvent créer une chose plus puissante que celle que chacune peut créer toute seule. Ce savoir m'a transformé, me semble-t-il, et, de fait, m'a donné la sensation d'être plus humain. En appartenant à Sophie j'ai commencé à avoir le sentiment d'appartenir aussi à tous les autres. Il s'est avéré que ma véritable place dans le monde se trouvait quelque part au-delà de moi, et si cette place m'était intérieure elle était également impossible à situer. C'était le trou minuscule entre le moi et le non-moi, et pour la première fois de ma vie je percevais ce nulle part comme le centre exact du monde.

Le jour de mon trentième anniversaire est arrivé. Je connaissais Sophie depuis environ trois mois, et elle a insisté pour en faire une soirée de célébration. Au départ j'étais réticent, n'ayant jamais prêté grande attention aux anniversaires, mais le sens de la circonstance dont faisait preuve Sophie a fini par avoir raison de moi. Elle m'a acheté une édition coûteuse et illustrée de *Moby Dick*, m'a emmené dîner dans un bon restaurant, puis m'a guidé à une représentation de *Boris Godounov* au Metropolitan. Pour une fois je me suis laissé aller sans m'efforcer de deviner les raisons de mon bonheur, sans vouloir me précéder moi-même ou battre mes sentiments au poteau. Peut-être avais-je commencé à percevoir une audace nouvelle chez Sophie ; peut-être me faisait-elle savoir qu'elle avait décidé des choses pour elle-même, qu'il était à présent trop tard pour que l'un de nous deux puisse faire machine arrière. Quoi qu'il en soit, ce soir-là a été celui où tout a basculé et après il n'y a plus eu de doute sur ce que nous allions faire. Nous sommes rentrés chez elle à onze heures et demie, Sophie a payé la baby-sitter toute somnolente, puis nous avons pénétré sur la pointe des pieds dans la chambre de Ben, restant un moment à le regarder dormir dans son berceau. Je me souviens nettement que nous n'avons rien dit ni l'un ni l'autre, que le seul bruit que je percevais était le léger gargouillis de la respiration de Ben. Nous nous sommes penchés sur les barreaux et nous avons examiné la forme de son petit corps – il était couché sur le ventre, ses genoux ramenés au-dessous de lui et son derrière en l'air, avec deux ou trois doigts enfoncés dans sa bouche. Ça a semblé durer longtemps mais je crois bien que ce n'était qu'une minute ou deux. Puis, sans crier gare, nous nous sommes tous deux redressés, nous nous sommes tournés l'un vers l'autre et nous avons commencé à nous embrasser. Ensuite il m'est difficile de parler de ce qui s'est passé. Ces choses-là ont peu à voir avec les mots, si peu, en fait, qu'il me semble presque absurde d'essayer de les exprimer. Si je devais dire quelque chose, ce serait que nous tombions l'un dans l'autre, que nous tombions si vite et si loin que rien ne pouvait nous rattraper. A nouveau je me laisse aller à une métaphore. Mais c'est probablement hors de propos. Car, que je puisse ou non en parler ne change pas la réalité de ce qui s'est passé. Le fait est qu'il n'y avait jamais eu un baiser comme celui-là, et de toute ma vie je ne crois pas qu'il puisse jamais en exister un autre pareil.

4

J'ai passé cette nuit-là dans le lit de Sophie et il m'est aussitôt devenu impossible de le quitter. Je rentrais travailler chaque jour dans mon propre appartement, mais je retournais chez Sophie tous les soirs. Je suis devenu un membre de la maisonnée – faisant les courses pour le dîner, changeant les couches de Ben, vidant la poubelle, et vivant en plus grande intimité que jamais auparavant avec une autre personne. Les mois ont passé, et, à ma stupéfaction renouvelée, je me suis aperçu que j'étais assez doué pour ce genre de vie. J'étais né pour être avec Sophie ; petit à petit je me suis senti devenir plus fort, j'ai perçu qu'elle me rendait meilleur que je ne l'avais été. Ce qui semblait étrange c'était la manière dont Fanshawe nous avait réunis. Sans sa disparition, rien de tout cela ne se serait réalisé. J'avais une dette envers lui, mais à part ce que je pouvais faire pour son œuvre, je n'avais aucun moyen de m'en acquitter.

Mon article a été publié et il a semblé atteindre le but recherché. Stuart Green a téléphoné pour déclarer que c'était "un grand coup de main", ce qui à mon sens voulait dire qu'il se sentait désormais plus à l'aise d'avoir accepté le livre. Grâce à l'intérêt soulevé par mon article, l'affaire Fanshawe ne paraissait plus aussi hasardeuse. Puis *Neverland* est sorti et les critiques ont été pratiquement toutes bonnes, certaines même extraordinaires. On n'aurait pas pu espérer mieux. C'était le conte de fées dont rêve tout écrivain et j'avoue que j'en ai moi-même été quelque peu surpris. De telles choses ne sont pas censées se produire dans le monde réel. Quelques semaines seulement après la parution, les ventes dépassaient le chiffre escompté pour tout le premier tirage. On a procédé à une réimpression, on a inséré des publicités dans les journaux et les revues, puis le livre a été vendu à une maison d'édition qui devait le faire paraître en format de poche l'année suivante. Je ne veux pas donner l'impression que le livre ait été commercialement un best-seller ou que Sophie allait devenir millionnaire. Mais étant donné le sérieux et la difficulté de l'écriture de Fanshawe, et si l'on tient compte de la tendance du public à éviter ce genre d'œuvre, il s'agissait d'un succès qui dépassait tout ce que nous avions cru possible.

D'une certaine façon c'est ici que l'histoire devrait prendre fin. Le jeune prodige est mort mais ses écrits continueront à vivre, son nom ne sera pas oublié pendant les années à venir. Son ami d'enfance est venu au secours de la jeune et belle veuve, et ils vivront tous les deux heureux pour toujours. Voilà les choses bien ficelées et il ne manque plus que de rappeler les acteurs pour un dernier applaudissement. Mais il se trouve que ce n'est que le début. Ce que j'ai écrit jusqu'ici n'est qu'un prélude, une esquisse rapide de ce qui précède l'histoire que j'ai à raconter. S'il n'y avait pas autre chose il n'y aurait rien du tout – car rien ne m'aurait obligé à commencer. Seule l'obscurité a le pouvoir d'ouvrir au monde le cœur d'un homme, et l'obscurité est ce qui m'entoure dès que je pense à ce qui est arrivé.

S'il faut du courage pour l'écrire, je sais aussi que c'est seulement en l'écrivant que j'aurai la possibilité d'y échapper. Mais je n'ai guère le sentiment que c'est ce qui se produira ; pas même si je réussis à dire la vérité. Des histoires sans conclusion ne peuvent que durer éternellement, et s'y laisser prendre signifie qu'on doit mourir avant d'avoir joué son rôle jusqu'au bout. Mon seul espoir est qu'il y ait une fin à ce que je vais dire, que je trouverai quelque part un rai de lumière dans l'obscurité. Cet espoir est ce que j'appelle courage, mais, qu'il y ait une raison d'espérer, c'est là une tout autre question.

C'était environ trois semaines après la première des pièces de théâtre. J'ai passé la nuit dans l'appartement de Sophie, comme d'habitude, et, le matin venu, je suis allé chez moi pour travailler. Je me souviens que j'étais censé terminer un article sur quatre ou cinq livres de poèmes – une de ces critiques fourre-tout, si pénibles – et j'avais du mal à me concentrer. Mon esprit quittait sans cesse les livres étalés sur mon bureau et à peu près toutes les cinq minutes je sautais de ma chaise pour faire quelques pas dans la pièce. La veille, Stuart Green m'avait fait part d'une histoire bizarre et il m'était difficile de ne plus y penser. Selon Stuart, on commençait à dire que Fanshawe n'existait pas. Le bruit courait que je l'avais inventé pour me livrer à une supercherie et qu'en fait c'était moi qui avais écrit les livres. Ma première réaction avait été d'en rire et j'avais fait une blague sur Shakespeare qui lui non plus n'avait pas écrit de pièces. Mais après y avoir quelque peu réfléchi, je ne savais plus si cette rumeur m'insultait ou me flattait. Les gens ne m'estimaient-ils donc pas digne de foi ? Pourquoi prendrais-je la peine de créer toute une œuvre pour ensuite refuser de m'en attribuer le mérite ? D'un autre côté, me croyait-on capable d'écrire un livre de la qualité de *Neverland* ? Je me suis brusquement aperçu qu'une fois tous les manuscrits de Fanshawe publiés, il me serait parfaitement possible d'écrire un ou deux livres de plus sous son nom – d'accomplir le travail moi-même et pourtant de le faire passer pour sien. Je ne nourrissais évidemment aucune intention de ce genre, mais il me suffisait d'y penser pour que certaines notions s'ouvrent à moi dans leur bizarrerie et leur perplexité : quel est le sens, pour un écrivain, de mettre son nom sur un livre ; qu'est-ce qui pousse certains auteurs à se cacher derrière un pseudonyme ; est-ce qu'un écrivain, finalement, possède une existence réelle ? Il m'est venu à l'esprit que le fait d'écrire sous le nom d'un autre me procurerait du plaisir – le fait d'inventer une identité secrète – et je me suis demandé pourquoi cette idée m'attirait tant. Une pensée menant sans cesse à une autre, j'avais à peine épuisé le sujet que j'ai découvert que j'avais gaspillé presque toute la matinée.

L'horloge tournait, il était onze heures et demie – l'arrivée du courrier – et je suis rituellement descendu par l'ascenseur pour voir s'il y avait quelque chose dans ma boîte. Il s'agissait toujours, pour moi, d'un moment crucial de la journée et il m'était impossible de l'aborder avec calme. J'avais toujours l'espoir que de bonnes nouvelles s'y trouveraient – un chèque inattendu, une proposition de travail, une lettre qui à sa façon changerait ma vie – et au fil du temps l'habitude d'anticiper s'était tellement ancrée en moi que je pouvais à peine regarder ma boîte aux lettres sans avoir des bouffées. C'était ma cachette, le seul endroit sur terre qui fût entièrement à moi. Elle me reliait pourtant au reste du monde et recelait dans la magie de son obscurité le pouvoir de créer des événements.

Il n'y avait pour moi ce jour-là qu'une seule lettre. Dans une enveloppe blanche ordinaire portant le cachet de New York et sans adresse d'expéditeur. L'écriture ne m'était pas familière (mes nom et adresse étaient en majuscules d'imprimerie) et je n'avais pas la moindre idée de qui elle pouvait provenir. J'ai ouvert l'enveloppe dans l'ascenseur – et c'est alors, en route vers le neuvième étage, que le ciel m'est tombé sur la tête.

"Ne m'en veux pas de t'écrire", commençait la lettre. "Au risque de te causer une crise cardiaque j'ai voulu t'envoyer un dernier mot – te remercier pour ce que tu as fait. Je savais que c'était à toi qu'il fallait s'adresser, mais les choses ont tourné encore mieux que je ne le pensais. Tu es allé au-delà du possible et je t'en suis redevable. Sophie et l'enfant seront pris en charge et de ce fait je peux vivre la conscience en paix.

"Je ne vais pas m'expliquer ici. Malgré cette lettre je veux que tu continues à me tenir pour mort. Rien ne m'est plus important que cela et tu ne dois dire à personne que tu as eu de mes nouvelles. Je ne permettrai pas qu'on me trouve et en parler ne ferait que créer plus de difficultés que cela n'en vaut. Surtout ne dis rien à Sophie. Fais en sorte qu'elle divorce d'avec moi et puis épouse-la dès que tu pourras. J'ai confiance : tu le feras – et je te donne ma bénédiction. L'enfant a besoin d'un père, tu es le seul sur qui je puisse compter.

"Je veux que tu comprennes que je n'ai pas perdu l'esprit. J'ai pris certaines décisions qui s'avéraient nécessaires et bien que certaines personnes en aient souffert, j'ai accompli, en partant, l'action la meilleure et la plus généreuse de mon existence.

"Sept ans jour pour jour après ma disparition sera la date de ma mort. J'ai rendu mon verdict en ce qui me concerne, et il est sans appel.

"Je te supplie de ne pas me chercher. Je n'ai aucune envie qu'on me trouve et j'estime que j'ai le droit de vivre le restant de mes jours comme bon me semble. Les menaces me répugnent mais je ne peux faire autrement que de te lancer cet avertissement : si par quelque miracle tu réussis à retrouver ma piste je te tuerai.

"Je suis content de voir qu'on s'intéresse autant à mes écrits. Je n'aurais jamais imaginé qu'une telle chose pût se produire. Mais tout cela me paraît si loin de moi, à présent. Ecrire des livres appartient à une autre vie et même y penser, maintenant, me laisse froid. Je ne chercherai jamais à obtenir la moindre part de l'argent – je te le donne de tout cœur ainsi qu'à Sophie. L'écriture a été une maladie qui m'a longtemps torturé, mais à présent j'en suis guéri.

"Sois tranquille, je ne reprendrai pas contact avec toi. Tu es libre, maintenant, et je te souhaite une longue et heureuse vie. Quel bonheur que les choses aient tourné ainsi. Tu es mon ami, et mon seul espoir est que tu restes toujours toi-même. Quant à moi c'est une autre histoire. Souhaite-moi de la chance."

Il n'y avait pas de signature au bas de la lettre et pendant une heure ou deux j'ai essayé de me persuader qu'il s'agissait d'une farce. Si Fanshawe l'avait bien écrite, pourquoi aurait-il omis de mettre son nom ? Je me suis cramponné à cette idée comme à une preuve qu'on me jouait un tour, cherchant désespérément un prétexte pour nier ce qui venait d'arriver. Mais cet optimisme n'a pas duré très longtemps et petit à petit je me suis forcé à voir la réalité en face. Un bon nombre de raisons pouvaient expliquer l'omission du nom, et plus j'y réfléchissais, plus il m'apparaissait clairement que c'était précisément pour cela que la lettre devait être considérée comme authentique. Un farceur aurait veillé tout particulièrement à mettre le nom, mais le véritable auteur n'y aurait pas réfléchi à deux fois : seul quelqu'un qui ne cherche pas à tromper aurait l'aplomb de faire une faute aussi évidente. Et puis il y avait les dernières phrases de la lettre : "… reste toi-même. Quant à moi c'est une autre histoire." Cela signifiait-il que Fanshawe était devenu quelqu'un d'autre ? Il n'y avait aucun doute qu'il vivait sous un autre nom – mais comment vivait-il et où ? Le cachet de la poste new-yorkaise donnait quelque indication, à la rigueur, mais ce pouvait être tout aussi facilement un leurre, un bout d'information trompeuse pour m'égarer. Fanshawe avait été extrêmement prudent. J'ai relu et relu sa lettre, m'efforçant de la disséquer, cherchant une ouverture, un moyen de comprendre entre les lignes – mais rien n'en est sorti. La missive restait opaque, un bloc d'obscurité qui déjouait tous mes efforts pour y pénétrer. A la fin j'ai abandonné, rangé la lettre dans un tiroir de mon bureau et j'ai admis que j'étais perdu, que rien pour moi ne serait plus jamais pareil.

Ce qui m'irritait le plus, je crois, c'était ma propre bêtise. Rétrospectivement je vois que tous les faits m'avaient été présentés dès le départ, dès ma première rencontre avec Sophie. Pendant des années Fanshawe ne publie rien, puis il dit à sa femme ce qu'elle doit faire au cas où il lui arriverait quelque chose (me pressentir, faire publier ses œuvres), et enfin il disparaît. C'était gros comme une maison. Cet homme voulait partir et il est parti. Un jour il s'est tout simplement levé et il a laissé là sa femme enceinte. Comme elle lui faisait confiance, comme elle jugeait inconcevable qu'il pût faire une telle chose, elle n'avait pas d'autre possibilité que de le croire mort. Sophie s'était leurrée elle-même, mais étant donné la situation, on voyait mal comment elle aurait pu agir autrement. Je n'avais pas d'excuse semblable. Pas une fois depuis le début je n'avais démêlé les choses par moi-même. J'avais sauté pieds joints avec elle, je m'étais fait un plaisir d'accepter sa lecture erronée des événements, et puis je m'étais tout simplement arrêté de penser. On a fusillé des gens pour moins que ça.

Les jours ont passé. Tous mes instincts me poussaient à me confier à Sophie, à partager la lettre avec elle, et pourtant je ne pouvais m'y résoudre. J'avais trop peur, j'étais trop incertain de sa réaction. Quand je me sentais fort, je me persuadais que garder le silence était le meilleur moyen de la protéger. Quel bénéfice imaginable pouvait-elle retirer d'apprendre que Fanshawe l'avait laissée tomber ? Elle s'accuserait de ce qui s'était produit et je ne voulais pas qu'elle fût blessée. Sous ce noble silence, cependant, il y avait un autre silence fait de panique et de crainte. Fanshawe était en vie – et si je l'apprenais à Sophie, quel effet cette information aurait-elle sur nous ? L'idée que Sophie pût souhaiter le retour de Fanshawe m'était insupportable et je n'ai pas osé en prendre le risque. C'est là peut-être mon plus grand échec. Si j'avais suffisamment cru en l'amour de Sophie pour moi, j'aurais accepté de risquer n'importe quoi. Mais à ce moment-là il ne me semblait pas avoir le choix, et j'ai donc fait ce que Fanshawe m'avait demandé – non pas pour lui, mais pour moi. J'ai verrouillé le secret à l'intérieur de moi-même et j'ai appris à tenir ma langue.

Quelques jours de plus ont passé, puis j'ai proposé le mariage à Sophie. Nous en avions déjà parlé, mais cette fois j'ai quitté le simple terrain de la conversation, lui montrant clairement que je voulais passer à l'action. Je me rendais compte que je sortais de mon personnage habituel (j'étais sans humour, inflexible), mais je ne pouvais pas m'en empêcher. L'incertitude de la situation était impossible à soutenir, et j'estimais que je devais résoudre les choses sur-le-champ. Sophie a bien entendu remarqué ce changement en moi, mais comme elle n'en savait pas la raison elle l'a interprété comme un excès de passion – un comportement de mâle nerveux et trop ardent, brûlant d'obtenir ce qu'il désire le plus (c'était également vrai). Oui, a-t-elle répondu, elle m'épouserait. Avais-je jamais cru sérieusement qu'elle me refuserait ?

Et je veux aussi adopter Ben, ai-je dit. Je veux qu'il porte mon nom. Il est important qu'il grandisse en me considérant comme son père.

Sophie a répondu qu'elle ne voulait pas qu'il en soit autrement. C'était la seule solution sensée – pour tous les trois.

Et je veux que ça se fasse vite, ai-je poursuivi, dès que possible. A New York il te faudrait un an pour obtenir le divorce, c'est trop long, je ne pourrai pas attendre aussi longtemps. Mais il y a d'autres endroits. L'Alabama, le Nevada, le Mexique, Dieu sait où encore. Nous pourrions partir en vacances et dès le retour tu serais libre de m'épouser.

Sophie a répondu qu'elle aimait entendre ces mots : "Libre de m'épouser." S'il fallait pour cela partir quelques jours, elle irait, dit-elle, elle irait là où je voudrais.

Après tout, ai-je repris, ça fait plus d'un an qu'il est parti, presque un an et demi. Il faut sept ans avant qu'une personne disparue soit officiellement considérée comme morte. Des choses se passent, la vie continue. Imagine-toi : il y a presque un an que nous nous connaissons.

Pour être précis, a répondu Sophie, tu as franchi cette porte pour la première fois le 25 novembre 1978. Dans huit jours ça fera exactement un an.

Tu t'en souviens.

Bien sûr, je m'en souviens. C'est le jour le plus important de ma vie.

Nous avons pris un avion pour Birmingham, Alabama, le 27 novembre, et nous sommes revenus à New York dès la première semaine de décembre. Le 11, nous nous sommes mariés à l'hôtel de ville, après quoi nous sommes allés à un dîner copieusement arrosé avec une vingtaine de nos amis. Nous avons passé la nuit au *Plaza*, commandé un petit déjeuner dans notre chambre le lendemain matin et plus tard ce jour-là nous avons pris l'avion pour le Minnesota avec Ben. Le 18, les parents de Sophie ont organisé pour nous une fête de mariage dans leur maison et la nuit du 24 nous avons célébré la Noël norvégienne. Deux jours après, Sophie et moi avons quitté la neige pour nous rendre aux Bermudes pendant une semaine et demie, puis nous sommes revenus au Minnesota chercher Ben. Nous projetions de nous mettre à la recherche d'un nouvel appartement dès que nous serions rentrés à New York. Quelque part au-dessus de la Pennsylvanie, environ une heure après le décollage, Ben a pissé à travers sa couche sur mes genoux. Lorsque je lui ai montré la grande tache sombre sur mon pantalon, il a ri, il a applaudi, et puis, me regardant droit dans les yeux, m'a appelé papa pour la première fois.

5

J'ai creusé dans le présent. Plusieurs mois se sont écoulés, et, petit à petit, la possibilité que je survive a commencé à poindre. C'était une vie dans un abri enterré, mais Sophie et Ben la partageaient avec moi et en réalité je n'en demandais pas plus. Tant que je me souviendrais de ne pas redresser la tête, le danger ne pourrait pas nous atteindre.

Nous avons déménagé en février dans un appartement du Riverside Drive. L'installation nous a pris jusqu'au milieu du printemps et je n'ai guère eu le loisir de m'appesantir sur Fanshawe. La lettre n'avait pas totalement disparu de mes pensées, mais elle ne véhiculait plus la même menace. J'étais en sécurité avec Sophie, à présent, et je croyais que rien ne pourrait briser notre entente – pas même Fanshawe, pas même Fanshawe en chair et en os. En tout cas c'était ce qu'il me semblait quand il m'arrivait d'y penser. Je comprends aujourd'hui à quel point je me leurrais, mais je ne m'en suis rendu compte que beaucoup plus tard. Par définition une pensée est quelque chose dont on a conscience. Or, à cette époque, je n'ai jamais su qu'en fait je ne cessais pas de penser à Fanshawe et que, pendant tous ces mois-là, il demeurait en moi nuit et jour. Et si on n'a pas conscience d'avoir une pensée, est-il légitime de dire qu'on pense ? J'étais hanté, peut-être, j'étais même possédé – mais il n'en transparaissait aucun signe, aucun indice qui m'aurait montré ce qui se passait.

Ma vie quotidienne était remplie, maintenant. C'est à peine si j'ai remarqué que je travaillais moins que pendant les années précédentes. Je n'avais pas d'emploi fixe où je doive me rendre chaque matin, et comme Sophie et Ben restaient avec moi dans l'appartement, il ne m'était pas très difficile de trouver quelque prétexte pour éviter mon bureau. Mon horaire de travail s'est relâché. Au lieu de commencer à neuf heures précises chaque jour, il m'arrivait parfois de ne pas entrer dans ma petite pièce avant onze heures ou onze heures et demie. En plus, la présence de Sophie à la maison constituait une tentation perpétuelle. Ben faisait encore une ou deux siestes par jour, et durant ces heures tranquilles où il dormait j'avais du mal à ne pas penser au corps de Sophie. Plus souvent qu'autre chose nous nous sommes retrouvés à faire l'amour. Sophie en était tout aussi avide que moi, et au fil des semaines la maison s'est lentement érotisée pour se transformer en un champ de possibilités sexuelles. Le monde des profondeurs remontait à la surface. Chaque pièce se chargeait de souvenirs spécifiques, chaque endroit évoquait un moment différent, de sorte que même dans le calme de la vie pratique, tel morceau de moquette, ou tel seuil de porte n'était plus strictement une chose mais une sensation, un écho de notre vie érotique. Nous avions pénétré dans le paradoxe du désir. Le besoin que nous avions l'un de l'autre était inépuisable, et plus nous le satisfaisions, plus il semblait croître.

Périodiquement Sophie parlait de chercher un travail mais nous n'en sentions l'urgence ni l'un ni l'autre. Notre argent tenait bien et nous avions même réussi à en mettre pas mal de côté. Le livre suivant de Fanshawe, *Miracles*, était sous presse et l'avance versée par contrat avait été plus substantielle que celle de *Neverland*. Selon le programme que Stuart et moi avions établi, les poèmes paraîtraient six mois après *Miracles*, puis il y aurait *Black-outs* – le premier roman de Fanshawe –, et pour finir les pièces de théâtre. Les droits d'auteur pour *Neverland* ont commencé à rentrer ce mois de mars-là, et avec les chèques qui nous arrivaient soudain pour une chose ou une autre tous nos problèmes d'argent se sont évanouis. Comme tout ce qui semblait nous arriver par ailleurs il s'agissait pour moi d'une nouveauté. Pendant les huit ou neuf années précédentes, ma vie n'avait été qu'une mêlée perpétuelle, une plongée frénétique d'un article minable au suivant, et je m'étais estimé heureux chaque fois que je pouvais compter avec un ou deux mois d'avance. Le souci était ancré en moi ; il s'était intégré à mon sang, à mes globules, et c'est à peine si je savais ce que signifiait respirer sans me demander si je pourrais payer la note de gaz. Or, pour la première fois depuis que j'étais devenu indépendant, j'ai réalisé que je n'étais plus obligé de penser à ces choses. Un matin, alors qu'assis à mon bureau je peinais sur la dernière phrase d'un article, j'ai eu lentement la révélation qu'on m'avait donné une deuxième chance. Je pouvais laisser tomber et repartir. Je n'étais plus obligé d'écrire des articles. Je pouvais passer à d'autres choses, me mettre à faire le travail que j'avais toujours désiré. C'était ma chance de salut, et j'ai conclu que je serais un imbécile de ne pas la saisir.

Des semaines encore ont passé. Je m'enfermais tous les matins dans mon bureau, mais il ne se produisait rien. En théorie je me sentais inspiré, et tant que je n'étais pas au travail ma tête regorgeait d'idées. Mais dès que je m'asseyais pour noter quelque chose par écrit mes pensées s'évaporaient. Les mots mouraient aussitôt que je soulevais mon stylo. J'ai mis en chantier un certain nombre de projets mais aucun n'a vraiment tenu et je les ai tous abandonnés l'un après l'autre. J'ai cherché des excuses expliquant pourquoi je n'avançais pas. Elles me sont venues sans problème, et il n'a pas fallu longtemps pour que j'en produise tout un chapelet : l'adaptation à la vie conjugale, les responsabilités de la paternité, ma nouvelle pièce de travail (que je trouvais trop étriquée), mon ancienne habitude d'écrire sous la contrainte de dates limites, le corps de Sophie, ma soudaine bonne fortune – tout. Pendant plusieurs jours j'ai même caressé l'idée d'écrire un roman policier, mais je me suis englué dans l'intrigue et je n'ai pas réussi à recoller tous les éléments de façon cohérente. J'ai laissé mes pensées vagabonder sans but, espérant me persuader que l'oisiveté était la preuve que mes forces s'accumulaient, l'indice que quelque chose était sur le point de se produire. Pendant plus d'un mois, je n'ai rien fait d'autre que copier des passages de livres. J'en ai punaisé un sur mon mur, il était de Spinoza : "Et lorsqu'il rêve qu'il ne veut pas écrire, il n'a pas la puissance de rêver qu'il veut écrire ; et lorsqu'il rêve qu'il veut écrire, il n'a pas la puissance de rêver qu'il ne veut pas écrire."

J'aurais peut-être pu m'extraire de ce marasme. S'agissait-il d'un état permanent ou d'une phase temporaire ? Ce n'est pas encore clair dans mon esprit. Au fond de moi, j'ai le sentiment que pendant un moment j'ai vraiment été perdu, pataugeant désespérément à l'intérieur de moi-même, mais je ne crois pas qu'on puisse en déduire que mon cas était sans issue. Il m'arrivait des choses. Je vivais de grands changements et il était encore trop tôt pour prédire où ils allaient me mener. Puis, alors que je ne m'y attendais pas, une solution s'est présentée. Si ce mot est trop avantageux j'utiliserai celui de compromis. Quoi qu'il en soit, je n'y ai opposé que très peu de résistance. Ce compromis est survenu à un moment où j'étais vulnérable, et mon jugement n'était pas au mieux de lui-même. C'est là ma deuxième erreur cruciale et elle a découlé en droite ligne de la première.

C'était un jour où je déjeunais avec Stuart près de son bureau dans l'Upper East Side. Au milieu du repas il est reparti sur les rumeurs concernant Fanshawe, et pour la première fois j'ai compris qu'il commençait en fait à avoir des doutes. Le sujet le fascinait tant qu'il ne pouvait pas s'en dégager. Il prenait un air espiègle, moqueur et comploteur, mais sous cette pose je le soupçonnais de vouloir me tendre un piège pour obtenir de moi une confession. J'ai joué le jeu un moment, puis, lorsque j'en ai eu assez, j'ai dit que la seule méthode infaillible pour trancher la question consistait à commander une biographie. J'ai lancé cette remarque en toute innocence (c'était une conclusion logique, pas une suggestion), mais Stuart l'a reçue comme une idée splendide. Il s'est mis à pérorer : Bien sûr, bien sûr, le mythe de Fanshawe dévoilé, c'est tout à fait évident, bien sûr, enfin la véritable histoire. Il ne lui a pas fallu plus de quelques minutes pour arranger toute l'affaire. C'était moi qui allais écrire ce livre. Il paraîtrait après la publication de toute l'œuvre de Fanshawe et je pouvais disposer de tout le temps que je voulais – deux ans, trois ans, peu importe. Il faudrait que ce soit un livre extraordinaire, a ajouté Stuart, un ouvrage à la hauteur de Fanshawe lui-même, mais il avait tout à fait confiance en moi et savait que j'étais capable d'un tel travail. La proposition m'a pris au dépourvu et je l'ai traitée comme une plaisanterie. Mais Stuart était sérieux ; il ne m'a pas laissé la rejeter. Réfléchis-y, a-t-il déclaré, et puis dis-moi ce que tu en penses. Je suis resté sceptique, mais pour être poli je lui ai dit que j'y réfléchirais. Nous sommes convenus que je lui donnerais une réponse définitive pour la fin du mois.

J'en ai discuté avec Sophie ce soir-là, mais comme je ne pouvais lui parler en toute honnêteté la conversation ne m'a pas beaucoup avancé.

Ça dépend de toi, a-t-elle dit. Si tu veux le faire, je crois que tu devrais y aller.

Ça ne te gêne pas ?

Non. Du moins je n'en ai pas l'impression. Je me suis déjà dit que tôt ou tard il y aurait un livre sur lui. S'il doit se faire, il vaut mieux qu'il soit de toi que de quelqu'un d'autre.

Il faudrait que j'écrive sur toi et Fanshawe. Ça pourrait être bizarre.

Quelques pages suffiront. Tant que c'est toi qui les écris, je ne me fais pas vraiment de souci.

Peut-être, ai-je dit, ne sachant plus comment poursuivre. La question la plus délicate, je suppose, c'est de savoir si je veux être tellement obligé de penser à Fanshawe. Peut-être le moment est-il venu de le laisser filer ?

C'est toi qui décides. Mais en fait tu pourrais faire ce livre mieux que quiconque. Et ça ne doit pas forcément être une biographie au sens strict, tu comprends. Tu pourrais faire quelque chose de plus intéressant.

Comme quoi ?

Je ne sais pas, quelque chose de plus personnel, de plus poignant. L'histoire de votre amitié. Ça pourrait être autant sur toi que sur lui.

Peut-être. Du moins est-ce une idée. Ce qui m'intrigue, c'est comment tu peux être aussi calme dans cette affaire.

Parce que je suis mariée avec toi et que je t'aime, c'est tout. Si tu décides que c'est quelque chose que tu veux faire, alors je suis pour. Je ne suis quand même pas aveugle. Je sais que tu as des difficultés dans ton travail et il m'arrive de penser que c'est ma faute. Peut-être est-ce le genre de projet dont tu as besoin pour redémarrer.

Secrètement, j'avais compté sur Sophie pour qu'elle prenne la décision à ma place. J'avais supposé qu'elle s'y opposerait, que nous en parlerions une fois et que ce serait terminé. Mais c'était justement le contraire qui s'était produit. Je venais de me coincer en reculant dans un angle, et mon courage m'a soudain lâché. J'ai laissé passer deux ou trois jours, puis j'ai téléphoné à Stuart pour lui dire que je ferais ce livre. Grâce à quoi j'ai encore eu un déjeuner gratuit, et ensuite je me suis retrouvé tout seul.

Il n'a jamais été question de dire la vérité. Il fallait que Fanshawe fût mort, sans quoi le livre n'aurait pas de sens. Je devais non seulement passer sa lettre sous silence, mais aussi prétendre qu'elle n'avait jamais été écrite. Je ne camoufle aucunement ce que j'avais l'intention de faire. C'était une chose que j'avais décidée clairement d'emblée, et je m'y suis plongé avec la fraude au cœur. Ce livre serait un ouvrage de fiction. Bien qu'il reposât sur des faits, il ne pouvait rien raconter d'autre que des mensonges. J'ai signé le contrat, après quoi je me suis senti comme quelqu'un qui aurait vendu son âme au diable.

Pendant plusieurs semaines j'ai tourné et tourné en esprit, cherchant un début. Je me répétais que toute vie est inexplicable. Quelle que soit la manière dont les faits sont relatés, quel que soit le nombre des détails présentés, l'essentiel résiste à la narration. Dire qu'un tel est né ici avant d'aller là, qu'il a fait telle et telle chose, qu'il a épousé telle femme et a eu tels enfants, qu'il a vécu, qu'il est mort, qu'il a laissé ces livres-là après lui, ou cette bataille, ou ce pont – rien de tout cela ne nous dit grand-chose. Nous voulons tous qu'on nous conte des histoires et nous les écoutons comme nous le faisions quand nous étions jeunes. Nous imaginons la véritable histoire à l'intérieur des mots, et pour ce faire nous nous substituons à la personne dans l'histoire, prétendant la comprendre parce que nous nous comprenons nous-mêmes. C'est un leurre. Nous existons pour nous-mêmes, peut-être, et il y a des moments où nous parvient une lueur de celui que nous sommes, mais en fin de compte nous ne pouvons pas avoir de certitude, et au fur et à mesure que nos vies se poursuivent nous devenons de plus en plus opaques à nos propres yeux, de plus en plus conscients de notre propre incohérence. Nul ne peut franchir la frontière qui le sépare d'autrui – et cela simplement parce que nul ne peut avoir accès à lui-même.

Mes pensées m'ont ramené à quelque chose qui m'était arrivé huit ans plus tôt, en juin 1970. A court d'argent, et sans perspectives immédiates pour l'été, j'avais pris un travail temporaire d'agent de recensement à Harlem. Nous étions une vingtaine dans le groupe, un commando d'enquêteurs sur le terrain, engagés pour débusquer les gens qui n'avaient pas répondu aux questionnaires envoyés par la poste. Nous avons subi un entraînement de plusieurs jours dans un deuxième étage poussiéreux en face du cinéma Apollo, puis, après avoir assimilé les complexités des formulaires et les règles élémentaires du bon comportement d'un agent recenseur, nous nous sommes égaillés dans le quartier avec nos sacs rouge, blanc et bleu en bandoulière, pour frapper aux portes, poser des questions et revenir avec les faits. Le premier endroit où je suis allé s'est avéré être le quartier général d'une loterie clandestine. La porte s'est entrouverte de l'épaisseur d'une fente, une tête a surgi (derrière laquelle j'ai pu voir une douzaine d'hommes dans une pièce nue, en train d'écrire sur de longues tables de pique-nique), et on m'a dit poliment que ça ne les intéressait pas. Cela m'a paru donner le ton. Dans un appartement j'ai parlé avec une femme à demi aveugle dont les parents avaient été esclaves. Au bout de vingt minutes d'entretien elle a fini par s'apercevoir que je n'étais pas noir et elle s'est mise à glousser de rire. Elle s'en était doutée depuis le début, a-t-elle dit, parce que j'avais une voix bizarre, mais elle avait du mal à le croire. J'étais le premier Blanc à être jamais entré chez elle. Dans un autre appartement, je suis tombé sur une maisonnée de onze où personne n'avait plus de vingt-deux ans. Mais en général les gens n'étaient pas là. Ou quand ils y étaient ils ne voulaient pas me parler ni me laisser entrer. L'été est venu, les rues sont devenues chaudes et humides, insupportables comme elles peuvent seulement l'être à New York. Je commençais mes tournées de bonne heure, allant bêtement à l'aveuglette d'une maison à l'autre, me sentant tous les jours un peu plus comme si je débarquais de la lune. J'ai fini par en parler à mon superviseur (un Noir beau parleur qui portait des lavallières en soie et une bague de saphir), lui expliquant mon problème. C'est alors que j'ai appris ce qu'on

340

attendait réellement de moi. Ce monsieur recevait une certaine somme d'argent pour chaque formulaire que lui remettait son équipe. Plus nous avions de résultats, plus il aurait d'argent dans sa poche. "Je ne veux pas vous donner d'ordres, m'a-t-il dit, mais il me semble que si vous avez honnêtement fait de votre mieux vous ne devriez pas avoir de regrets."

De simplement abandonner ? ai-je demandé.

D'un autre côté, a-t-il poursuivi avec philosophie, le gouvernement veut des formulaires remplis. Plus ils en auront, mieux ils se sentiront. Bien, vous êtes un garçon intelligent, et je sais que vous ne trouvez pas cinq quand vous faites deux plus deux. Ce n'est pas parce qu'une porte ne s'ouvre pas lorsqu'on frappe dessus qu'il n'y a nécessairement personne. Il faut vous servir de votre imagination, mon ami. Après tout, nous ne voulons pas faire de peine au gouvernement, n'est-ce pas ?

La tâche, après cela, est devenue beaucoup plus facile, mais ce n'était plus la même. Mon activité de terrain s'était transformée en travail de bureau, et d'enquêteur je suis devenu inventeur. Tous les jours, ou tous les deux jours, je suis passé au bureau pour prendre un paquet de formulaires et rendre ceux que j'avais terminés, mais à part cela je n'étais plus obligé de quitter mon appartement. Je ne sais combien de gens j'ai inventés, mais il devait y en avoir des centaines, voire des milliers. J'étais assis dans ma chambre avec le ventilateur qui me soufflait sur le visage et une serviette froide autour du cou, remplissant les questionnaires aussi vite que ma main écrivait. J'avais un faible pour les familles nombreuses – six, huit, dix enfants – et j'éprouvais une fierté particulière à forger des réseaux de parenté aussi bizarres que compliqués en utilisant toutes les combinaisons possibles : père et mère, fils et fille, cousins, oncles, tantes, grands-parents, concubins, beaux-fils, belles-filles, demi-frères, demi-sœurs et amis. Surtout il y avait le plaisir d'inventer des noms. Parfois je devais refréner mon penchant pour l'incongruité – l'aspect brutalement comique, le jeu de mots, l'obscénité – mais en général je me contentais de rester dans les limites du réalisme. Lorsque mon imagination flanchait, je recourais à quelques moyens mécaniques : les couleurs (Brown, White, Black, Green, Gray, Blue), les présidents (Washington, Adams, Jefferson, Fillmore, Pierce), les personnages de fiction (Finn, Starbuck, Dimmsdale, Budd). J'aimais les noms associés au ciel (Orville Wright, Amelia Earhart), à l'humour silencieux (Keaton, Langdon, Lloyd), aux *homeruns* de base-ball (Killebrew, Mantle, Mays), et à la musique (Schubert, Ives, Armstrong). Il m'arrivait de ressortir le nom de parents éloignés ou de vieux copains d'école, et j'ai même une fois utilisé une anagramme du mien.

C'était infantile, comme activité, mais je n'avais pas de remords. Ce n'était pas non plus difficile à justifier. Le superviseur n'y verrait pas d'obstacle ; les gens qui vivaient en réalité aux adresses portées sur les formulaires ne protesteraient pas (ils ne voulaient pas qu'on les embête, surtout pas un jeune Blanc venant mettre son nez dans leurs affaires personnelles) ; le gouvernement enfin n'élèverait pas d'objection, puisque ce qu'il ne savait pas ne pouvait pas lui faire de mal – en tout cas pas plus de mal qu'il ne s'en faisait déjà lui-même. Je suis allé jusqu'à défendre ma partialité pour les familles nombreuses au moyen d'arguments politiques : plus la population pauvre serait élevée, plus le gouvernement se sentirait obligé de dépenser de l'argent pour elle. De la filouterie du style âmes mortes, donc, avec une touche américaine, et j'avais la conscience tranquille.

Telles étaient les choses à un certain niveau. Au fond, il y avait le simple fait que je m'amusais. Je prenais plaisir à tirer les noms de mon chapeau, à inventer des vies qui n'avaient jamais existé et n'existeraient jamais. Ce n'était pas tout à fait comme inventer les personnages d'une histoire, mais quelque chose de plus grandiose, quelque chose de beaucoup plus troublant. Chacun sait que les histoires sont imaginaires. Quel que soit leur effet sur nous, nous savons qu'elles ne sont pas vraies même quand elles nous disent des vérités plus importantes que celles que nous pouvons trouver ailleurs. A la différence de celui qui écrit des histoires, je proposais mes créations directement au monde réel et par conséquent il me paraissait possible qu'elles affectent ce monde réel d'une façon réelle, qu'elles deviennent éventuellement une partie du réel lui-même. Aucun écrivain ne pourrait demander davantage.

Tout ceci m'est revenu lorsque je me suis assis pour écrire sur Fanshawe. Jadis j'avais donné naissance à un millier d'âmes imaginaires. Maintenant, huit ans plus tard, j'allais me saisir d'un homme vivant et l'étendre dans sa tombe. J'étais celui qui conduisait le deuil en même temps que l'ecclésiastique officiant à ces fausses funérailles, et ma tâche consistait à prononcer les paroles justes, à dire ce que chacun voulait entendre. Ces deux actions étaient opposées et identiques, images en miroir l'une de l'autre. Mais cela me consolait mal. La première escroquerie n'était qu'une farce, une aventure de jeunesse, tandis que la deuxième était grave, sombre et effrayante. J'étais quand même en train de creuser une tombe et je commençais à me demander si ce n'était pas la mienne.

Les vies n'ont pas de sens, ai-je soutenu. Quelqu'un vit, puis il meurt, et ce qui se passe entre les deux n'a pas de sens. J'ai pensé à l'histoire de La Chère, un soldat qui fit partie de l'une des premières expéditions françaises en Amérique. En 1562, Jean Ribaut laissa sur place, à Port Royal (près de Hilton Head, Caroline du Sud), un groupe d'hommes commandés par Albert de Pierra, un fou qui faisait régner la terreur et la violence. "Il pendit de ses propres mains un tambour qui lui avait déplu, écrit Francis Parkman, et bannit un soldat du nom de La Chère sur une île solitaire à trois lieues du fort, le condamnant à mourir de faim." Albert finit par être tué par ses propres hommes au cours d'une insurrection, et La Chère, à demi mort, fut sauvé de son île. On se dit que La Chère était désormais en sécurité, qu'après avoir passé par un châtiment aussi terrible il était à l'abri de nouvelles catastrophes. Mais rien n'est aussi simple. Il n'y a pas de pronostics à déjouer, pas de loi qui puisse limiter la déveine. A chaque moment nous recommençons de zéro, aussi mûrs pour un coup bas qu'à l'instant précédent. Tout s'effondra dans la petite colonie. Les hommes n'avaient aucune aptitude pour affronter la nature sauvage, et ils furent submergés par la famine et le mal du pays. A l'aide de quelques outils de fortune, ils utilisèrent toute leur énergie à construire un bateau "digne de Robinson Crusoé" qui leur permettrait de regagner la France. Sur l'Atlantique, nouvelle catastrophe : il n'y avait pas de vent, ils épuisèrent leurs vivres et leur eau. Les hommes se mirent à manger leurs chaussures et leur justaucorps en cuir. Désespérés, certains burent de l'eau de mer et plusieurs moururent. Puis vint l'inévitable chute dans le cannibalisme. "On tira au sort, note Parkman, et il tomba sur La Chère, le même malheureux qu'Albert avait condamné à périr de faim sur une île déserte. Ils le tuèrent et se répartirent sa chair avec une avidité vorace. L'ignoble repas les soutint jusqu'à ce qu'une terre apparût à leur vue et alors, dit-on, dans le délire de leur joie ils ne purent plus guider leur vaisseau mais le laissèrent dériver au gré du courant. Une petite barque anglaise arriva sur eux, les prit tous à bord, et après avoir remis à terre les plus faibles, emporta le reste comme prisonniers de la reine Elisabeth."

Je ne me sers de La Chère que comme exemple. Dans l'éventail des destins le sien n'a rien d'étrange – il serait même plus insipide que la plupart. Car il a au moins décrit une ligne droite, ce qui en soi est rare, presque une bénédiction. En général les vies semblent virer abruptement d'une chose à une autre, se bousculer, se cogner, se tortiller. Quelqu'un se dirige dans un sens, tourne court à mi-chemin, s'enlise, dérive, repart. On ne sait jamais rien et on arrive inévitablement à un endroit tout différent de là où on est parti. Lors de ma première année d'études à Columbia, je passais tous les jours, en me rendant à mes cours, devant un buste de Lorenzo Da Ponte. Je savais vaguement qu'il avait été librettiste de Mozart, puis j'ai aussi appris qu'il avait été le premier professeur d'italien à Columbia. Comme la première information paraissait incompatible avec la deuxième, j'ai décidé d'y regarder de plus près, curieux de savoir comment quelqu'un pouvait arriver à vivre deux vies aussi différentes. Il s'avéra que Da Ponte en avait vécu cinq ou six. Il était né Emmanuele Conegliano en 1749, fils d'un commerçant juif qui faisait le négoce des cuirs. Après la mort de sa mère, son père épousa une catholique en secondes noces et décida de se faire baptiser avec ses enfants. Le jeune Emmanuele s'avéra être un écolier plein de promesses, et lorsqu'il eut quatorze ans, l'évêque de Cenada (Mgr Da Ponte) le prit sous son aile et paya tous les frais de l'instruction qui devait faire de lui un prêtre. Comme le voulait la coutume de l'époque, le disciple reçut le nom de son bienfaiteur. Da Ponte fut ordonné en 1773 et devint professeur de séminaire avec un intérêt particulier pour les littératures latine, italienne et française. Non content de devenir un adepte des Lumières, il s'engagea dans un certain nombre d'aventures amoureuses compliquées, se lia à une noble Vénitienne et engendra secrètement un enfant. En 1776 il organisa au séminaire de Trévise un débat public qui posait la question de savoir si la civilisation avait réussi à rendre l'humanité plus heureuse. Pour cet affront aux principes de l'Eglise, il fut obligé de s'enfuir, d'abord à Venise, ensuite à Gorizia, enfin à Dresde où il commença sa nouvelle carrière de librettiste. En 1782 il vint à Vienne avec une lettre d'introduction auprès de Salieri et fut par la suite engagé comme *poeta dei teatri imperiali*, position qu'il occupa pendant presque dix ans. Ce fut durant cette période qu'il rencontra Mozart et collabora aux trois opéras qui ont sauvé son nom de l'oubli. En 1790, cependant, lorsque, à cause de la guerre contre les Turcs, Léopold II restreignit les activités musicales à Vienne, Da Ponte se trouva sans emploi. Il se rendit à Trieste où il tomba amoureux d'une Anglaise nommée Nancy Grahl ou Krahl (ce nom fait encore l'objet de controverses). De là ils allèrent tous deux à Paris, puis à Londres où ils restèrent treize ans. L'œuvre musicale de Da Ponte se limita à quelques livres écrits pour des compositeurs de faible envergure. En 1805 il émigra avec Nancy en Amérique où il passa les trente-trois dernières années de sa vie, travaillant un moment comme boutiquier dans le New Jersey et la Pennsylvanie avant de mourir à l'âge de quatre-vingt-neuf ans – un des premiers Italiens à être enterrés dans le Nouveau Monde. Petit à petit, tout avait changé pour lui. De l'homme à femmes suave et coquet de sa jeunesse, de l'opportuniste plongé dans les intrigues politiques de l'Eglise et de la cour, il devint un citoyen parfaitement ordinaire de New York qui, en 1805, avait dû lui paraître comme le bout du monde. De tout cela à ceci : un professeur dur à la tâche, un mari respectueux de sa femme, un père de quatre enfants. Lorsqu'un de ces derniers mourut, on rapporte qu'il fut tellement ravagé de chagrin qu'il refusa de sortir de chez lui pendant presque un an. Le fond de l'affaire étant qu'au total chaque vie ne peut se réduire à rien d'autre qu'à elle-même. Ce qui revient à dire : les vies n'ont pas de sens.

Je ne veux pas revenir sans cesse là-dessus. Mais les circonstances dans lesquelles les vies changent de cours sont si diverses qu'il paraît impossible de dire quoi que ce soit sur un homme avant sa mort. Non seulement la mort est la seule véritable pierre de touche du bonheur (ainsi que le remarque Solon), mais c'est le seul critère qui permette de juger la vie elle-même. J'ai connu un clochard qui parlait comme un acteur shakespearien ; c'était un alcoolique d'âge mûr, délabré, avec des croûtes sur la figure et des guenilles en guise de vêtements, qui dormait dans la rue et me demandait constamment l'aumône. Il avait pourtant été jadis propriétaire d'une galerie d'art de Madison Avenue. Il y a un autre homme que j'ai connu et qui, à un moment, avait été considéré comme le plus prometteur des jeunes romanciers américains. Lorsque j'ai fait sa connaissance il venait d'hériter quinze mille dollars de son père et se tenait à un coin de rue de New York, distribuant des billets de cent dollars à des inconnus. Ça faisait partie d'un plan pour détruire le système économique des Etats-Unis, m'a-t-il expliqué. Pensez à ce qui se passe. Pensez à la manière dont les vies éclatent. Goffe et Whalley, par exemple, deux des juges qui ont condamné Charles Iᵉʳ à mort, sont venus dans le Connecticut après la Restauration et ont passé le restant de leur vie dans une caverne. Ou Mme Winchester, la veuve du fabricant de carabines, qui craignait que les fantômes des gens tués par les fusils de son mari ne viennent lui prendre son âme. Elle continua par conséquent à ajouter des pièces dans sa maison, créant un labyrinthe monstrueux de couloirs et de cachettes, de façon à pouvoir dormir chaque soir dans une chambre différente et échapper ainsi aux fantômes. L'ironie a voulu que pendant le tremblement de terre de 1906 à San Francisco elle est restée emprisonnée dans une de ces pièces et qu'elle est presque morte de faim parce que les domestiques n'arrivaient pas à la trouver. Il y a aussi M. Bakhtine, le critique et philosophe littéraire russe. Au cours de l'invasion allemande de la Russie, pendant la Seconde Guerre mondiale, il a fumé la seule copie d'un de ses manuscrits, un livre entier où il étudiait la littérature allemande et qu'il avait mis plusieurs années à écrire. Une par une, il prenait les feuilles de son manuscrit et se servait du papier pour rouler ses cigarettes, fumant chaque jour un peu plus de son ouvrage jusqu'à ce qu'il n'en reste rien. Ces histoires sont véridiques. Ce sont peut-être aussi des paraboles, mais elles ne signifient ce qu'elles signifient que parce qu'elles sont vraies.

Dans son œuvre, Fanshawe montre une prédilection particulière pour des histoires de ce genre. Surtout dans les cahiers, on trouve de petites anecdotes constamment reformulées. Elles sont si fréquentes – surtout vers la fin – qu'on se met à soupçonner que Fanshawe pensait qu'elles pouvaient d'une certaine façon l'aider à se comprendre lui-même. L'une des toutes dernières (de février 1976, juste deux mois avant sa disparition) me frappe comme importante.

"Dans un livre de Peter Freuchen que j'ai lu autrefois, écrit Fanshawe, le célèbre explorateur de l'Arctique décrit comment il a été coincé dans un blizzard au nord du Groenland. Tout seul, ses vivres diminuant, il a décidé de construire un igloo et d'attendre la fin de la tempête. Des jours et des jours sont passés. Craignant surtout d'être attaqué par les loups – qu'il entendait rôder, la faim au ventre, sur le toit de son igloo – il sortait périodiquement et chantait à tue-tête pour les effrayer et les faire partir. Mais le vent soufflait furieusement, et il pouvait chanter aussi fort qu'il voulait, il n'entendait qu'une seule chose, le vent. Bien que cela fût déjà un problème important, celui de l'igloo était encore beaucoup plus grave. Car Freuchen a commencé à remarquer que les murs de son petit abri se refermaient peu à peu sur lui. A cause des conditions météorologiques extérieures, son haleine se gelait littéralement contre les murs, et chaque respiration épaississait les parois, l'igloo rapetissant d'autant, de sorte qu'à la fin il n'y avait presque plus de place pour son corps. C'est certainement une chose effrayante de s'imaginer en train de se couler, en respirant, dans un cercueil de glace, et, à mon sens, beaucoup plus terrible que, disons, *le Puits et le Pendule* de Poe. Car, en l'occurrence, c'est le protagoniste lui-même qui est l'auteur de cette destruction, et, de plus, l'instrument de cette destruction est cela même dont il a besoin pour se maintenir en vie. Car un homme ne peut certes pas vivre s'il ne respire pas. Mais en même temps il ne vivra pas s'il respire. Curieusement, je ne me rappelle pas comment Freuchen a réussi à se tirer de cette mauvaise passe. Mais, cela va sans dire, il s'en est sorti. Le livre, si je me souviens bien, s'appelle *Arctic Adventure*. Il est épuisé depuis de nombreuses années."

6

Au mois de juin de cette année-là (1978), Sophie, Ben et moi sommes allés dans le New Jersey pour rendre visite la mère de Fanshawe. Mes parents n'habitaient plus la maison voisine (ils avaient pris leur retraite en Floride) et je n'étais pas revenu là depuis des années. En tant que grand-mère de Ben, Mme Fanshawe était restée en contact avec nous mais les relations n'étaient pas toujours faciles. Il semblait y avoir chez elle un courant sous-jacent d'hostilité à l'égard de Sophie, comme si elle la tenait secrètement responsable de la disparition de Fanshawe, et ce ressentiment faisait surface de temps à autre au travers de quelque remarque anodine. Sophie et moi l'invitions à dîner avec une fréquence raisonnable mais elle n'acceptait que rarement, et, lorsqu'elle venait, elle restait à se trémousser et à sourire, dégoisant de sa voix agitée et cassante, faisant semblant d'admirer le bébé, adressant à Sophie des compliments inopportuns et lui disant : Vous en avez de la chance. Puis elle partait tôt, se levant toujours au milieu d'une conversation et lançant à brûle-pourpoint qu'elle avait oublié un rendez-vous ailleurs. Il était pourtant difficile de lui en vouloir. Rien n'avait très bien marché dans sa vie et, arrivée à ce stade, elle avait plus ou moins fait une croix sur ses espérances.

Son mari était mort, sa fille avait subi une longue série de dépressions nerveuses et vivait à présent avec des calmants dans un foyer de postcure ; son fils avait disparu. Encore belle à cinquante ans (quand j'étais jeune garçon je trouvais que c'était la femme la plus ravissante que j'eusse jamais vue), elle se maintenait grâce à des liaisons amoureuses nombreuses et compliquées (sa liste d'hommes était toujours en changement) ainsi que par de soudaines débauches de courses dans les magasins de New York et par sa passion pour le golf. Le succès littéraire de Fanshawe avait constitué pour elle une surprise, mais maintenant qu'elle s'y était adaptée elle était parfaitement d'accord pour endosser la responsabilité d'avoir enfanté un génie. Lorsque je lui ai téléphoné pour lui parler de la biographie, elle a paru très désireuse d'apporter son aide. Elle avait des lettres, des photos et des documents, a-t-elle dit, elle me montrerait tout ce que je voulais voir.

Nous sommes arrivés au milieu de la matinée, et après un début embarrassé, suivi par une tasse de café dans la cuisine et une longue conversation au sujet du temps, nous avons été conduits à l'étage dans l'ancienne chambre de Fanshawe. Mme Fanshawe avait très minutieusement préparé les choses pour moi et tout le matériel à examiner était rangé en piles bien nettes sur ce qui avait été jadis le bureau de Fanshawe. Cette accumulation m'a stupéfié. Ne sachant que dire, je l'ai remerciée d'être si obligeante – mais en réalité j'étais effrayé, submergé par la simple quantité de ce qui se trouvait là. Quelques minutes plus tard, Mme Fanshawe est descendue, puis elle est sortie dans l'arrière-cour avec Sophie et Ben (c'était une journée chaude et ensoleillée), et je suis resté tout seul. Je me souviens d'avoir regardé par la fenêtre et aperçu Ben qui se dandinait sur l'herbe dans sa salopette bourrée de couches ; il criait en montrant du doigt un rouge-gorge qui passait juste au-dessus de lui. J'ai tapoté sur la fenêtre et lorsque Sophie s'est retournée et qu'elle a levé les yeux je lui ai fait un signe de la main. Elle a souri, m'a envoyé un baiser, puis elle est repartie inspecter un parterre de fleurs avec Mme Fanshawe.

Je me suis installé derrière le bureau. C'était épouvantable d'être assis dans cette pièce, et je ne savais pas combien de temps je pourrais le supporter. Le gant de base-ball de Fanshawe était posé sur une étagère avec à l'intérieur une balle éraflée ; sur les rayonnages au-dessus et au-dessous se trouvaient les livres qu'il avait lus dans son enfance ; exactement derrière moi il y avait le lit avec cette même couverture matelassée à carreaux blancs et bleus dont le souvenir remontait à des années. Là était l'évidence tangible, les vestiges d'un monde mort. J'avais mis le pied dans le musée de mon propre passé et ce que j'y trouvais me brisait presque.

Dans une des piles : l'extrait d'acte de naissance de Fanshawe, les bulletins scolaires de Fanshawe, les insignes de louveteau de Fanshawe chez les scouts, son diplôme de fin d'études au lycée. Dans une autre : des photos. Un album de Fanshawe bébé ; un album de Fanshawe et sa sœur ; un album de la famille (Fanshawe à deux ans, souriant dans les bras de son père, Fanshawe et Ellen serrant leur mère dans leurs bras sur la balançoire de l'arrière-cour, Fanshawe entouré de ses cousins). Puis les clichés en vrac – dans des chemises, dans des enveloppes, dans de petites boîtes : des douzaines où nous sommes ensemble, Fanshawe et moi (en train de nager, jouant à nous lancer des balles, sur nos vélos, prenant des poses comiques dans l'arrière-cour ;

mon père nous portant tous les deux sur son dos ; les cheveux coupés court, les jeans amples, les voitures anciennes derrière nous : une Packard, une De Soto, un break Ford avec des panneaux de bois). Les photos de classes, d'équipes, de camps. Les photos de courses, de jeux. Assis dans un canoë, tirant une corde dans une lutte à la traction. Ensuite, vers le fond, quelques images plus tardives : Fanshawe comme je ne l'ai jamais vu. Fanshawe debout dans la cour de Harvard ; Fanshawe sur le pont d'un pétrolier Esso ; Fanshawe à Paris devant une fontaine de pierre. En dernier, une seule photo de Fanshawe et Sophie – Fanshawe paraissant plus âgé, plus sévère ; et Sophie si terriblement jeune, si belle, et pourtant ailleurs, d'une certaine façon, comme incapable de se concentrer. J'ai respiré profondément et puis je me suis mis à pleurer tout d'un coup, sans avoir réalisé jusqu'au dernier moment que j'avais ces larmes en moi – sanglotant avec force, secoué de frissons tandis que je tenais mon visage entre mes mains.

Une boîte à droite des photos était remplie de lettres ; il y en avait au moins une centaine qui commençaient à l'âge de huit ans (l'écriture maladroite d'un enfant, des marques de crayon brouillées, des gommages) et se poursuivaient jusqu'au début des années soixante-dix. Des lettres de l'université, du bateau, de France. La plupart étaient adressées à Ellen, et beaucoup d'entre elles étaient très longues. J'ai tout de suite compris qu'elles avaient de la valeur, sans doute davantage que toute autre chose dans la pièce – mais je n'ai eu le cœur de les lire sur place. J'ai attendu dix ou quinze minutes, puis je suis descendu rejoindre les autres.

Mme Fanshawe ne voulait pas que les originaux quittent la maison, mais elle ne s'opposait pas à ce qu'ils soient photocopiés. Elle a même proposé de s'en charger, mais je lui ai dit de ne pas prendre cette peine : je reviendrais un autre jour et je le ferais.

Pour déjeuner, nous avons pique-niqué dans le jardin. Ben a occupé le devant de la scène en se ruant sur les fleurs – il faisait un aller et retour entre deux bouchées de son sandwich – et dès deux heures nous avons été prêts à rentrer chez nous. Mme Fanshawe nous a conduits à l'arrêt de l'autobus et nous a dit au revoir en nous embrassant tous les trois, montrant plus d'émotion qu'à n'importe quel autre moment de notre visite. Cinq minutes après le départ du car Ben s'est endormi sur mes genoux et Sophie m'a pris la main.

Une journée pas très heureuse, n'est-ce pas ? a-t-elle dit.

Une des pires, ai-je répondu.

Imagine, être obligée de faire la conversation avec cette femme pendant quatre heures. J'ai été à court de choses à dire dès l'instant où nous sommes arrivés.

Elle ne nous aime probablement pas beaucoup.

Je le crains.

Mais ce n'est pas le pire.

C'était dur d'être là-haut tout seul, n'est-ce pas ?

Très dur.

Tu regrettes ?

J'en ai bien peur.

Je ne t'en blâme pas. Tout cela devient assez sinistre.

Il faudra que je revoie la question. En ce moment, je commence à croire que j'ai fait une grosse erreur.

Quatre jours plus tard, Mme Fanshawe m'a téléphoné pour me dire qu'elle partait pour un voyage d'un mois en Europe et que ce serait peut-être une bonne idée de nous occuper tout de suite de nos affaires (ce sont ses propres paroles). J'avais projeté de laisser filer les choses, mais avant même que j'aie pu inventer une excuse valable pour ne pas y aller, je me suis entendu déclarer que j'étais d'accord pour venir le lundi suivant. Sophie s'est désistée et je ne l'ai pas pressée de changer d'avis. Nous étions tous les deux d'avis qu'une visite en famille avait été suffisante.

Jane Fanshawe m'a retrouvé à l'arrêt du car ; elle était tout sourires et salutations affectueuses.

Dès le moment où je suis rentré dans sa voiture, j'ai senti que les choses allaient se passer autrement cette fois-ci. Elle avait fait un effort de présentation (pantalon blanc, chemisier de soie rouge qui laissait voir un cou bronzé et sans rides) et j'avais du mal à ne pas penser qu'elle m'invitait à la regarder, à reconnaître le fait qu'elle était encore belle. Mais il y avait quelque chose en plus : un ton de vague insinuation dans sa voix, la présomption que nous étions d'une certaine façon de vieux amis, sur un pied d'intimité à cause du passé, et quelle chance que je sois venu seul car nous étions ainsi libres de nous parler à cœur ouvert. J'ai trouvé tout cela plutôt désagréable et je n'ai rien dit de plus que nécessaire.

C'est une superbe petite famille que tu as là, mon garçon, a-t-elle dit en se tournant vers moi alors que nous nous arrêtions à un feu rouge.

Oui, ai-je répondu, une superbe petite famille.

Le bébé est évidemment adorable. Un vrai petit cœur. Mais un peu trop déluré, ne trouves-tu pas ?

Il n'a que deux ans. La plupart des gosses ont tendance à être un peu fougueux, à cet âge.

Bien sûr. Mais il me semble que Sophie est un peu à sa dévotion. Elle paraît s'en amuser tout le temps, tu vois ce que je veux dire. Je ne suis pas contre le rire, mais un peu de discipline ne ferait pas non plus de mal.

Sophie agit de cette façon avec tout le monde, ai-je répondu. Une femme aussi pleine de vie ne peut qu'être une mère pleine de vie. Autant que je sache, Ben ne s'en plaint pas.

Une courte pause, puis, lorsque nous avons redémarré – nous étions en train de sillonner une grande avenue commerciale –, Jane Fanshawe a ajouté : C'est une fille qui a de la chance, cette Sophie. De la chance d'être retombée sur ses pieds. D'avoir trouvé un homme comme toi.

D'habitude je vois les choses dans l'autre sens, ai-je dit.

Tu ne devrais pas être aussi modeste.

Je ne le suis pas. Seulement je sais ce que je dis. Jusqu'à présent, toute la chance est de mon côté.

Elle a souri de mes paroles – brièvement, énigmatiquement, comme si elle estimait que j'étais un crétin, et pourtant elle me concédait curieusement ce que je soutenais, se rendant compte que je n'allais pas lui offrir d'ouverture. Lorsque nous sommes arrivés chez elle quelques minutes plus tard, il a semblé qu'elle avait abandonné sa tactique initiale. Elle n'a plus mentionné Sophie ni Ben, et elle est devenue un modèle de sollicitude, me disant combien elle était heureuse que j'écrive ce livre sur Fanshawe, se comportant comme si ses encouragements avaient vraiment quelque importance – comme s'ils constituaient une approbation ultime, non seulement du livre, mais de la personne que j'étais. Puis, me tendant les clés de sa voiture, elle m'a expliqué comment me rendre à la boutique de photocopies la plus proche. Le déjeuner, a-t-elle dit, m'attendrait à mon retour.

Il m'a fallu plus de deux heures pour photocopier les lettres ; il était donc presque une heure quand je suis revenu à la maison. Le déjeuner était là, en effet, et c'était un festin impressionnant : asperges, saumon froid, fromages, vin blanc, tout le tralala. Bien disposé sur la table de la salle à manger avec des fleurs et manifestement la plus jolie vaisselle.

L'étonnement a dû se lire sur mon visage.

Je voulais que ça ait un air de fête, a dit Mme Fanshawe. Tu n'as pas idée à quel point je me sens bien de t'avoir ici. Tous les souvenirs qui reviennent. C'est comme si les mauvaises choses n'étaient jamais arrivées.

J'ai soupçonné qu'elle avait déjà commencé à boire pendant que j'étais parti. Toujours maîtresse d'elle-même, toujours ferme dans ses mouvements, elle avait quelque chose qui s'était infiltré dans sa voix pour l'épaissir, une irrésolution, une exubérance qu'elle n'avait pas avant. Lorsque nous nous sommes assis à table je me suis ordonné de faire attention. Le vin était versé très libéralement, et lorsque j'ai vu qu'elle s'occupait davantage de son verre que de son assiette, se contentant de grappiller dans sa nourriture et finissant par ne plus y faire du tout attention, j'ai commencé à m'attendre au pire. Après un peu de bavardage sur mes parents et mes deux sœurs cadettes, la conversation est tombée dans le monologue.

C'est curieux, a-t-elle dit, curieux à quoi aboutissent les choses de la vie. D'un moment à l'autre on ne sait jamais ce qui va se passer. Te voilà, le petit garçon qui habitait à côté. Tu es la même personne qui courait dans cette maison avec de la boue sur les chaussures – tout à fait adulte, à présent, un homme. Tu es le père de mon petit-fils, est-ce que tu t'en rends compte ? Tu es marié à la femme de mon fils. Si quelqu'un m'avait déclaré, il y a dix ans, que tel serait l'avenir, j'aurais éclaté de rire. C'est ce qu'on apprend de la vie, en fin de compte : combien elle est étrange. On ne peut pas ne pas être dépassé par les choses qui se produisent. On ne peut même pas les imaginer.

Tu lui ressembles même, tu sais. Vous vous êtes toujours ressemblé, tous les deux – comme des frères, presque des jumeaux. Je me souviens, lorsque vous étiez petits tous les deux il m'arrivait de vous confondre de loin. Je ne pouvais même plus dire lequel de vous deux était le mien.

Je sais combien tu l'as aimé, combien tu l'as admiré. Mais laisse-moi te dire une chose, mon cher. Il ne t'arrivait pas à la cheville. Il était froid à l'intérieur. Il était entièrement mort là-dedans et je ne crois pas qu'il ait jamais aimé quelqu'un – pas une seule fois, jamais de toute sa vie. Parfois je vous regardais, toi et ta mère, de l'autre côté de la cour – comment tu courais vers elle et tu jetais tes bras autour de son cou, comment tu la laissais t'embrasser – et là, juste devant moi, je voyais tout ce que je n'avais pas avec mon propre fils. Il ne voulait pas que je le touche, tu vois. Passé l'âge de quatre ou cinq ans, il se rétractait dès que je m'approchais de lui. Comment crois-tu que se sente une femme quand son propre fils la méprise ? J'étais rudement jeune à l'époque. Je n'avais même pas vingt ans quand il est né. Imagine ce que ça te fait d'être rejetée comme ça.

Je ne dis pas qu'il était mauvais. C'était un être à part, un enfant sans parents. Rien de ce que je disais n'avait jamais d'effet sur lui. Même chose avec son père. Il refusait d'apprendre quoi que ce soit de nous. Robert a essayé tant et plus, il ne pouvait jamais arriver jusqu'à ce gosse. Mais tu ne peux pas punir quelqu'un pour manque d'affection, n'est-ce pas ? Tu ne peux pas obliger un enfant à t'aimer simplement parce que c'est ton fils.

Il y avait bien Ellen. Pauvre Ellen, si tourmentée. Il était bon avec elle, tu le sais comme moi. Mais trop bon, d'une certaine façon, et finalement ce n'était pas du tout bon pour elle. Il lui intoxiquait l'esprit. Il l'a rendue si dépendante de lui qu'elle ne se tournait plus vers nous spontanément, sans avoir pesé les choses. C'était celui qui la comprenait, celui qui la conseillait, celui qui pouvait résoudre ses problèmes. Robert et moi n'étions rien de plus que des figures de décor. Aux yeux des enfants c'est tout juste si nous existions. Ellen avait une telle foi en son frère qu'elle a fini par lui abandonner son âme. Je ne dis pas qu'il savait ce qu'il faisait, mais je suis encore obligée de vivre avec ce qui en a résulté. Ma fille a vingt-sept ans mais elle se comporte comme si elle en avait quatorze – et ça, c'est quand elle va bien. Elle est si confuse, si terrifiée à l'intérieur. Un jour elle croit que j'ai résolu de la détruire, le lendemain elle me téléphone trente fois. Trente fois. Tu ne peux même pas te faire une idée de ce que c'est.

C'est Ellen, la raison pour laquelle il n'a jamais rien publié de ses œuvres, tu sais. C'est à cause d'elle qu'il a quitté Harvard après sa deuxième année. Il écrivait de la poésie à cette époque, et toutes les quelques semaines il lui envoyait un paquet de manuscrits. Tu sais à quoi ressemblent ses poèmes. Il est presque impossible de les comprendre. Ils sont évidemment très passionnés, remplis de toutes ces déclamations et exhortations, mais si obscurs qu'on les croirait écrits en code. Ellen passait des heures à se creuser la tête dessus, faisant comme si sa vie en dépendait, traitant les poèmes comme des messages secrets, des oracles qui lui auraient été adressés directement. Je ne crois pas que Fanshawe ait eu la moindre idée de ce qui se passait. Mais pour elle, son frère était parti, vois-tu, et ces poèmes étaient tout ce qu'elle conservait de lui. Pauvre petite. Elle n'avait que quinze ans à cette époque, et déjà elle commençait à se délabrer. Elle passait des heures penchée sur ces feuilles jusqu'à ce qu'elles en soient toutes froissées et salies. Elle les transportait partout avec elle. Quand elle allait vraiment mal elle s'adressait à des inconnus dans l'autobus et les leur fourrait dans la main : "Lisez ces poèmes, ils vous sauveront la vie "

Elle a fini, évidemment, par faire cette première crise. Un jour au supermarché elle s'est éloignée de moi et, avant que j'aie pu comprendre ce qui se passait, elle s'était emparée de ces énormes bouteilles de jus de pomme sur les rayons et les faisait éclater par terre, l'une après l'autre. On aurait dit qu'elle était en transe, debout au milieu de ce verre brisé, ses chevilles en sang et le jus qui coulait partout. C'était horrible. Elle était dans un tel état d'excitation qu'il a fallu trois hommes pour la maîtriser et l'emporter.

Je ne dis pas que son frère en était responsable. Mais ces foutus poèmes n'ont certes pas amélioré les choses, et, à tort ou à raison, il s'est accusé. Dès lors il n'a jamais essayé de publier quoi que ce soit. Il est venu rendre visite à Ellen à l'hôpital, et je crois que c'était trop pour lui, de la voir comme ça, tout à fait hors d'elle, totalement folle – elle lui criait après, elle l'accusait de la haïr. C'était une vraie crise schizoïde, tu sais, et il n'était pas capable d'y faire face. C'est alors qu'il a formulé le vœu de ne pas publier. C'était une sorte de pénitence, me semble-t-il, et il s'y est tenu le restant de sa vie, n'est-ce pas, il s'y est tenu à sa manière têtue et brutale, et jusqu'au bout.

Environ deux mois plus tard j'ai reçu une lettre de lui m'informant qu'il avait abandonné l'université. Il ne me demandait pas mon avis, oh non, il me disait ce qu'il avait fait. Chère mère, et tout comme ça, plein de noblesse et de solennité. Je cesse mes études pour te soulager du poids financier de mon entretien. Eu égard à l'état d'Ellen, aux énormes frais médicaux, aux satanés x et y et z, et tout comme ça.

J'étais furieuse. Un garçon comme lui qui jette ses études aux orties pour rien. C'était un acte de sabotage mais je ne pouvais rien y faire. Il était déjà parti. Un de ses amis à Harvard était le fils de quelqu'un qui avait quelque chose à voir avec le transport maritime – je crois qu'il était le représentant du syndicat des marins ou quelque chose d'analogue – et grâce à cet homme il a réussi à obtenir ses papiers. Quand ma lettre l'a rattrapé, il était déjà quelque part au Texas et l'affaire était close. Je ne l'ai pas revu ensuite pendant plus de cinq ans.

Tous les mois, ou à peu près, une carte arrivait pour Ellen mais il n'y avait jamais d'adresse d'expéditeur. Paris, le midi de la France, Dieu sait où, en tout cas il s'assurait que nous ne puissions le joindre d'aucune manière. J'ai trouvé cette attitude méprisable. Lâche et méprisable. Ne me demande pas pourquoi j'ai gardé ces lettres. Je regrette de ne pas les avoir brûlées. C'est ce que j'aurais dû faire. Brûler tout le tas.

Elle a poursuivi dans cette veine pendant plus d'une heure, ses paroles se faisaient graduellement plus amères, parvenant à quelques moments de clarté soutenue pour perdre peu à peu en cohérence avec le verre de vin suivant. Sa voix avait un effet hypnotique. Tant qu'elle a continué à parler je me suis senti à l'abri de tout. Une sensation d'immunité, de protection venant des mots qui sortaient de sa bouche. C'est tout juste si je prenais la peine de l'écouter. Je flottais à l'intérieur de cette voix, j'en étais tout entouré, soulevé par sa persistance, entraîné par le flot des syllabes, leur montée et leur chute, par les vagues. Lorsque la lumière de l'après-midi a franchi les fenêtres pour se déverser sur la table, étinceler dans les sauces, briller sur le beurre fondant et sur le vert des bouteilles de vin, tout est devenu si radieux et si calme, dans la pièce, que j'ai commencé à trouver irréel le fait d'être assis là dans mon propre corps. Je suis en train de fondre, me suis-je dit en regardant le beurre se ramollir dans son plat, et une ou deux fois j'ai même pensé que je ne devais pas laisser les choses continuer ainsi, que je ne devais pas permettre à ce moment de me filer entre les doigts, mais finalement je n'ai rien fait, me sentant au fond incapable de réagir.

Je ne cherche pas d'excuses pour ce qui s'est produit. L'ébriété n'est jamais qu'un symptôme, pas une cause absolue, et je sais que j'aurais tort de vouloir me défendre. Il existe au moins, cependant, une possibilité d'explication. Je suis à peu près certain, maintenant, que ce qui a suivi tenait autant au passé qu'au présent, et je trouve bizarre, aujourd'hui que j'ai pris quelque distance, de voir à quel point un bon nombre de sentiments anciens m'ont finalement rattrapé cet après-midi. En restant à écouter Mme Fanshawe il m'était difficile de ne pas me rappeler comment je la voyais quand j'étais petit garçon et une fois lancé ainsi je me suis trouvé nez à nez avec des images qui m'étaient restées invisibles pendant des années. L'une d'elles en particulier m'a frappé de toute sa force : un après-midi d'août (à cette époque j'avais treize ou quatorze ans), je regardais par la fenêtre de ma chambre dans le jardin à côté et j'avais vu Mme Fanshawe sortir dans un maillot de bain deux-pièces, rouge, déboutonner tranquillement le haut et s'étendre sur un transat le dos au soleil. Tout cela avait eu lieu par hasard. J'étais assis à ma fenêtre en train de rêver, puis, soudain une belle femme était venue se balader dans mon champ de vision, presque nue, ne se doutant pas de ma présence, comme si c'était moi qui l'avais évoquée. Cette image était longtemps restée en moi et j'y étais souvent revenu durant mon adolescence : le désir d'un petit garçon, le vif des fantasmes nocturnes. A présent que cette femme paraissait être en train de me séduire, c'est à peine si j'ai su quoi penser. D'un côté je trouvais la scène grotesque. De l'autre, il en émanait quelque chose de naturel, voire de logique, et je sentais que si je n'utilisais pas toute ma force pour la combattre, j'allais la laisser se jouer.

Il n'y a aucun doute que Mme Fanshawe a provoqué ma pitié. Sa version de Fanshawe était tellement angoissée, tellement marquée des signes d'un malheur authentique que j'ai graduellement faibli à son regard, que je suis tombé dans son piège. Ce que je ne comprends toujours pas, cependant, c'est à quel point elle était consciente de ses actes. Avait-elle tout prévu d'avance, ou bien les choses sont-elles arrivées d'elles-mêmes ? Ses divagations étaient-elles un stratagème pour rogner ma résistance, ou s'agissait-il d'un éclat spontané de sentiment véritable ? J'ai l'impression qu'elle disait la vérité sur Fanshawe, sa vérité en tout cas, mais cela ne suffit pas à me convaincre – car même un enfant sait que la vérité peut être utilisée à des fins trompeuses. Plus importante encore est la question du mobile. Près de six ans après les faits, je n'ai pas encore déniché de réponse. Dire qu'elle me trouvait irré-\
sistible serait exagéré et je ne vais pas me faire des illusions là-dessus. C'était bien plus profond, bien plus sinistre. Récemment j'ai commencé à me demander si d'une certaine façon elle n'avait pas deviné en moi une

haine envers Fanshawe aussi forte que la sienne. Peut-
être a-t-elle perçu ce lien tacite entre nous, peut-être
était-ce le genre de lien qui ne peut se prouver que par
quelque action perverse et extravagante. Mon baiser
serait comme baiser Fanshawe – comme baiser son
propre fils – et dans la noirceur de ce péché elle le pos-
séderait à nouveau – mais seulement pour le détruire.
Une vengeance terrible. Si telle est la vérité, je ne me
permettrai pas le luxe de me dire sa victime. Si j'ai été
quelque chose, c'est son complice.

Ça a commencé peu après qu'elle s'est mise à pleurer – lorsqu'elle a fini par s'épuiser et que les mots se
sont brisés, s'émiettant dans les larmes. Ivre, tout ému,
je me suis levé, j'ai fait quelques pas vers l'endroit où
elle était assise et j'ai passé mes bras autour d'elle en
un geste de consolation. Cela nous a fait basculer de
l'autre côté. Ce simple contact a suffi à déclencher une
réponse sexuelle, un souvenir aveugle d'autres corps,
d'autres étreintes, et un instant plus tard nous nous
embrassions, puis, encore quelques moments et nous
étions nus, allongés sur son lit au premier étage.

Bien qu'ivre, je n'étais pas parti au point de ne pas
savoir ce que je faisais. Mais même la culpabilité ne
pouvait m'arrêter. Cet instant va passer, me suis-je dit,
et nul n'en aura souffert. Ça n'a rien à voir avec ma vie,
rien à voir avec Sophie. Mais alors, dans l'acte même,
j'ai découvert qu'il y avait autre chose en jeu. Car en
réalité j'aimais baiser la mère de Fanshawe – mais
d'une façon qui n'avait rien à voir avec le plaisir. J'étais
consumé, et pour la première fois de ma vie je n'ai
trouvé aucune tendresse en moi. Je baisais par haine et
j'en faisais un acte de violence, limant cette femme
comme si je voulais la pulvériser. J'étais entré dans ma
propre obscurité et c'est là que j'ai connu cette chose

qui est plus horrible que toute autre : que le désir sexuel peut aussi être le désir de tuer, que vient un moment où un homme peut choisir la mort plutôt que la vie. Cette femme voulait que je lui fasse du mal, je l'ai fait et j'ai découvert que je me délectais de ma cruauté. Mais même alors je savais que j'étais seulement à mi-distance du but, qu'elle n'était qu'une ombre et que je l'utilisais pour attaquer Fanshawe lui-même. Quand je l'ai prise pour la deuxième fois – nous étions tous les deux couverts de sueur et nous gémissions comme des créatures de cauchemar – j'ai enfin compris ceci. Je voulais tuer Fanshawe. Je voulais que Fanshawe fût mort, et j'allais m'y employer. J'allais remonter sa piste et le tuer.

Je l'ai laissée endormie dans son lit, je me suis glissé hors de la chambre et j'ai appelé un taxi par le téléphone du bas. Une demi-heure plus tard j'étais dans l'autobus pour New York. Arrivé au Port Authority Terminal, je suis allé aux toilettes me laver les mains et le visage, puis j'ai pris le métro vers le nord. Je suis arrivé à la maison juste au moment où Sophie mettait la table pour le dîner.

7

C'est alors que le pire a commencé. Il y avait tant de choses à cacher à Sophie que c'était tout juste si j'osais paraître devant elle. Je suis devenu irritable, distant, et je me suis enfermé dans ma petite pièce de travail, n'aspirant qu'à la solitude. Pendant longtemps Sophie m'a supporté, agissant avec une patience que je n'étais pas en droit d'attendre d'elle, mais il est arrivé un moment où même elle a commencé à se lasser, et dès le milieu de l'été nous nous sommes mis à nous disputer, à nous chercher mutuellement querelle, à nous chamailler pour des broutilles. Un jour, je suis rentré à la maison et je l'ai trouvée en train de pleurer sur le lit. J'ai alors compris que j'étais sur le point de briser ma vie.

Le problème, selon Sophie, c'était le livre. Si seulement je cessais d'y travailler, les choses reprendraient leur cours normal. J'avais agi avec trop de précipitation, disait-elle. Le projet était une erreur et je ne devais pas m'entêter à le nier. Elle avait évidemment raison, mais j'ai persisté à lui soutenir l'inverse : je m'étais engagé par rapport à ce livre, j'avais signé un contrat et ce serait une lâcheté de reculer. Ce que je ne lui ai pas dit, c'est que je n'avais plus du tout l'intention de l'écrire. Cet ouvrage n'existait désormais pour moi que dans la mesure où il pouvait me conduire jusqu'à Fanshawe ; mais au-delà il n'avait aucune réalité. C'était devenu une simple affaire privée qui me concernait personnellement et n'entretenait plus de lien avec l'écriture. Toute la recherche pour la biographie, tous les faits que je mettrais au jour en creusant le passé de Fanshawe, tout le travail qui semblait se rapporter au livre allait devenir cela même qui me servirait à découvrir où il était. Pauvre Sophie. Elle n'a jamais eu la moindre notion de ce que j'étais en train de mijoter – car ce que je prétendais faire n'était pas différent de ce que je faisais réellement. Je reconstituais l'histoire de la vie d'un homme. Je recueillais des informations, je rassemblais des noms, des lieux, des dates, j'établissais une chronologie des événements. Quant à dire pourquoi j'ai persisté dans cette voie, j'en suis encore incapable. Tout avait été réduit à une seule impulsion : trouver Fanshawe, parler à Fanshawe, me mettre face à Fanshawe une dernière fois. Mais je n'ai jamais pu élaborer les choses davantage, je n'ai jamais pu avoir une vision précise de ce que j'espérais accomplir par une telle rencontre. Fanshawe avait écrit qu'il me tuerait, mais cette menace n'allait pas m'effaroucher. Je savais que je devais le débusquer – que rien ne serait réglé jusque-là. C'était la donnée de base, le principe élémentaire, le mystère de la foi : je l'admettais, mais je ne prenais pas la peine de le remettre en question.

Finalement je ne crois pas que j'aie vraiment eu l'intention de le tuer. La vision homicide qui m'était venue lorsque j'étais avec Mme Fanshawe n'a pas duré, du moins pas à un niveau conscient. Il est arrivé parfois que de petites scènes traversent brusquement mon esprit – j'y étranglais Fanshawe, je le poignardais, je lui tirais une balle dans le cœur – mais, au fil des ans, d'autres personnes avaient subi en moi une mort semblable et je n'y avais pas prêté grande attention. Le côté étrange de l'affaire n'était pas que j'aie pu vouloir tuer Fanshawe, mais que je me sois parfois imaginé qu'il *voulait* que je le tue. Ça ne s'est produit qu'une fois ou deux – à des moments de lucidité extrême – et j'en ai tiré la conviction que là résidait le véritable sens de la lettre qu'il avait écrite. Fanshawe m'attendait. Il m'avait désigné comme son bourreau et il savait qu'il pouvait compter sur moi pour exécuter cette tâche. Mais c'était justement la raison pour laquelle je n'allais pas le faire. Je devais briser le pouvoir de Fanshawe et non pas m'y soumettre. Mon but était de lui démontrer que tout cela me laissait désormais indifférent. Tel était le point capital : le traiter comme un mort bien qu'il fût vivant. Mais avant de prouver une telle chose à Fanshawe je devais me la prouver à moi-même, et le fait que j'eusse besoin de cette preuve signifiait que je n'étais pas encore assez indifférent. Je ne pouvais pas me contenter de laisser les choses suivre leur cours. Je devais les chambarder et les mener à leur dénouement. Puisque je doutais encore de moi, j'avais besoin de courir des risques, de me mettre à l'épreuve du plus grand danger possible. Tuer Fanshawe ne voudrait rien dire. Ce qui compterait, ce serait de le trouver vivant – puis de m'en aller, moi-même en vie, en le plantant là.

Les lettres à Ellen se sont avérées utiles. Contrairement aux cahiers, qui avaient tendance à la spéculation et manquaient de détails, elles étaient extrêmement précises. J'ai eu le sentiment que Fanshawe s'était efforcé de divertir sa sœur, de l'égayer par des histoires amusantes qui, par conséquent, se référaient à des choses plus personnelles qu'ailleurs. C'est ainsi que les noms propres apparaissaient souvent – ceux de camarades d'université, de compagnons de bord, de personnes qu'il connaissait en France. Et s'il n'y avait jamais d'adresse d'expéditeur sur les enveloppes, on trouvait cependant la description de nombreux endroits : Baytown, Corpus Christi, Charleston, Baton Rouge, Tampa, divers quartiers de Paris, un village du midi de la France. C'était suffisant pour me lancer, et pendant plusieurs semaines je suis resté dans mon bureau à dresser des listes, à établir des corrélations entre des gens et des lieux, des lieux et des dates, des dates et des gens, à dessiner des cartes et à composer des calendriers, à relever des adresses et à écrire des lettres. J'étais à la recherche de pistes et j'essayais de poursuivre tout ce qui recelait la moindre promesse. Je partais de l'hypothèse que quelque part Fanshawe avait commis une erreur – que quelqu'un savait où il était, que quelqu'un du passé l'avait vu. Ce n'était nullement une certitude, mais c'était à mon sens la seule façon plausible de démarrer.

Les lettres écrites à l'université sont plutôt laborieuses et sincères – exposés de livres lus, discussions avec des amis, descriptions de la vie dans les dortoirs – mais elles proviennent de la période antérieure à la décompensation d'Ellen et possèdent un ton intime, confidentiel, que les lettres à venir vont abandonner. C'est ainsi que sur le bateau Fanshawe parle rarement de lui-même – sauf en rapport avec telle anecdote qu'il veut raconter. Nous le voyons s'efforcer de s'ajuster à son nouvel entourage, jouer aux cartes dans la salle de récréation avec un graisseur de Louisiane (et gagner), au billard dans divers bars mal famés à terre (et gagner), puis expliquer ses succès par un coup de chance : "Je suis tellement remonté pour ne pas me casser la figure que j'ai bizarrement réussi à me dépasser. Une poussée d'adrénaline, je crois." On trouve la description d'heures supplémentaires effectuées dans la salle des moteurs, "par soixante degrés de chaleur, si tu peux le croire – mes tennis tellement remplies de sueur qu'elles giclaient comme si j'avais marché dans des flaques" ; d'une dent de sagesse extraite par un dentiste ivre à Baytown, Texas, "du sang partout, et des petits bouts de dent qui encombrent le trou qui m'est resté dans la gencive pendant une semaine". Comme il était nouveau, sans ancienneté, Fanshawe était déplacé d'un poste à l'autre. A chaque port il y avait des hommes d'équipage qui quittaient le bateau pour rentrer chez eux et d'autres qui embarquaient pour les remplacer. Mais si l'un de ces arrivants préférait le travail de Fanshawe à celui qui devait être pourvu, le gamin (comme on l'appelait) était aussitôt muté. C'est ainsi que Fanshawe a occupé le poste de matelot ordinaire (décaper et peindre le pont), d'homme de service (laver le sol, faire les lits, nettoyer les W.-C.) et de préposé au mess (servir à manger et laver la vaisselle). Cette dernière fonction était la plus dure mais aussi la plus intéressante, car la vie à bord tourne essentiellement autour de la question de la nourriture : il y a les grands appétits aiguillonnés par l'ennui, les hommes qui vivent littéralement d'un repas au suivant, l'étonnante finesse de certains d'entre eux (de gros et rudes individus qui jugent les plats avec la morgue et le dédain de ducs de France au XVIIIe siècle). Mais dès son premier jour de travail Fanshawe bénéficia des bons conseils d'un vieux routier : Ne te laisse emmerder par personne, lui dit cet homme. Si un gars se plaint de la nourriture, dis-lui de la fermer. S'il continue, fais comme s'il n'était pas là et sers-le en dernier. Si ça ne suffit pas, dis-lui que tu vas mettre de l'eau glacée dans sa soupe la prochaine fois. Ou, mieux encore, que tu vas pisser dedans. Il faut que tu leur montres qui commande.

Nous voyons Fanshawe porter le petit déjeuner au capitaine après une nuit de violentes tempêtes au large du cap Hatteras : disposer le pamplemousse, les œufs brouillés et le pain grillé sur un plateau, envelopper le plateau avec du papier d'aluminium, puis emballer le tout dans des serviettes, espérant que les assiettes ne s'envoleront pas dans l'eau lorsqu'il sera sur la passerelle (car le vent se maintient à plus de cent kilomètres à l'heure) ; ensuite gravir l'échelle, avancer de quelques pas sur la passerelle mais soudain, lorsque le vent l'attrape, faire une violente pirouette – les rafales furieuses frappent le plateau par-dessous et tirent les bras de Fanshawe au-dessus de sa tête à tel point qu'on le dirait accroché à une machine volante primitive et sur le point de se lancer au-dessus de l'eau ; rassembler alors toutes ses forces pour ramener le plateau, arrivant enfin, après un combat, à le mettre à plat contre sa poitrine – par miracle les assiettes ne glissent pas ; traverser toute la passerelle, minuscule figure encore rapetissée par le déchaînement des airs autour de lui. Fanshawe, après qui sait combien de minutes, parvenant enfin à l'autre bout, pénétrant dans le château, trouvant le capitaine grassouillet debout derrière le gouvernail, lui disant : "Votre petit déjeuner, capitaine" ; et le timonier se retournant et ne donnant que le plus infime coup d'œil d'approbation avant de répondre distraitement : "Merci, gamin. Pose-le sur la table, là-bas."

Tout n'amusait pourtant pas autant Fanshawe. Il fait mention d'une bagarre (pas de détails) qui semble l'avoir troublé, ainsi que de plusieurs vilains incidents dont il a été le témoin à terre. Un cas de persécution de

Noir dans un bar de Tampa, par exemple : une bande d'ivrognes tombant sur un vieux Noir qui est entré avec un grand drapeau américain – il voulait le vendre –, et le premier soûlard déplie le drapeau en déclarant qu'il n'y a pas assez d'étoiles dessus – "ce drapeau est une contrefaçon" –, tandis que le vieux proteste du contraire en se vautrant presque pour qu'on l'épargne ; les autres soûlards se mettent à grommeler que le premier a raison et l'histoire prend fin lorsque le vieillard, flanqué dehors, atterrit à plat ventre sur le trottoir et que les ivrognes, satisfaits, classent l'affaire par quelques commentaires du style : Il faut bien protéger la démocratie dans le monde. Je me suis senti humilié, a écrit Fanshawe, j'avais honte d'être là.

Pourtant les lettres gardent un fond de jovialité ("Appelle-moi Redburn", commence l'une d'entre elles), et à la fin on a le sentiment que Fanshawe a réussi à se prouver quelque chose à lui-même. Le navire n'est rien de plus qu'un prétexte, une altérité arbitraire, une façon de se mettre à l'épreuve de l'inconnu. Comme dans toute initiation, c'est dans le fait même de survivre qu'est le triomphe. En définitive il fait tourner à son avantage des choses qui au début constituaient des handicaps potentiels : ses études à Harvard, ses origines bourgeoises ; si bien qu'au terme de son temps de travail il est reconnu comme l'intellectuel de l'équipage, plus seulement le "gamin", mais parfois aussi le "professeur" qu'on fait intervenir pour arbitrer des différends (Qui a été le vingt-troisième président ? Combien la Floride compte-t-elle d'habitants ? Qui a joué champ gauche chez les *Giants* en 1947 ?), et il est consulté régulièrement comme source d'information sur des sujets obscurs. Les membres de l'équipage demandent son aide pour remplir des formulaires bureaucratiques (déclarations fiscales, questionnaires d'assurance, rapports d'accidents), et certains le prient de leur rédiger leur courrier (dans un cas, il écrit pour Otis Smart dix-sept lettres d'amour à son amie Sue-Ann, de Dido, Louisiane). Ce n'est pas que Fanshawe devienne le centre d'attention mais qu'il réussit à entrer dans le moule, à se trouver une place. Le véritable test, après tout, est bien d'être comme tout un chacun. Une fois cela accompli, il n'a plus à se poser la question de sa singularité. Il est libéré non seulement des autres, mais aussi de lui-même. La preuve ultime, je crois, en est que lorsqu'il quitte le bateau il ne dit au revoir à personne. Il signe sa démission un soir à Charleston, reçoit sa paie des mains du capitaine et puis disparaît tout simplement. Deux semaines plus tard il arrive à Paris.

Pas un mot pendant deux mois. Et puis, les trois mois suivants, rien que des cartes postales. Des messages brefs, elliptiques, griffonnés au dos de vues touristiques banales : le Sacré-Cœur, la tour Eiffel, la Conciergerie. Lorsque les lettres commencent à venir elles n'arrivent que par à-coups et ne révèlent rien de très important. Nous savons qu'à ce moment-là Fanshawe est en plein dans son travail (beaucoup de ses poèmes du début, une première version de *Black-outs*), mais les lettres ne donnent pas la sensation réelle de la vie qu'il mène. On s'aperçoit qu'il est en conflit, qu'il n'est pas sûr de lui vis-à-vis d'Ellen, qu'il ne veut pas perdre contact avec elle et que pourtant il est incapable de décider s'il doit lui raconter beaucoup ou peu. (Le fait est qu'Ellen ne lira même pas la plupart de ces lettres. Comme elles portent l'adresse de la maison du New Jersey, elles sont évidemment ouvertes par Mme Fanshawe qui les trie avant de les montrer à sa fille – et le plus souvent Ellen ne les voit pas. Fanshawe, me semble-t-il, doit s'être rendu compte que ça se passait ainsi, ou, à tout le moins, il doit s'en être douté. Ce qui complique encore plus les choses – puisque d'une certaine façon ces lettres ne s'adressent pas du tout à Ellen. Ellen n'est finalement qu'un moyen littéraire, l'intermédiaire par lequel Fanshawe communique avec sa mère. D'où la colère de cette dernière. Car, tout en lui parlant, il peut faire comme si elle n'était pas là.)

Pendant une année environ, les lettres traitent presque exclusivement d'objets (d'immeubles, de rues, de descriptions de Paris), déversant des catalogues méticuleux de choses vues et entendues, mais Fanshawe lui-même y est à peine présent. Puis, graduellement, nous commençons à voir quelques-unes des personnes qu'il a rencontrées, nous sentons une lente attraction vers l'anecdote – mais les histoires restent encore coupées de tout contexte, ce qui leur confère une qualité flottante, désincarnée. C'est ainsi que nous découvrons un vieux compositeur russe du nom d'Ivan Wyshnegradsky ; il a près de quatre-vingts ans, il est veuf, tombé dans la pauvreté, et il habite seul un appartement minable de la rue Mademoiselle. "Je vois cet homme plus que n'importe qui d'autre", déclare Fanshawe. Pas un mot de plus sur leur amitié, aucune trace de ce qu'ils se disent. Au lieu de cela, on trouve une longue description du piano quart de ton dans l'appartement, avec son énorme encombrement et ses claviers multiples (construit pour Wyshnegradsky à Prague près de cinquante ans auparavant, c'est l'un des trois seuls pianos quart de ton existant en Europe), puis, sans aucune autre allusion à la carrière du compositeur, survient l'histoire de comment Fanshawe a donné un réfrigérateur au vieil homme. "Je changeais d'appartement le mois dernier, écrit Fanshawe. Le nouvel endroit étant pourvu d'un réfrigérateur neuf, j'ai décidé d'offrir l'ancien à Ivan. Comme beaucoup de gens à Paris il n'a jamais eu de réfrigérateur et, toutes ces années passées, il utilisait comme garde-manger une petite caisse dans le mur de sa cuisine. Il parut très content de ma proposition et je me suis occupé de tous les détails pratiques pour le transporter chez lui – hissant l'appareil dans l'escalier avec l'aide du conducteur du camion. Ivan a salué l'arrivée du réfrigérateur comme un événement important de sa vie – débordant d'excitation comme un enfant – et pourtant il se méfiait, je m'en rendais compte, il était même un peu dérouté, ne sachant trop que faire de cet objet étranger. Il est si gros, répétait-il tandis que nous le mettions en place, et puis, lorsque nous l'avons branché et que le moteur s'est mis en marche : Tout ce bruit. Je lui ai affirmé qu'il s'y habituerait, énumérant les avantages de cet instrument moderne, les améliorations dont bénéficierait sa vie. Je me sentais comme un missionnaire : le puissant Père Qui-sait-tout rachetant la vie de cet homme de l'âge de pierre en lui montrant la vraie religion. Il s'est écoulé à peu près une semaine pendant laquelle Ivan m'a téléphoné presque chaque jour pour me dire combien il était content du réfrigérateur, me décrivant tous les nouveaux aliments qu'il pouvait acheter et garder chez lui. Puis la catastrophe. Je crois qu'il est cassé, m'a-t-il annoncé un jour d'un ton tout à fait contrit. Le petit compartiment à glace s'était apparemment rempli de givre et, ne sachant comment s'en débarrasser, Ivan s'était servi d'un marteau, tapant non seulement sur la glace mais aussi sur les serpentins au-dessous. Mon cher ami, m'a-t-il déclaré, je suis vraiment désolé. Je lui ai dit de ne pas s'inquiéter, je trouverais un réparateur pour arranger la chose. Il y a eu un long silence à l'autre bout. Eh bien, a-t-il dit enfin, je crois que c'est mieux ainsi. Le bruit, voyez-vous. A cause de lui on a beaucoup de mal à se concentrer. J'ai vécu si longtemps avec la petite boîte dans le mur que je m'y sens plutôt attaché. Mon cher ami, ne soyez pas fâché. J'ai peur qu'il n'y ait rien à faire avec un vieux comme moi. On arrive à un certain point de la vie et puis il est trop tard pour changer."

D'autres lettres poursuivent dans cette veine, en mentionnant divers noms, divers emplois. J'estime que l'argent gagné par Fanshawe sur le bateau a duré à peu près un an et qu'ensuite il s'est débrouillé du mieux qu'il a pu. Il semble que pendant un temps il ait traduit une série de livres d'art ; à un autre moment il apparaît qu'il a travaillé comme répétiteur d'anglais pour plusieurs élèves de lycée ; il semble aussi qu'un été il ait tenu le poste de standardiste de nuit au bureau parisien du *New York Times* (ce qui indique, à défaut d'autre chose, qu'il avait appris à parler couramment le français) ; et puis il y a une période assez curieuse pendant laquelle il a travaillé sporadiquement pour un producteur de films – revoir le traitement, traduire, préparer des résumés de scénarios. Bien qu'il y ait peu d'allusions autobiographiques dans les œuvres de Fanshawe, je crois que certains incidents de *Neverland* peuvent être reliés à cette dernière expérience (la maison de Montag dans le chapitre sept ; le rêve de Flood dans le chapitre trente). "Ce qu'il y a d'étrange chez cet homme, écrit Fanshawe (en parlant du producteur de films dans une de ses lettres), c'est que tout en ayant avec les riches des rapports financiers qui frôlent le criminel (procédés d'une sauvagerie impitoyable, mensonges effrontés), il est très gentil avec ceux qui sont dans la débine. Il est rare qu'il poursuive en justice les gens qui lui doivent de l'argent – mais il leur donne la possibilité d'acquitter leurs dettes en lui rendant des services. C'est ainsi que son chauffeur est un marquis sans le sou qui se déplace en Mercedes blanche. Il y a un vieux baron qui ne fait rien d'autre que des photocopies. Chaque fois que je me rends à son appartement pour remettre mon travail, je trouve quelque nouveau laquais debout dans un coin, quelque noble décrépit caché derrière les rideaux, quelque fringant financier qui s'avère n'être que le garçon de courses. Rien non plus ne se perd. Lorsque l'ancien réalisateur qui vivait dans la chambre de bonne du sixième s'est suicidé le mois dernier, j'ai hérité de son manteau – et je le porte toujours depuis. Un long machin noir qui me descend presque jusqu'aux chevilles. Ça me donne l'air d'un espion."

Quant à la vie privée de Fanshawe, on ne relève que les plus vagues indications. Il est question d'un dîner, il y a une description d'un atelier de peintre, une ou deux fois surgit le prénom Anne, mais la nature de ces liens reste énigmatique. C'était pourtant le genre de choses dont j'avais besoin. En m'astreignant aux déplacements nécessaires, en sortant et en posant assez de questions, je supposais que je finirais par pouvoir retrouver la trace de quelques-unes de ces personnes.

A part un voyage de trois semaines en Irlande (Dublin, Cork, Limerick, Sligo), Fanshawe paraît être resté plus ou moins au même endroit. La version finale de *Black-outs* a été achevée à un moment de sa deuxième année à Paris ; *Miracles* a été écrit pendant la troisième, avec quarante ou cinquante courts poèmes. Tout ceci est assez facile à déterminer car c'est à peu près à cette époque que Fanshawe a pris l'habitude de dater ses travaux. Le moment précis de son départ de Paris pour la campagne reste encore obscur, mais je crois qu'il se situe quelque part entre juin et septembre 1971.

Les lettres se font justement rares a cette période et même les cahiers ne donnent qu'une liste des livres qu'il lisait (l'*Histoire du monde* de Raleigh et la *Relation de voyage* de Cabeza de Vaca). Mais dès qu'il va se nicher dans la maison de campagne, il donne un récit assez fourni de la manière dont il a abouti là. Les détails n'ont pas d'importance en eux-mêmes, mais il en émerge un point crucial : pendant qu'il vivait en France, Fanshawe ne se cachait pas d'être un écrivain. Ses amis étaient au courant de son travail et s'il y a jamais eu un secret, il n'a été destiné qu'à sa famille. Il s'agit donc là d'un indéniable lapsus de sa part – c'est la seule fois, dans toutes ses lettres, qu'il se trahit. "Les Dedmon, un couple américain que je connais à Paris, écrit-il, sont dans l'incapacité de se rendre dans leur maison de campagne l'année qui vient (ils vont au Japon). Comme cet endroit a été cambriolé une ou deux fois, ils n'ont pas envie de le laisser vide et ils m'ont proposé un emploi de gardien. Non seulement j'y habite sans payer de loyer, mais on me permet d'utiliser une voiture et je reçois un petit salaire (assez pour me débrouiller si je fais très attention). C'est un coup de veine. Ils ont dit qu'ils aimaient bien mieux me payer pour rester dans cette maison à écrire pendant un an que de la louer à des inconnus." Ce n'était peut-être pas grand-chose, mais lorsque j'ai trouvé ça dans la lettre j'ai repris courage. Fanshawe avait momentanément baissé sa garde – et si c'était arrivé une fois, il n'y avait pas de raison de supposer que ça ne se reproduirait pas.

En tant qu'échantillons d'écriture, les lettres de la campagne surpassent toutes les autres. A ce stade, l'œil de Fanshawe a acquis une acuité incroyable et on sent en lui une toute nouvelle disponibilité de mots, comme si la distance entre la vision et l'écriture s'était réduite, les deux actes devenant maintenant presque identiques, appartenant à un seul geste continu. Fanshawe se préoccupe du paysage, et il y revient toujours, l'observant sans cesse, enregistrant sans relâche ses transformations. La patience qu'il déploie pour ces choses n'est jamais au-dessous du remarquable, et il y a des passages d'écriture sur la nature, tant dans les lettres que dans les cahiers, aussi lumineux que les meilleurs que j'aie jamais lus. La maison de pierre où il habite (des murs de soixante centimètres d'épaisseur) a été construite pendant la Révolution : d'un côté s'étend une petite vigne, de l'autre un pré où paissent les moutons ; derrière, il y a une forêt (des pies, des corneilles, des sangliers) et devant, au-delà de la route, les falaises qui mènent au village (quarante habitants). Sur ces escarpements, cachées dans un enchevêtrement de buissons et d'arbres se trouvent les ruines d'une chapelle ayant appartenu aux templiers. Des genêts, du thym, des broussailles de chêne, une terre rouge, de l'argile blanche, le mistral – Fanshawe vit au milieu de ces choses pendant plus d'un an et petit à petit elles paraissent le changer, l'enraciner plus profondément en lui-même. J'hésite à parler d'une expérience religieuse ou mystique (ces termes n'ont pas de sens pour moi), mais selon toute évidence il semble qu'il soit resté seul en permanence, ne voyant à peu près personne, n'ouvrant même pratiquement pas la bouche. La rigueur de cette vie l'a formé. La solitude est devenue un accès à l'intérieur de soi, un instrument de découverte. Bien qu'il ait été très jeune à l'époque, je crois que cette période a marqué le début de sa maturité d'écrivain. Dès lors, l'œuvre n'est plus une promesse – elle est réalisée, accomplie, et c'est indubitablement la sienne. A partir de la longue séquence des poèmes composés à la campagne *(Fondations)*, puis dans les pièces de théâtre et *Neverland* (tous écrits à New York), Fanshawe est en pleine floraison. On cherche des traces de folie, des signes de cette pensée qui plus tard s'est retournée contre lui, mais l'œuvre ne révèle rien de tel. Fanshawe est sans aucun doute une personne singulière, mais selon toute apparence il est sain d'esprit, et lorsqu'il rentre en Amérique à l'automne de 1972, il paraît totalement maître de lui-même.

Mes premières réponses sont venues des gens que Fanshawe avait connus à Harvard. Le mot "biographie" a paru m'ouvrir les portes et je n'ai eu aucun mal à obtenir des rendez-vous avec la plupart des personnes concernées. J'ai vu son camarade de chambre de première année ; j'ai vu plusieurs de ses amis ; j'ai vu deux ou trois des anciennes étudiantes de Radcliffe avec qui il était sorti. Il n'en a pas résulté grand-chose. De toutes les personnes rencontrées, une seule a dit quelque chose d'intéressant : Paul Schiff, dont le père avait négocié l'embauche de Fanshawe sur le pétrolier. Schiff était à présent pédiatre dans le comté de Westchester et nous avons parlé fort tard un soir dans son bureau. Il y avait chez lui un sérieux qui me plaisait (un homme petit, intense, aux cheveux déjà clairsemés, avec un regard soutenu et une voix douce et sonore) et il a parlé de façon ouverte sans que je le pousse. Fanshawe avait été une personne importante dans sa vie, et il se souvenait bien de leur amitié. J'étais un garçon appliqué, a déclaré Schiff. Dur à la tâche, obéissant, sans grande imagination. Fanshawe n'était pas intimidé par Harvard comme nous l'étions tous, et je crois que ça m'impressionnait. Il avait lu davantage que n'importe qui – plus de poètes, plus de philosophes, plus de romanciers – mais ce qui était scolaire paraissait l'ennuyer. Il ne se souciait pas des notes, manquait souvent les cours et semblait poursuivre simplement son propre chemin. En première année nous habitions chacun au bout du même couloir et pour une quelconque raison il m'a choisi comme ami. Après quoi je me suis toujours un peu collé derrière lui. Fanshawe avait tellement d'idées sur tout, je crois qu'il m'a appris plus de choses que n'importe lequel de mes cours. Je souffrais d'une crise aiguë d'idolâtrie, je suppose – mais Fanshawe m'a aidé et je ne l'ai pas oublié. C'est lui qui m'a enseigné à penser tout seul, à faire mes propres choix. Sans lui je ne serais jamais devenu médecin. Je suis passé en préparation à médecine parce qu'il m'a persuadé de faire ce que je voulais et je lui en suis encore reconnaissant.

Au milieu de notre deuxième année Fanshawe m'a dit qu'il allait laisser tomber l'université. Ça ne m'a pas vraiment étonné. Cambridge n'était pas l'endroit qu'il lui fallait et je savais qu'il ne trouvait pas de repos, que ça lui démangeait de partir. J'ai parlé à mon père qui représentait le syndicat des marins et il s'est arrangé pour lui obtenir ce travail sur le bateau. Les choses ont été bien réglées. Fanshawe est passé comme une fleur à travers toute la paperasserie et quelques semaines plus tard il s'embarquait. J'ai eu de ses nouvelles à plusieurs reprises – des cartes postales d'ici ou là. Salut, comment vas-tu, ce genre de machin. Ça ne me gênait pas et j'étais content d'avoir pu faire quelque chose pour lui. Mais tous ces bons sentiments m'ont finalement éclaté au visage. J'étais en ville, il y a environ quatre ans, et je marchais le long de la 5e avenue lorsque je suis tombé sur Fanshawe, là, en pleine rue. J'étais ravi de le voir, vraiment surpris et heureux, mais c'est à peine s'il m'a adressé la parole. On aurait dit qu'il avait oublié qui j'étais. Très raide, presque impoli. J'ai été obligé de lui mettre de force mon adresse et mon numéro de téléphone dans la main. Il a promis d'appeler mais évidemment il ne l'a jamais fait. Ça m'a vraiment blessé, je peux vous le dire. Le salopard, me disais-je, pour qui se prend-il ? Il ne voulait même pas me dire ce qu'il faisait – il s'est contenté d'éluder mes questions et de s'éloigner d'un pas nonchalant. Voilà pour le bon temps de l'université, me suis-je dit. Voilà pour l'amitié. Ça me laissait un goût nauséabond dans la bouche. L'année dernière ma femme a acheté un de ses livres et me l'a offert pour mon anniversaire. Je sens que c'est infantile mais je n'ai pas eu le courage de l'ouvrir. Il est resté sur l'étagère à prendre la poussière. C'est vraiment bizarre, n'est-ce pas ? Tout le monde dit que c'est un chef-d'œuvre, mais je ne crois pas pouvoir jamais me résoudre à le lire.

C'est là le plus lucide de tous les commentaires que j'ai recueillis. Quelques membres de l'équipage du pétrolier avaient des choses à dire, mais rien qui me soit vraiment utile. Otis Smart, par exemple, se souvenait des lettres d'amour que Fanshawe avait rédigées à sa place. Lorsque je l'ai joint par téléphone à Baton Rouge, il s'est longuement étendu sur ce sujet, allant jusqu'à citer quelques-unes des expressions que Fanshawe avait inventées ("ma belle aux orteils papillons", "ma citrouille pressée", "mon vice de fange de rêve", et ainsi de suite), et il riait en parlant. Le pire de tout ce bazar, a-t-il poursuivi, c'était que pendant qu'il envoyait ces lettres à Sue-Ann elle s'amusait avec un autre et que le jour où il était revenu elle lui avait annoncé qu'elle se mariait. C'est pas plus mal, a ajouté Smart. Je suis tombé sur Sue-Ann, l'an dernier, dans ma ville ; elle ne pèse pas loin de trois cents livres à présent. On dirait une grosse de dessin animé

– elle se pavane dans la rue en pantalon orange élastique avec une ribambelle de mômes qui braillent autour d'elle. Ça m'a fait rigoler, vraiment, en repensant aux lettres. Ce Fanshawe me faisait hurler de rire. Il s'y mettait avec quelques-unes de ses expressions et je me roulais par terre comme un singe. C'est dommage, ce qui est arrivé. On n'aime pas apprendre qu'un mec si jeune a avalé son acte de naissance.

Jeffrey Brown, actuellement chef de cuisine dans un restaurant de Houston, avait été l'assistant du cuisinier sur le bateau. Il se souvenait de Fanshawe comme du seul membre blanc de l'équipage qui l'eût traité amicalement. "Ce n'était pas facile, a dit Brown. L'équipage était composé pour la plupart de rougeauds des campagnes du Sud qui m'auraient plus volontiers craché dessus que dit bonjour. Mais Fanshawe ne m'a pas lâché, ça lui était égal ce que les autres pensaient. Quand nous arrivions à Baytown ou des endroits comme ça, nous allions à terre ensemble pour chercher à boire, ou des filles, ou ce qu'on voulait. Je connaissais ces villes mieux que Fanshawe et je lui ai dit que s'il voulait rester avec moi nous ne pourrions pas aller dans les bars habituels des marins. Je savais que ma peau ne vaudrait pas cher dans ces endroits-là et je ne voulais pas d'histoires. Pas de problème, répondait Fanshawe, et alors nous allions dans les quartiers noirs, absolument pas de problème. La plupart du temps les choses étaient assez calmes sur le bateau – rien dont je n'aurais pas su me débrouiller. Mais voilà qu'il est arrivé un sale bonhomme pendant quelques semaines. Un mec du nom de Cutbirth, si vous voyez, Roy Cutbirth. C'était un graisseur idiot et bruyant qui s'est finalement fait virer quand le chef mécanicien s'est aperçu qu'il ne connaissait que dalle aux moteurs. Il avait triché sur son test de graisseur pour avoir le job – tout à fait le genre de mec qu'il vous faut en bas pour faire sauter le bateau. Ce Cutbirth était bête, méchant et bête. Il avait des tatouages sur les jointures des doigts, une lettre sur chacun : L-O-V-E à droite et H-A-T-E à gauche. Quand on voit ce genre de connerie on préfère se tenir à l'écart. Ce mec s'est vanté un jour à Fanshawe des samedis soir qu'il passait chez lui en Alabama – il s'asseyait sur une colline au-dessus de l'autoroute fédérale et il tirait sur des voitures. Un type charmant sous tous rapports. Et puis il y avait cet œil mal en point qu'il traînait, tout rouge de sang et mal foutu. Mais il aimait se vanter de ça aussi. Apparemment ça lui était venu d'un éclat de verre qui s'était logé dedans. A Selma, disait-il, alors qu'il lançait des bouteilles contre Martin Luther King. Pas la peine de vous dire que ce Cutbirth n'était pas mon meilleur pote. Il me lançait toujours des regards hostiles, marmonnant dans sa barbe et hochant la tête tout seul, mais je n'y faisais pas attention. Les choses ont marché comme ça quelque temps. Puis il a essayé quand Fanshawe était dans les parages et la façon dont c'est sorti c'était juste un petit peu trop fort pour que Fanshawe puisse faire comme s'il n'avait rien entendu. Il s'arrête, se tourne vers Cutbirth et demande : Qu'est-ce que tu as dit ? Alors Cutbirth jouant les durs et les crâneurs lance un truc du genre : Je me demandais, mon chéri, quand est-ce que toi et ce lapin des savanes vous alliez vous marier. Eh bien, Fanshawe était toujours paisible et amical, un vrai gentleman si vous voyez ce que je veux dire, et c'est pourquoi je ne m'attendais pas à ce qui s'est passé. On aurait dit Hulk à la télé, l'homme qui se transforme en bête sauvage. Tout d'un coup il s'est mis en colère, c'est-à-dire en rage, presque *hors de lui* de fureur. Il a attrapé Cutbirth par la chemise et l'a simplement jeté contre le mur, l'a collé là et il l'a tenu comme ça en lui soufflant directement au visage : Ne répète jamais ça, a dit Fanshawe avec des yeux en feu. Ne répète jamais ça ou je te tue. Et vous aviez intérêt à le croire quand il le disait. Le mec était prêt à tuer et Cutbirth le savait. Juste une blague, a-t-il dit, je faisais juste une blague. Et ça a été terminé – très vite. Le tout n'avait pas duré la moitié d'un clin d'œil. A peu près deux jours plus tard Cutbirth s'est fait virer. Un coup de bol. S'il était resté un peu plus, qui sait ce qui aurait pu se passer."

J'ai recueilli des douzaines de témoignages comme celui-là – par courrier, par téléphone, dans des entretiens. Ça a continué pendant des mois et chaque jour mon matériau s'amplifiait, il progressait géométriquement, s'enrichissant sans cesse de nouveaux liens en une chaîne de contacts qui en définitive s'anime d'une vie propre. C'était un organisme à l'appétit illimité et à la fin je voyais bien que rien ne pouvait l'empêcher de devenir aussi vaste que le monde lui-même. Une vie touche une autre vie, laquelle touche une troisième et très vite les enchaînements se font innombrables, impossibles à calculer. J'étais au courant d'une grosse femme dans une petite ville de Louisiane. J'étais au courant d'un raciste avec des tatouages sur les doigts et un nom défiant la compréhension. J'étais au courant de douzaines de gens dont je n'avais jamais entendu parler auparavant et chacun d'entre eux avait fait partie de la vie de Fanshawe. Donc tout allait peut-être très bien et on aurait pu dire que ce surplus de renseignements était justement la preuve que j'aboutissais à quelque chose. J'étais un détective, après tout, et c'était mon travail de rechercher des indices. Confronté à un million de petits bouts d'information distribués au hasard, invité à suivre un million de pistes fausses, je devais trouver l'unique voie qui me mènerait où je voulais aller. Jusque-là, le fait essentiel était que je ne l'avais pas découverte. Aucun de ces gens n'avait vu Fanshawe ou reçu de ses nouvelles depuis des années, et à moins de mettre en doute tout ce qu'ils m'avaient raconté, à moins de procéder à une enquête sur chacun d'entre eux, je devais supposer qu'ils me disaient la vérité.

Tout cela, je crois, se ramenait à une question de méthode. En un certain sens je savais déjà tout ce qu'il y avait à savoir sur Fanshawe. Les choses que j'apprenais ne m'apportaient rien d'important et ne contredisaient pas celles que je connaissais déjà. Ou, pour l'exprimer autrement : le Fanshawe que j'avais connu n'était pas le Fanshawe que je cherchais. Il y avait eu quelque part une fêlure, une cassure soudaine et incompréhensible – et les choses que me rapportaient les diverses personnes que j'interrogeais n'en rendaient pas compte. Finalement leurs déclarations confirmaient seulement que ce qui s'était passé ne pouvait aucunement avoir eu lieu. Que Fanshawe fût bienveillant, que Fanshawe fût cruel, c'était une vieille histoire que je connaissais déjà par cœur. Ce que je cherchais était quelque chose d'autre, quelque chose que je ne pouvais même pas imaginer : un acte purement irrationnel, un geste totalement en désaccord avec son personnage, une contradiction de tout ce que Fanshawe avait représenté jusqu'au moment où il avait disparu. J'essayais sans cesse de sauter dans l'inconnu, mais à chaque retombée je me trouvais en terrain connu, entouré par ce qui m'était le plus familier.

Plus je m'éloignais, plus les possibilités se réduisaient. C'était peut-être bien, je n'en sais rien. A défaut d'autre chose, je savais qu'avec chaque échec il y aurait un endroit de moins à explorer. Les mois ont passé, plus de mois que je n'ai envie de l'avouer. En février et mars j'ai passé le plus clair de mon temps à rechercher

Quinn, le détective privé qui avait travaillé pour Sophie. Bizarrement, je n'ai pas trouvé trace de lui. Il semblait ne plus exercer – ni à New York ni nulle part ailleurs. Pendant quelque temps j'ai examiné les rapports sur les cadavres non identifiés, j'ai interrogé des gens qui travaillaient à la morgue municipale, j'ai essayé de retrouver sa famille mais il n'en est rien sorti. En dernier recours j'ai envisagé d'engager un autre détective privé pour le rechercher et puis j'y ai renoncé. Un disparu suffit, me suis-je dit, et petit à petit j'ai épuisé les possibilités qui restaient. A la mi-avril j'étais arrivé à la dernière. J'ai encore patienté quelques jours, dans l'espoir d'un coup de chance, mais rien ne s'est concrétisé. Le matin du 21, je suis enfin entré dans une agence de voyages et j'ai réservé une place d'avion pour Paris.

Je devais partir un vendredi. Le mardi, Sophie et moi sommes allés acheter un appareil hi-fi. Une de ses sœurs cadettes allait déménager à New York et nous avions projeté de lui faire cadeau de notre vieille chaîne. L'idée de la remplacer était dans l'air depuis plusieurs mois, et nous avions enfin là un prétexte pour en chercher une nouvelle. Nous sommes donc allés en ville ce mardi et nous avons acheté l'appareil que nous avons transporté chez nous en taxi. Nous l'avons branché au même endroit que l'ancien et emballé ce dernier dans la nouvelle boîte. C'était une solution intelligente, pensions-nous. Karen devait arriver en mai et en attendant nous voulions mettre la vieille chaîne à l'abri des regards. C'est alors que nous avons buté sur un problème.

L'espace disponible était limité, comme dans la plupart des appartements new-yorkais, et il s'est avéré que nous n'en avions plus. Le seul placard qui présentait encore quelque espoir se trouvait dans la chambre, mais le sol en était déjà bourré de boîtes – trois en profondeur, deux en hauteur, quatre en largeur – et il n'y avait pas assez de place sur l'étagère du haut. Il s'agissait des cartons contenant les affaires de Fanshawe (vêtements, livres, bric-à-brac), et ils étaient entassés là depuis le jour où nous avions emménagé. Ni Sophie ni moi n'avions su quoi en faire lorsqu'elle avait vidé son appartement précédent. Nous ne voulions pas, dans notre nouvelle vie, être entourés par des souvenirs de Fanshawe, mais en même temps il nous semblait qu'il ne fallait pas les jeter purement et simplement. Ces cartons représentaient un compromis et au fil du temps c'était comme si nous ne les remarquions plus. Ils s'étaient fondus dans le paysage domestique – comme la lame du parquet brisée sous le tapis du séjour, comme la fissure dans le mur au-dessus de notre lit – devenant invisibles dans le flot de la vie quotidienne. Or, lorsque Sophie a ouvert la porte du placard et a regardé dedans, son humeur a changé tout d'un coup.

Assez de ça, a-t-elle lancé en s'accroupissant dans le placard. Elle a repoussé les vêtements qui couvraient les boîtes, faisant claquer les portemanteaux les uns contre les autres, coupant dans le fouillis d'un geste rageur. C'était une colère brusque qui semblait être davantage dirigée contre elle que contre moi.

Assez de quoi ? J'étais debout de l'autre côté du lit et je regardais son dos.

De tout ça, a-t-elle répondu en continuant à rejeter les vêtements d'un côté et de l'autre. Assez de Fanshawe et de ses cartons.

Que veux-tu en faire ? Je me suis assis sur le lit et j'ai attendu une réponse, mais elle n'a rien dit. Que veux-tu en faire, Sophie ? ai-je demandé à nouveau.

Elle s'est retournée, s'est mise en face de moi, et je pouvais voir qu'elle était sur le point de pleurer. A quoi bon un placard dont on ne peut même pas se servir ? a-t-elle dit. Sa voix tremblait, ne se maîtrisait plus. Je veux dire, il est mort, n'est-ce pas ? Et s'il est mort, qu'avons-nous besoin de toutes ces... toutes ces – elle gesticulait, cherchant le mot – saletés ? C'était comme si on vivait avec un cadavre.

Si tu veux, on peut appeler l'Armée du Salut aujourd'hui même, ai-je répondu.

Vas-y, appelle-la. Avant qu'on ne dise un mot de plus.

Je vais le faire. Mais d'abord il nous faut ouvrir les cartons et trier ce qu'il y a dedans.

Non. Je veux que tout parte, tout en même temps.

D'accord pour les habits, ai-je dit. Mais j'aurais voulu garder encore les livres quelque temps. J'avais l'intention de faire une liste et je voulais voir s'il y avait des notes dans les marges. Ça ne me prendrait pas plus d'une demi-heure.

Sophie m'a regardé d'un air incrédule. Tu ne comprends donc rien, pas vrai ? a-t-elle dit. Puis, quand elle s'est levée, les larmes ont enfin jailli de ses yeux – des pleurs d'enfant, des pleurs qui ne retenaient plus rien, qui coulaient le long de ses joues comme si elle n'en avait pas conscience. Je ne peux plus arriver jusqu'à toi. Tu n'entends tout simplement pas ce que je dis.

Je fais de mon mieux, Sophie.

Non, ce n'est pas vrai. Tu crois le faire mais ce n'est pas vrai. Ne vois-tu pas ce qui est en train de se produire ? Tu es en train de le ressusciter.

J'écris un livre. C'est tout – rien qu'un livre. Mais si je ne le prends pas au sérieux, comment vais-je y arriver ?

Il ne s'agit pas seulement de ça. Je le sais, je le sens. Si ça doit durer entre nous, il faut qu'il soit mort. Ne comprends-tu pas ça ? Même s'il est vivant il faut qu'il soit mort.

Qu'est-ce que tu racontes ? Bien sûr qu'il est mort.

Pas pour très longtemps. Pas si tu continues.

Mais c'est toi qui m'as lancé là-dessus. Tu voulais que je fasse ce livre.

C'était il y a plus de cent ans, mon pauvre chéri. J'ai tellement peur de te perdre. Je ne pourrais pas le supporter si ça arrivait.

C'est presque fini, je te le promets. Ce voyage est la dernière démarche.

Et ensuite quoi ?

Nous verrons. Je ne peux pas savoir dans quoi je me fourre avant d'y être.

C'est bien ce que je crains.

Tu pourrais venir avec moi.

A Paris ?

A Paris. Nous pourrions y aller tous les trois.

Je ne pense pas. Pas avec la situation telle qu'elle est actuellement. Vas-y tout seul. Au moins si tu reviens ce sera parce que tu le veux.

Qu'est-ce que ça veut dire, ce "si" ?

Rien de plus. "Si" comme dans "si tu reviens".

Tu ne vas quand même pas croire ça ?

Mais si. Et si ça continue de la même façon je vais te perdre.

Ne parle pas comme ça, Sophie.

C'est plus fort que moi. Il s'en faut de si peu pour que tu sois déjà parti. Il me semble parfois que je te vois t'évanouir devant mes yeux.

Absurde.

Tu as tort. Nous arrivons au bout, mon cher, et tu ne le sais même pas. Tu vas disparaître et je ne te reverrai jamais plus.

8

Curieusement les choses m'ont paru plus grandes à Paris. Le ciel était plus présent qu'à New York et ses caprices plus fragiles. Il m'attirait, et le premier jour, ou les deux premiers jours, je suis resté dans ma chambre d'hôtel à examiner les nuages en attendant qu'il se produise quelque chose. C'étaient là des nuages du Nord, les nuages de rêve toujours changeants qui s'amoncellent en immenses montagnes grises, qui déversent de courtes ondées, se dissipent, se regroupent à nouveau, roulent devant le soleil, réfractent la lumière selon des modes toujours différents. Le ciel à Paris a ses propres lois qui opèrent indépendamment de la ville au-dessous. Autant les immeubles semblent solides, ancrés dans la terre, indestructibles, autant le ciel est vaste et amorphe, soumis à un bouleversement constant. Pendant la première semaine j'ai eu l'impression d'avoir été placé les pieds en l'air, la tête en bas. C'était une ville de l'ancien monde et elle n'avait rien à voir avec New York où les cieux sont lents et les rues chaotiques, où les nuages sont fades et les immeubles agressifs. J'étais déplacé, ce qui me rendait soudain peu sûr de moi. Je sentais ma maîtrise faiblir et au moins une fois par heure je devais me rappeler pourquoi je me trouvais là.

Mon français n'était ni mauvais ni bon. Il était suffisant pour comprendre ce qu'on me disait, mais j'avais du mal à parler et par moments aucun mot ne me venait aux lèvres quand je me débattais pour exprimer les choses les plus simples. Je crois que ça me procurait un certain plaisir – le fait d'éprouver la langue comme un assemblage de sons, d'être forcé d'aller à la surface des mots où les significations disparaissent – mais c'était aussi très usant et ça me poussait à me renfermer dans mes pensées. Pour saisir ce que les gens disaient je devais traduire silencieusement en anglais, ce qui signifiait que, même lorsque je comprenais, cette compréhension était décalée – je faisais double travail pour la moitié du résultat. Les nuances, les associations subliminales, les sous-entendus – tout cela me passait à côté. En fin de compte, il ne serait sans doute pas faux de dire que tout me passait à côté.

Pourtant je suis allé de l'avant. Il m'a fallu quelques jours pour démarrer mon enquête mais lorsque j'ai établi mon premier contact les autres ont suivi. J'ai connu quand même quelques déceptions : Wyshnegradsky était mort ; j'ai été incapable de retrouver une seule des personnes auxquelles Fanshawe avait donné des cours d'anglais ; la femme qui avait engagé Fanshawe au *New York Times* était partie, ne travaillait plus là depuis des années. Il s'agissait de choses auxquelles j'aurais dû m'attendre, mais je les ai mal prises, conscient du fait que la moindre brèche pouvait être fatale. C'étaient pour moi des espaces vides, des blancs de l'image, et quel que soit le succès que je rencontrerais par ailleurs pour combler les autres lacunes, des doutes subsisteraient, ce qui signifiait que le travail ne pourrait jamais être vraiment achevé.

J'ai parlé aux Dedmon, j'ai parlé aux éditeurs de livres d'art pour qui Fanshawe avait travaillé, j'ai parlé à la femme qui se prénommait Anne (et s'est avérée être une ancienne petite amie), j'ai parlé au producteur de films. Des petits boulots, m'a-t-il dit dans un anglais à l'accent russe, voilà ce qu'il faisait. Des traductions, des résumés de scénarios, il a un peu servi de nègre à ma femme. C'était un garçon intelligent, mais trop raide. Très littéraire si vous voyez de quoi je parle. Je voulais lui donner une chance d'être acteur – je lui ai même proposé des leçons d'escrime et d'équitation pour un film que nous allions réaliser. J'aimais son physique, je pensais qu'on pourrait faire quelqu'un de lui. Mais ça ne l'intéressait pas. J'ai d'autres chats à fouetter, a-t-il dit. Quelque chose dans ce goût-là. Peu importe. Le film a rapporté des millions, et qu'est-ce que ça me fait que ce garçon veuille jouer ou pas ?

Il y avait là quelque chose à poursuivre mais, assis avec cet homme dans son monumental appartement de l'avenue Henri-Martin, attendant chaque nouvelle phrase de son histoire entre deux appels téléphoniques, j'ai soudain compris que je n'avais nul besoin d'en entendre davantage. Il n'y avait qu'une question qui eût de l'importance et cet homme ne pouvait y répondre pour moi. Si je restais à l'écouter, je recueillerais de nouveaux détails, de nouvelles choses sans intérêt, j'aurais une pile supplémentaire de notes inutilisables. Il y avait à présent trop longtemps que je faisais semblant d'écrire un livre et, petit à petit, j'avais oublié mon but. Assez, me suis-je dit, me faisant consciemment l'écho de Sophie, assez de ça, et alors je me suis levé et je suis parti.

L'important c'était que personne ne me surveillait plus. Je n'étais plus obligé d'ériger une façade comme je l'avais fait chez moi, je n'étais plus obligé d'abuser Sophie en m'occupant sans cesse pour la galerie. La pantomime était terminée. Je pouvais enfin mettre de mon côté le livre inexistant. Pendant dix minutes environ, en revenant à pied vers mon hôtel sur l'autre rive du fleuve, je me suis senti plus heureux que je ne l'avais été durant des mois. Les choses s'étaient simplifiées, réduites à la clarté d'un seul et unique problème. Mais ensuite, dès que j'ai intégré cette pensée, j'ai compris à quel point, réellement, la situation était mauvaise. J'arrivais au terme, maintenant, et je n'avais toujours pas trouvé Fanshawe. L'erreur que je cherchais n'avait jamais fait surface. Il n'y avait pas de fil, pas d'indice, pas de piste à suivre. Fanshawe était enterré quelque part et toute sa vie était enterrée avec lui. Sauf s'il voulait être retrouvé, je n'avais pas l'ombre d'une chance.

Je suis pourtant allé de l'avant, m'efforçant d'atteindre le terme, le point final, creusant aveuglément jusqu'aux derniers entretiens, refusant d'abandonner avant d'avoir vu tout le monde. J'ai voulu téléphoner à Sophie. Un jour j'ai poussé les choses jusqu'à me rendre au bureau de poste et à faire la queue pour les appels à l'étranger, mais je n'ai pas tenu jusqu'au bout. Les mots me laissaient constamment en rade et j'ai paniqué à l'idée de prendre les nerfs au téléphone. Qu'est-ce que j'étais censé dire, après tout ? A la place, j'ai envoyé une carte avec une photo de Laurel et Hardy. Au dos j'ai écrit : Les vrais mariages sont toujours insensés. Regarde le couple de l'autre côté. La preuve que tout est possible, n'est-ce pas ? Peut-être devrions-nous porter des chapeaux melons. A tout le moins n'oublie pas de nettoyer le placard avant mon retour. Serre Ben dans tes bras pour moi.

J'ai vu Anne Michaux l'après-midi suivant, et elle a brièvement sursauté lorsque je suis entré dans le café où nous étions convenus de nous rencontrer (le *Rouquet*, boulevard Saint-Germain). Ce qu'elle m'a dit sur

Fanshawe n'a pas d'importance : qui avait embrassé l'autre, ce qui s'était passé à tel endroit, qui avait dit quoi, et ainsi de suite. Cela revient à plus de la même chose. Ce que je relèverai, cependant, c'est que son premier mouvement de surprise venait du fait qu'elle m'avait pris pour Fanshawe. A peine le temps de ciller, selon ses mots, et puis c'était passé. La ressemblance avait déjà été notée, bien sûr, mais jamais aussi viscéralement, avec un impact aussi immédiat. Je dois avoir montré ma réaction, car elle s'est vite excusée (comme si elle avait commis quelque impair) et elle est revenue plusieurs fois sur ce point pendant les deux ou trois heures que nous avons passées ensemble – une fois en faisant même des efforts pour se contredire : Je ne sais pas à quoi je pensais. Vous ne lui ressemblez pas du tout. Ça devait être l'Américain en chacun de vous.

Néanmoins j'ai trouvé cela troublant et je ne pouvais m'empêcher de me sentir horrifié. Quelque chose de monstrueux se passait que je ne maîtrisais plus. Le ciel s'obscurcissait à l'intérieur – c'était là une certitude ; le sol tremblait. J'avais du mal à rester sans bouger et autant de mal à me déplacer. A chaque moment il me semblait que j'étais dans un autre lieu, que j'oubliais où je me trouvais. Les pensées s'arrêtent où commence le monde, me suis-je répété. Mais le soi est aussi dans le monde, me suis-je répondu, et il en est de même des pensées qui en sont issues. Le problème, c'était que je ne pouvais plus opérer les distinctions qui s'imposaient. Ceci ne peut jamais être cela. Les pommes ne sont pas des oranges, les pêches ne sont pas des prunes. On sent la différence sur sa langue et puis on sait, comme de l'intérieur de soi. Mais tout commençait à avoir le même goût pour moi. Je n'avais plus faim, je ne pouvais plus me résoudre à manger.

Quant aux Dedmon, il y a peut-être encore moins à en dire. Fanshawe n'aurait pas pu choisir des bienfaiteurs plus appropriés, et, parmi toutes les personnes que j'ai vues à Paris, elles ont été les plus aimables et les plus agréables. Alors que j'avais été invité pour un verre dans leur appartement ils m'ont gardé à dîner et nous en étions au deuxième plat lorsqu'ils m'ont poussé à me rendre dans leur maison du Var – celle-là même où Fanshawe avait vécu, et, ont-ils ajouté, il n'était pas nécessaire que mon séjour fût de courte durée car ils ne projetaient pas d'y aller eux-mêmes avant le mois d'août. Ce lieu a été important pour Fanshawe et son œuvre, a déclaré M. Dedmon, et sans aucun doute j'ajouterais de la valeur à mon livre en le voyant de mes propres yeux. Je n'ai pu qu'être d'accord avec lui, et à peine ces paroles me sont-elles sorties de la bouche que déjà Mme Dedmon était au téléphone, préparant tout pour moi dans son français aussi élégant que précis.

Il n'y avait plus rien pour me retenir à Paris, et j'ai donc pris le train dès le lendemain après-midi. C'était pour moi le bout du chemin, mon expédition méridionale vers l'oubli. Et s'il me restait encore une lueur d'espoir (la faible éventualité que Fanshawe fût revenu en France, la pensée illogique qu'il eût trouvé refuge au même endroit une deuxième fois), elle s'est éteinte dès que je suis arrivé. La maison était vide ; il n'y avait aucun signe de qui que ce fût. Le deuxième jour, en examinant les pièces à l'étage, je suis tombé sur un court poème que Fanshawe avait écrit sur le mur – mais je le connaissais déjà – et une date était marquée dessous : 25 août 1972. Il n'était jamais revenu. Je me suis senti bête d'y avoir seulement songé.

Ne sachant que faire d'autre, j'ai passé plusieurs jours à parler à des gens du coin : aux agriculteurs les plus proches, aux villageois, à des habitants des communes avoisinantes. Je me suis présenté en leur montrant une photo de Fanshawe. Je me faisais passer pour son frère, mais je me sentais de plus en plus comme un détective au bout du rouleau, comme un bouffon qui s'accroche à des fétus de paille. Certaines gens se sont souvenus de lui, d'autres pas, d'autres encore ne se prononçaient pas. Peu importe. J'ai trouvé l'accent méridional impénétrable (avec ses *r* roulés et ses finales nasalisées) et c'est tout juste si j'ai compris un mot de ce qu'on m'a dit. Parmi toutes les personnes que j'ai vues, une seule avait eu des nouvelles de Fanshawe après son départ. Il s'agissait de son voisin le plus proche – un fermier sur une propriété en location située à plus d'un kilomètre de distance sur la même route. C'était un drôle de petit bonhomme autour de la quarantaine, plus sale que n'importe qui que j'aie jamais rencontré. Sa maison était un édifice croulant et humide datant du XVIIIᵉ siècle, et il semblait y vivre seul, sans autres compagnons que son chien truffier et son fusil de chasse. Il était manifestement fier d'avoir été l'ami de Fanshawe et pour me prouver combien ils avaient été proches il m'a montré un chapeau de cow-boy, tout blanc, que Fanshawe lui avait envoyé à son retour aux États-Unis. Je n'avais aucune raison de ne pas le croire. Le chapeau se trouvait encore dans sa boîte d'origine et paraissait n'avoir jamais été porté. Le bonhomme m'a expliqué qu'il le tenait en réserve pour le moment opportun, puis il s'est lancé dans une harangue politique que j'ai eu du mal à suivre. La révolution arrive, m'a-t-il dit, et quand elle serait là il s'achèterait un cheval blanc et un fusil-mitrailleur, mettrait son chapeau et parcourrait la grande rue de la ville déchargeant son arme sur tous les commerçants qui avaient collaboré avec les Allemands pendant la guerre. Exactement comme en Amérique, a-t-il ajouté. Lorsque je lui ai demandé ce qu'il voulait dire, il m'a tenu un discours décousu et halluciné sur les Indiens et les cow-boys. Mais ça s'est passé il y a longtemps, ai-je lancé pour l'interrompre. Non, non, a-t-il insisté, ça continue toujours. Je n'étais donc pas au courant des batailles rangées dans la 5e avenue ? N'avais-je jamais entendu parler des Apaches ? Il était inutile d'insister. Pour justifier mon ignorance, je lui ai dit que j'habitais dans un autre quartier.

Je suis resté quelques jours de plus dans cette maison. J'avais pour projet de ne rien faire aussi longtemps que je le pourrais, de me reposer. J'étais épuisé et j'avais besoin de saisir une occasion de me requinquer avant de regagner Paris. Il s'est passé un jour ou deux. Je me suis promené dans les champs, j'ai visité les bois, je me suis assis au soleil pour lire des traductions françaises de romans policiers américains. Ç'aurait dû être la cure rêvée : se terrer au milieu de nulle part et laisser son esprit vagabonder. Mais ça n'a pas servi à grand-chose. La maison ne voulait pas m'accorder d'espace, et dès le troisième jour j'ai senti que je n'étais plus seul, que je ne pourrais jamais me trouver seul en ce lieu. Fanshawe était là, et quel que soit mon effort pour ne pas penser à lui, je ne pouvais pas lui échapper. C'était inattendu et ça me mettait à vif. Alors que j'avais cessé de le rechercher, il m'était plus présent que jamais auparavant. Le processus s'était entièrement inversé. Après tous ces mois où j'avais essayé de le débusquer, j'avais l'impression que c'était moi qui venais d'être découvert. Au lieu de chercher Fanshawe, je m'étais en fait sauvé de lui. La tâche que je m'étais attribuée – le faux livre, les méandres sans fin – ne constituait rien d'autre qu'une tentative pour le détourner de moi, une ruse pour le tenir le plus à l'écart possible. Car si je pouvais me persuader que je le cherchais, il s'ensuivrait nécessairement qu'il était ailleurs – quelque part au-delà de moi et des limites de ma vie. Mais je m'étais trompé. Fanshawe était précisément là où je me trouvais, et il y avait été depuis le début. Dès l'instant où j'avais reçu sa lettre, j'avais fait de grands efforts pour me le représenter, pour le voir tel qu'il aurait pu être, mais mon esprit n'avait jamais appréhendé que du vide. Dans le meilleur des cas, c'était une image appauvrie qui m'apparaissait : la porte d'une chambre verrouillée. Ça n'allait pas plus loin : Fanshawe seul dans cette pièce, condamné à une solitude mythique – peut-être en vie, peut-être en train de respirer et rêvant Dieu sait quoi. Cette chambre, je m'en apercevais à présent, était située sous mon crâne.

Ce sont des choses étranges qui me sont arrivées ensuite. Je suis revenu à Paris, mais, sur place, je me suis retrouvé sans rien à faire. Je ne voulais relancer aucune des personnes que j'avais vues précédemment et je n'avais pas le courage de rentrer à New York. Je suis devenu inerte, une chose incapable de se mouvoir, et petit à petit j'ai perdu le contact avec moi-même. Si je peux parler un tant soit peu de cette période, c'est uniquement parce que j'ai quelques pièces à conviction pour m'aider. Les tampons sur mon passeport, par exemple ; mon billet d'avion, ma note d'hôtel et ainsi de suite. Ce sont là des preuves que je suis resté à Paris plus d'un mois. Mais il s'agit là de quelque chose de fort différent du souvenir, et, malgré ce que je sais j'estime encore que c'est impossible. Je vois des événements qui ont eu lieu, je rencontre des images de moi-même à divers endroits, mais seulement de loin, comme si je regardais quelqu'un d'autre. Rien de tout cela ne procure la sensation du souvenir qui, lui, est toujours ancré à l'intérieur ; c'est là-bas, au-delà de ce que je peux sentir ou toucher, au-delà de tout ce qui se rapporte à moi-même. J'ai perdu un mois de ma vie et même à présent c'est un fait qu'il m'est difficile d'avouer, une chose qui me remplit de honte.

Un mois est une longue période, c'est plus qu'assez pour qu'un homme ait le temps de se disloquer. Ces jours-là me reviennent en fragments lorsqu'il leur arrive de réapparaître, en petits bouts qui refusent de s'ajouter les uns aux autres. Je me vois un soir m'écroulant ivre dans la rue, me relevant, titubant vers un réverbère, puis vomissant sur mes chaussures. Je me vois assis dans une salle de cinéma allumée en train de regarder les gens défiler devant moi, incapable de me souvenir du film à la projection duquel je viens d'assister. Je me vois en train de rôder dans la rue Saint-Denis la nuit, puis choisir des prostituées avec qui je vais coucher, et la pensée des corps met ma tête en feu, c'est un fouillis inextricable de seins nus, de cuisses nues, de fesses nues. Je vois ma bite qu'on suce, je me vois sur un lit avec deux filles qui s'embrassent, je vois une énorme Noire qui se lave le con à cheval sur un bidet. Je ne vais pas dire que ces choses sont irréelles, qu'elles n'ont pas eu lieu. Mais il se trouve simplement que je suis incapable d'en rendre compte. Je baisais à m'en décerveler et je buvais à m'expédier dans un autre monde. Si mon but était d'annihiler Fanshawe, ma débauche était une réussite. Il avait disparu – et moi avec.

La fin, pourtant, m'apparaît nettement. Je ne l'ai pas oubliée et j'estime que j'ai de la chance d'avoir sauvegardé au moins cela. L'histoire tout entière se ramène à ce qui s'est passé pour terminer, et si je n'avais pas à présent cette conclusion en moi, je n'aurais pas pu commencer ce livre. Il en va de même pour les deux volumes qui précèdent celui-ci, *Cité de verre* et *Revenants*. Ces trois récits, au bout du compte, sont la même histoire, mais chacun représente un stade différent de ma conscience de ce à quoi elle se rapporte. Je ne prétends pas avoir trouvé la solution de quelque problème que ce soit. Je suggère seulement qu'est arrivé un moment où je n'ai plus eu peur de regarder ce qui s'était passé. Si les mots ont suivi, c'est uniquement parce que je n'ai pu faire autrement que de les accepter, de les prendre à mon compte et d'aller là où ils voulaient que j'aille. Mais cela ne rend pas les mots nécessairement importants. Il y a maintenant longtemps que je me démène pour dire adieu à quelque chose et, en réalité, seule cette lutte compte. L'histoire n'est pas dans les mots, elle est dans la lutte.

Une nuit je me suis trouvé dans un bar près de la place Pigalle. "Trouvé" est le terme que je souhaite utiliser, car je n'ai pas la moindre idée de comment j'ai abouti là, même pas le souvenir d'être entré dans ce lieu. C'était une de ces boîtes interlopes si fréquentes dans ce secteur : six ou huit filles au bar, la chance de prendre place à une table avec l'une d'elles et d'acheter une bouteille de champagne à un prix exorbitant, puis, si on se sent d'humeur, la possibilité de conclure un certain accord financier et de se retirer à l'abri d'une chambre de l'hôtel voisin. La scène commence pour moi lorsque je suis assis à l'une des tables avec une fille, juste après avoir reçu le seau à champagne. La fille, je m'en souviens, était tahitienne et elle était belle : dix-neuf ou vingt ans, pas plus, très petite, elle portait une robe de tulle blanc sans rien dessous, un enchevêtrement de fils sur sa peau lisse et brune. L'effet était d'un érotisme extraordinaire. Je me souviens de ses seins ronds qu'on voyait à travers les ouvertures en losange et de l'irrésistible douceur de son cou lorsque je me penchais pour l'embrasser. Elle m'avait dit son nom mais je persistais à l'appeler Fayaway, lui racontant qu'elle était exilée de Typee et que j'étais Herman Melville, un marin américain venu tout exprès de New York pour la sauver. Elle n'avait pas la moindre idée de ce dont je lui parlais, mais elle continuait à sourire, me croyant assurément fou lorsque je continuais à divaguer dans mon français bredouillant, sans se troubler, riant quand je riais et me permettant de l'embrasser où je voulais.

Nous étions assis dans une niche d'angle et, de là, je pouvais englober du regard le reste de la salle. Des hommes allaient et venaient, certains passaient juste la tête par la porte d'entrée et repartaient, d'autres restaient prendre un verre au bar, et un ou deux s'étaient mis à une table comme je l'avais fait. Au bout d'une quinzaine de minutes un jeune homme, manifestement américain, est entré. Il me paraissait si mal à l'aise, comme s'il n'avait encore jamais été dans un tel endroit, mais son français était étonnamment bon, et lorsque avec aisance il a commandé un whisky au bar et s'est mis à parler à une des filles, j'ai compris qu'il voulait rester un moment. Je l'ai étudié depuis mon petit coin, sans cesser de caresser la jambe de Fayaway et de la chatouiller avec mon visage, mais plus il restait, plus je me troublais. Il était grand, de carrure athlétique, avec des cheveux d'un blond roux et un air ouvert quelque peu adolescent. J'ai estimé qu'il devait avoir vingt-six ou vingt-sept ans – peut-être un étudiant de troisième cycle ou un jeune avocat travaillant pour une firme américaine à Paris. Je n'avais encore jamais vu cet homme mais il y avait pourtant en lui quelque chose de familier, quelque chose qui m'empêchait de m'en détourner : une brûlure brève, une étincelle bizarre de reconnaissance. Je lui ai essayé divers noms, je l'ai aiguillé à travers le passé, j'ai déroulé ma bobine d'associations, mais rien n'a eu lieu. Ce n'est personne, me suis-je dit en finissant par abandonner. Puis, brusquement, par quelque enchaînement brumeux de mon raisonnement, j'ai complété cette pensée en ajoutant : Et si ce n'est personne, alors ce doit être Fanshawe. J'ai ri à voix haute de ma blague. Toujours sur le qui-vive, Fayaway a ri avec moi. Je savais que rien ne pouvait être plus absurde, mais je l'ai répété : Fanshawe. Puis à nouveau : Fanshawe. Et plus je le disais, plus j'avais plaisir à le dire. Chaque fois que le nom sortait de ma bouche, un nouvel éclat de rire suivait. J'étais grisé par sa sonorité qui m'entraînait au point que ma voix en devenait rauque et, petit à petit, Fayaway a paru se troubler. Elle avait sans doute imaginé que je parlais d'une quelconque pratique sexuelle au moyen d'une plaisanterie qu'elle ne pouvait pas comprendre, mais les répétitions avaient graduellement privé le mot de son sens et elle commençait à y sentir une menace. J'ai regardé l'homme de l'autre côté de la salle et j'ai à nouveau prononcé le nom. Mon bonheur passait toute mesure. J'exultais de la simple fausseté de mon affirmation, célébrant le nouveau pouvoir que je venais de me conférer. J'étais l'alchimiste sublime qui pouvait changer le monde à son gré. Cet inconnu était Fanshawe parce que je l'avais dit et c'était tout. Rien ne pouvait plus m'arrêter. Sans même faire une pause pour réfléchir, j'ai soufflé à l'oreille de Fayaway que je revenais tout de suite, je me suis dégagé de ses bras merveilleux et d'un pas nonchalant je suis allé vers le pseudo-Fanshawe au bar. Avec ma meilleure imitation d'un accent d'Oxford j'ai lancé :

Eh bien, mon vieux, qui l'eût cru ? Nous revoilà.

Il s'est retourné et m'a scruté avec attention. Le sourire qui s'était esquissé sur son visage s'est lentement changé en un froncement de sourcils. Je vous connais ? a-t-il finalement demandé.

Mais bien sûr, ai-je répondu en fanfaronnant avec bonne humeur. Je m'appelle Melville. Herman Melville. Vous avez peut-être même lu quelques-uns de mes livres.

Il ne savait pas s'il devait me traiter comme un joyeux luron éméché ou comme un dangereux psychopathe, et son désarroi s'est peint sur son visage. C'était un désarroi splendide qui me procurait un plaisir intense.

Eh bien, a-t-il enfin dit en se forçant pour faire un petit sourire, il se peut que j'en aie lu un ou deux.

Celui sur la baleine, sans doute.

Oui. Celui sur la baleine.

J'en suis heureux, ai-je répondu en hochant la tête d'un air plaisant. Puis j'ai passé mon bras autour de son épaule. Alors, Fanshawe, ai-je dit, qu'est-ce qui t'amène à Paris ces temps-ci ?

A nouveau son visage a exprimé le désarroi. Pardon, a-t-il répondu, mais je n'ai pas compris le nom.

Fanshawe.

Fanshawe ?

Fanshawe. F-A-N-S-H-A-W-E.

Eh bien, a-t-il déclaré en se détendant avec un large sourire, brusquement sûr de lui à nouveau. C'est justement là le problème. Vous m'avez confondu avec quelqu'un d'autre. Je ne m'appelle pas Fanshawe. Je m'appelle Stillman. Peter Stillman. Pas de problème, ai-je répondu en le pinçant un petit peu. Si tu veux te faire appeler Stillman, ça me va parfaitement. Les noms n'ont pas d'importance, finalement. Ce qui compte, c'est que je sache qui tu es réellement. Tu es Fanshawe. J'en étais sûr dès que tu as mis le pied ici. C'est cette vieille canaille en personne, me suis-je dit. Je me demande bien ce qu'il fabrique dans un endroit comme ça.

Il commençait à perdre patience. Il m'a ôté le bras de son épaule et s'est reculé. Ça suffit, a-t-il déclaré. Vous vous êtes trompé et restons-en là. Je ne veux plus vous parler.

Trop tard, ai-je répondu. Ton secret est éventé, mon cher. Tu n'as plus aucun moyen de te cacher à moi, maintenant.

Laissez-moi tranquille, a-t-il répondu en exprimant pour la première fois de la colère. Je ne parle pas à des cinglés. Laissez-moi tranquille ou ça va mal aller.

Les autres personnes au bar ne pouvaient pas comprendre ce que nous disions mais la tension était évidente et je sentais qu'on m'observait, que l'ambiance changeait autour de moi. Soudain Stillman a paru paniquer. Il a lancé un coup d'œil à la femme derrière le comptoir, il a regardé d'un air craintif la fille à côté de lui puis, brusquement, impulsivement, il a décidé de partir. Il m'a écarté de son passage et s'est dirigé vers la porte. J'aurais pu laisser les choses à ce stade, mais je ne l'ai pas fait. Je commençais tout juste à m'échauffer et je ne voulais pas laisser périr mon inspiration. Je suis revenu à la place de Fayaway et j'ai posé quelques centaines de francs sur la table. Elle m'a répondu par une moue de faux chagrin. *C'est mon frère*, ai-je dit. *Il est fou. Je dois le poursuivre**. Puis lorsqu'elle a

---

* En français dans le texte. *(N.d.T.)*

tendu la main vers l'argent je lui ai envoyé un baiser, je me suis retourné et je suis parti.

Stillman descendait la rue en vitesse, vingt ou trente mètres devant moi. Je marchais à la même allure, restant en arrière pour ne pas me faire remarquer, mais je ne le perdais pas de vue. Régulièrement il jetait un coup d'œil par-dessus son épaule, comme s'il s'attendait à me trouver, mais je ne crois pas qu'il m'ait aperçu avant que nous ayons quitté le quartier depuis longtemps avec ses foules et son agitation, pour nous glisser dans le cœur tranquille et obscur de la rive droite. La rencontre l'avait épouvanté et on aurait dit quelqu'un qui fuit pour sauver sa vie. Ce n'était pas difficile à comprendre. Je représentais ce que nous craignons tous le plus : l'inconnu querelleur qui surgit de l'ombre, le couteau qui nous poignarde dans le dos, le chauffard qui nous écrase et nous tue. Il avait raison de fuir mais sa peur ne faisait que m'exciter, m'aiguillonner à sa poursuite, elle me rendait acharné dans ma détermination. Je n'avais pas de plan, aucune idée de ce que j'allais faire, mais je le suivais sans la moindre hésitation car je savais que ma vie en dépendait. Il est important de souligner que j'étais alors complètement lucide – je ne vacillais pas, je n'étais plus ivre, j'avais une idée on ne peut plus claire. Je saisissais ce que ma conduite avait de révoltant. Stillman n'était pas Fanshawe, je le savais. C'était une cible arbitraire, totalement innocente et vierge. Mais c'était justement ce qui m'excitait, le côté aléatoire, le vertige du pur hasard. Ça n'avait aucun sens, et de ce fait même, ça avait tout le sens du monde.

Un moment est arrivé où le seul bruit dans la rue a été celui de nos pas. Stillman a regardé derrière lui et m'a vu enfin. Il a accéléré, se mettant à trotter. J'ai crié après lui : Fanshawe. J'ai à nouveau crié : C'est trop tard. Je sais qui tu es, Fanshawe. Puis, dans la rue suivante : C'est terminé, Fanshawe. Tu ne m'échapperas jamais. Stillman n'a rien répondu, il n'a même pas pris la peine de se retourner. Je voulais continuer à lui parler, mais il courait déjà et l'effort de parler n'aurait fait que me ralentir. Abandonnant mes piques, je me suis lancé à ses trousses. Je ne sais pas combien de temps nous avons couru, mais ça m'a paru durer des heures. Il était plus jeune que moi, plus jeune et plus fort, et j'ai failli le perdre, j'ai failli ne pas y arriver. Je me suis engagé dans la voie où tout s'assombrit, dépassant le seuil de l'épuisement et de la nausée, me projetant frénétiquement vers lui sans me permettre de m'arrêter. Bien avant de l'avoir atteint, bien avant même d'être sûr que je l'atteindrais, j'ai eu la sensation de ne plus être en moi-même. Je ne peux penser à aucune manière d'exprimer cela. Je ne pouvais plus me sentir. La sensation de vivre s'était écoulée hors de moi et avait été remplacée par une euphorie miraculeuse, par un doux poison qui se pressait dans mes veines, l'indéniable odeur de néant. C'est l'instant de ma mort, me suis-je dit, c'est maintenant que je meurs. Une seconde plus tard, j'ai rattrapé Stillman et je l'ai plaqué au sol par-derrière. Nous nous sommes écroulés sur la chaussée, grognant tous les deux sous le choc. J'avais épuisé toutes mes forces, et arrivé à ce point je n'avais plus assez de souffle pour me défendre, j'étais trop vidé pour combattre. Pas un mot n'a été prononcé. Pendant plusieurs secondes nous avons lutté corps à corps sur le trottoir, puis il a réussi à se dégager de ma prise et alors je n'ai plus rien pu faire. Il s'est mis à me marteler de ses poings, à me frapper avec la pointe de ses souliers, me rouant partout de coups. Je me rappelle avoir essayé de me protéger le visage de mes mains ; je me rappelle la douleur, combien elle m'étonnait, combien elle faisait mal et avec quelle intensité éperdue je souhaitais ne plus la sentir. Mais ça n'a pas pu durer très longtemps, car rien d'autre ne me revient. Stillman m'a mis en pièces, et quand il a eu fini j'étais étendu raide. Je me souviens de m'être réveillé sur le trottoir et d'avoir été surpris parce qu'il faisait encore nuit, mais ça ne va pas plus loin. Tout le reste s'est évanoui.

Pendant les trois jours suivants je n'ai pas bougé de ma chambre d'hôtel. Ce qui m'a causé le plus grand choc ce n'était pas de souffrir mais de voir que la douleur ne serait pas assez forte pour me tuer. Je m'en suis rendu compte au bout du deuxième ou du troisième jour. A un certain moment, allongé sur le lit, les yeux tournés vers les lames des persiennes closes, j'ai compris que j'en étais sorti vivant. Et c'était étrange, d'être vivant, presque incompréhensible. Un de mes doigts était cassé ; mes deux tempes avaient des entailles ; j'avais mal rien que de respirer. Mais, d'une certaine façon, là n'était pas la question. J'étais vivant, et plus je retournais ça dans ma tête, moins je comprenais. Il ne me semblait pas possible d'avoir été épargné.

Plus tard ce soir-là j'ai envoyé un télégramme à Sophie pour lui dire que je rentrais à la maison.

9

Me voilà presque à la fin, maintenant. Il reste encore une chose, mais elle ne s'est produite que plus tard, trois ans après. En attendant, bien des difficultés ont surgi, bien des drames se sont noués, mais je ne crois pas qu'ils fassent partie de l'histoire que je m'efforce de raconter. Après mon retour à New York, Sophie et moi avons vécu séparés pendant presque un an. Elle avait fait une croix sur moi et c'est après bien des mois de confusion que j'ai fini par la regagner. En considérant les choses du point de vue d'aujourd'hui (mai 1984), c'est la seule chose qui compte. En comparaison, les faits concernant ma vie sont tout à fait secondaires.

Le 23 février 1981, le petit frère de Ben est né. Nous l'avons appelé Paul en souvenir du grand-père de Sophie. Plusieurs mois plus tard (en juillet) nous avons déménagé de l'autre côté du fleuve, à Brooklyn où nous avons loué les deux derniers étages d'une maison ancienne à la façade de pierre brune. En septembre, Ben est entré en maternelle. Nous sommes tous allés dans le Minnesota pour Noël et quand nous sommes revenus Paul marchait déjà tout seul. Ben, qui l'avait progressivement mis sous son aile, s'est attribué tout le mérite de ce progrès.

Quant à Fanshawe, Sophie et moi n'en parlions jamais. C'était notre pacte tacite et plus nous restions sans rien dire, plus nous nous prouvions notre loyauté l'un à l'autre. Après que j'ai rendu son à-valoir à Stuart Green et que j'ai cessé officiellement d'écrire sa biographie, nous ne l'avons mentionné qu'une seule fois. Ça s'est passé le jour où nous avons décidé de vivre à nouveau ensemble et les choses ont été énoncées en termes purement pratiques. Les livres et le théâtre de Fanshawe continuaient à produire un bon revenu. Si nous voulions rester mariés, a déclaré Sophie, il était hors de question d'utiliser cet argent pour nous. Je l'ai approuvée. Nous avons trouvé d'autres moyens de gagner ce qui nous était nécessaire et nous avons placé les royalties de façon qu'elles reviennent à Ben – et par la suite également à Paul. En dernier lieu nous avons engagé un agent littéraire pour gérer l'aspect commercial de l'œuvre de Fanshawe : les demandes de représentation au théâtre, les négociations de réédition, les contrats, tout ce dont il fallait s'occuper. Ce qui était en notre pouvoir, nous l'avons fait. Si Fanshawe se trouvait encore en mesure de nous détruire, ce serait seulement parce que nous l'aurions voulu, parce que nous-mêmes aurions souhaité nous détruire. C'est pourquoi je n'ai jamais pris la peine de dire la vérité à Sophie – non parce que j'en avais peur, mais parce que la vérité n'avait plus d'importance. Notre force résidait dans notre silence et je n'avais pas l'intention de la torpiller.

Je savais pourtant que l'histoire n'était pas terminée. Mon dernier mois à Paris me l'avait appris, et petit à petit j'ai réussi à m'y faire. Tôt ou tard surviendrait le prochain épisode. Cela me paraissait inévitable, et plutôt que de continuer à le nier, à nourrir l'illusion que je pourrais un jour me débarrasser de Fanshawe, j'ai essayé de m'y préparer, d'être prêt à affronter n'importe quoi. C'est le pouvoir de ce *n'importe quoi*, me semble-t-il, qui a rendu cette histoire si difficile à raconter. Car lorsque tout peut arriver, c'est alors précisément que les mots viennent à manquer. Dans la mesure où Fanshawe n'était plus là, il devenait tout aussi inévitable. J'ai appris à accepter cela. J'ai appris à vivre avec lui de la même façon que je vivais avec la pensée de ma propre mort. Fanshawe n'était pas lui-même la mort, mais il était comme elle, fonctionnant en moi à la manière d'un trope de la mort. Sans ma crise de Paris je n'aurais jamais compris cela. Je n'avais pas été tué cette fois-là, mais j'étais passé près, et il y avait eu un moment – peut-être plusieurs moments – où j'avais goûté la mort, où je m'étais vu mort. Il n'y a pas de remède à une rencontre de ce genre. Une fois qu'elle a eu lieu, elle continue à se produire ; on vit avec elle le reste de ses jours.

La lettre est arrivée au début du printemps de 1982. Cette fois le cachet de la poste provenait de Boston et le message en était laconique, plus urgent que le précédent. "Impossible de tenir plus longtemps", était-il écrit. "Dois te parler. 9 Colombus Square, Boston ; 1er avril. C'est là que ça se termine, je le promets."

J'avais moins d'une semaine pour inventer un prétexte pour aller à Boston. Ce problème s'est avéré plus ardu qu'il n'aurait dû l'être. Bien que j'aie continué à ne pas vouloir mettre Sophie au courant (je pensais que c'était la moindre des choses que je pouvais faire pour elle), j'hésitais à lui raconter un autre mensonge – et pourtant il le fallait bien. Deux ou trois jours se sont écoulés sans que rien ne bouge, et j'ai fini par fabriquer une grossière histoire de papiers que je devais consulter à la bibliothèque de Harvard. Je ne peux même pas me souvenir de quels papiers il devait s'agir. Ça avait à voir avec un article que j'allais écrire, me semble-t-il, mais je peux me tromper. L'important c'est que Sophie n'a pas soulevé d'objection. Très bien, a-t-elle dit, vas-y, et ainsi de suite. Au fond de moi j'ai le sentiment qu'elle se doutait de quelque chose, mais ce n'est qu'un sentiment, et il serait absurde de se livrer ici à des conjectures. Pour ce qui concerne Sophie, j'ai tendance à croire que rien n'est caché.

J'ai réservé une place pour le premier train du 1er avril. Le matin de mon départ, Paul s'est réveillé en sursaut un peu avant cinq heures et il a grimpé dans le lit avec nous. Je me suis secoué une heure plus tard et je suis sorti doucement de la chambre, m'arrêtant brièvement à la porte pour regarder Sophie et le bébé dans la pénombre grise – étalés, inaccessibles, les corps auxquels j'appartenais. Ben était en haut dans la cuisine, déjà habillé, en train de manger une banane et de dessiner. J'ai fait des œufs brouillés pour nous deux et je lui ai annoncé que j'allais prendre un train pour Boston. Il voulait savoir où se trouvait Boston.

A quelque trois cents kilomètres d'ici, ai-je dit.

Est-ce que ça fait aussi loin que l'espace ?

Si on montait tout droit, ce serait presque ça.

Je crois que tu devrais aller dans la Lune. Une fusée c'est mieux qu'un train.

C'est ce que je ferai pour rentrer. Il y a des vols réguliers de Boston pour la Lune le vendredi. Je réserverai une place dès que je serai arrivé.

Bien. Comme ça tu pourras me dire comment c'est.

Si je trouve une pierre de lune je te la rapporterai.

Et pour Paul ?

Je lui en prendrai une aussi.

Non merci.

Qu'est-ce que ça veut dire ?

Que je ne veux pas de pierre de lune. Paul mettrait la sienne dans sa bouche et s'étoufferait.

Qu'est-ce que tu préfères, alors ?

Un éléphant.

Il n'y a pas d'éléphants dans l'espace.

Je le sais bien. Mais tu ne vas pas dans l'espace.

C'est vrai.

Et je parie qu'il y a des éléphants à Boston.

Tu as sans doute raison. Veux-tu un éléphant rose, ou un blanc ?

Un éléphant gris. Un gros énorme avec plein de rides.

Pas de problème. Ce sont les plus faciles à dénicher. Tu le veux emballé dans une caisse, ou bien je le ramène en laisse ?

Ramène-le en montant dessus. Tu t'assois sur son dos et tu mets une couronne. Comme un empereur.

L'empereur de quoi ?

Des petits garçons.

Est-ce que je dois avoir une impératrice ?

Bien sûr. C'est maman, l'impératrice. Ça lui plairait. Peut-être nous devrions la réveiller et lui annoncer.

Non. J'aime mieux lui faire la surprise en rentrant.

C'est une bonne idée. Elle n'y croirait pas, de toute façon, avant de le voir.

Exactement. Et nous ne voulons pas qu'elle soit déçue. Au cas où je ne trouverais pas d'éléphant.

Oh, tu en trouveras, papa. Ne t'en fais pas pour ça.

Pourquoi en es-tu si sûr ?

Parce que tu es l'empereur. Un empereur peut avoir tout ce qu'il veut.

Il a plu tout le trajet, et quand nous sommes arrivés à Providence, le ciel menaçait même de neiger. A Boston, j'ai acheté un parapluie et j'ai parcouru à pied les trois ou quatre derniers kilomètres. Les rues étaient lugubres dans l'air gris et pisseux ; en me dirigeant vers le South End je n'ai pratiquement vu personne : un ivrogne, un groupe d'adolescents, un employé de la compagnie du téléphone, deux ou trois chiens bâtards égarés. Colombus Square était constitué par une rangée de dix ou douze maisons donnant sur une petite place pavée qui le coupait de la voie principale. Celle qui portait le numéro neuf était la plus délabrée du lot – quatre étages comme les autres, mais en train de fléchir, avec des madriers pour étayer l'entrée et une façade en brique qui avait besoin d'être réparée. Elle avait pourtant quelque chose d'impressionnant dans sa solidité, une élégance du XIXᵉ siècle qui continuait à paraître à travers les fissures. J'ai imaginé de grandes pièces avec des plafonds hauts, d'agréables corniches bordant la fenêtre en saillie, des ornementations moulées en plâtre. Mais il ne m'a pas été donné de voir ces choses. Dans les faits, je n'ai jamais dépassé le hall d'entrée.

Il y avait une sonnette en métal rouillé sur la porte, une demi-sphère avec une anse au centre, et lorsque j'ai tourné cette anse elle a émis un bruit de gosier qu'on racle – un son étouffé, bâillonné, qui ne portait pas très loin. J'ai attendu, mais rien ne s'est passé. J'ai à nouveau tourné la sonnette mais personne n'est venu. Alors, essayant la porte avec ma main, j'ai vu qu'elle n'était pas fermée à clé. Je l'ai poussée, j'ai attendu un instant et je suis entré. Le hall était vide. A ma droite se trouvait l'escalier avec sa grande rampe en acajou et ses marches de bois nu ; à ma gauche, une porte à double vantail, fermée, barrait l'accès de ce qui sans nul doute devait être le salon ; droit devant, une autre porte, fermée elle aussi, menait probablement à la cuisine. J'ai hésité un moment, et, après avoir jeté mon dévolu sur l'escalier, j'allais monter lorsque j'ai entendu quelque chose derrière la porte à double vantail – un tapotement léger suivi d'une voix que je n'ai pas pu comprendre. Je me suis détourné de l'escalier et j'ai regardé la porte, essayant de percevoir à nouveau la voix. Rien ne s'est passé.

Un long silence. Puis, presque dans un souffle, la voix s'est de nouveau élevée : Par ici, a-t-elle dit.

Je suis allé jusqu'à la porte et j'ai pressé mon oreille contre la fente entre les deux battants. Est-ce toi, Fanshawe ?

N'emploie pas ce nom, a dit la voix, plus clairement cette fois. Je ne te permettrai pas d'employer ce nom. La bouche de celui qui était à l'intérieur était placée directement en regard de mon oreille. Il n'y avait entre nous que la porte et nous étions si proches que j'avais l'impression que les paroles m'étaient versées dans la tête. C'était la même chose qu'écouter un cœur battre dans la poitrine de quelqu'un ou qu'ausculter un corps pour chercher une pulsation. Il s'est arrêté de parler et j'ai pu sentir son haleine qui s'insinuait dans la fente.

Laisse-moi entrer, ai-je dit. Ouvre la porte et laisse-moi entrer.

Je ne peux pas, a répondu la voix. Il nous faudra parler comme ça.

J'ai empoigné le bouton de porte et, dépité, j'ai secoué les vantaux. Ouvre, ai-je lancé. Ouvre ou je défonce la porte.

Non, a répondu la voix. La porte reste fermée. A ce point j'étais persuadé que c'était Fanshawe qui se trouvait dedans. J'aurais voulu que ce fût un imposteur mais je reconnaissais trop de choses dans cette voix pour faire semblant de croire qu'il s'agissait de quelqu'un d'autre.

Je suis là debout avec un pistolet, a-t-il déclaré, et il est braqué en plein sur toi. Si tu passes cette porte, je tire.

Je ne te crois pas.

Ecoute donc, a-t-il dit, puis je l'ai entendu se détourner de la porte. Une seconde plus tard un coup de feu a retenti, suivi par un bruit de plâtre dégringolant sur le plancher. J'ai essayé entre-temps de regarder par la fente avec l'espoir d'apercevoir quelque chose de la pièce, mais l'ouverture était trop étroite. Je n'ai rien pu saisir de plus qu'un filet de lumière, un seul filament grisâtre. Puis la bouche est revenue et je n'ai même plus été en mesure de voir ça.

D'accord, ai-je déclaré, tu as un pistolet. Mais si tu ne te laisses pas voir, comment saurai-je que tu es qui tu dis ?

Je n'ai pas dit qui j'étais.

Je vais m'exprimer autrement. Comment puis-je savoir que je parle à la bonne personne ?

Il faudra que tu me fasses confiance.

A cette époque tardive, la confiance est bien la dernière chose à laquelle tu devrais t'attendre.

Je te dis que je suis la bonne personne. Ça devrait suffire. Tu es venu au bon endroit et je suis la bonne personne.

Je croyais que tu voulais me voir. C'est ce que tu disais dans ta lettre.

J'ai dit que je voulais te parler. Il y a une différence.

Ne coupons pas les cheveux en quatre.

Je te rappelle seulement ce que j'ai écrit.

Ne me pousse pas trop, Fanshawe. Rien ne m'empêche de partir.

Je l'ai entendu soudain reprendre sa respiration, puis une main a claqué violemment contre la porte. Pas Fanshawe ! a-t-il crié. Plus jamais Fanshawe !

J'ai laissé passer quelques instants, ne voulant pas provoquer une nouvelle explosion. La bouche s'est éloignée de la fente et je me suis imaginé entendre des gémissements au milieu de la pièce – des gémissements ou des sanglots, je n'arrivais pas à distinguer. Je suis resté là à attendre, sans savoir quoi dire d'autre. A la fin la bouche est revenue et après une longue pause Fanshawe a demandé : Es-tu encore là ?

Oui.

Pardonne-moi. Je ne souhaitais pas que ça démarre comme ça.

Ne perds pas de vue, ai-je dit, que je suis ici uniquement parce que tu m'as demandé de venir.

Je sais. Et je t'en suis reconnaissant.

Il serait peut-être utile que tu m'expliques pourquoi tu m'as invité.

Plus tard. Je ne veux pas parler de ça pour l'instant.

Alors de quoi ?

D'autres choses. De ce qui s'est passé.

J'écoute.

Parce que je ne veux pas que tu me détestes. Peux-tu comprendre cela ?

Je ne te déteste pas. C'était le cas à une époque, mais j'ai dépassé ça.

Aujourd'hui est mon dernier jour, vois-tu. Il fallait que je m'en assure.

C'est ici que tu as été tout le temps ?

Je suis arrivé il y a à peu près deux ans, je crois.

Et avant ?

Ici et là. J'avais ce type aux trousses, il fallait que je bouge tout le temps. Ça m'a donné une certaine sensibilité pour le voyage, du goût pour ça. Pas du tout ce que j'avais prévu. J'avais toujours eu dans l'idée de rester tranquille et de laisser le temps filer.

Tu parles de Quinn ?

Oui. Le détective privé.

Il t'a trouvé ?

Deux fois. D'abord à New York, ensuite dans le Sud.

Pourquoi a-t-il menti à ce sujet ?

Parce que je lui ai flanqué une trouille terrible. Il savait ce qui lui arriverait si quelqu'un était mis au courant.

Sais-tu qu'il a disparu ? Je n'ai pas pu trouver la moindre trace de lui.

Il est quelque part. Ça n'a pas d'importance.

Comment as-tu fait pour te débarrasser de lui ?

J'ai tout retourné. Il croyait me pister mais en réalité c'était moi qui le suivais. Il m'a découvert à New York, c'est vrai, mais je me suis échappé – je me suis faufilé entre ses bras. Ensuite c'était comme un jeu. Je l'ai promené, lui laissant partout des indices, de sorte qu'il lui était impossible de ne pas me trouver. Mais je le surveillais pendant tout ce temps-là, et, quand le moment est venu, je l'ai piégé et il est tombé tout droit dans le panneau.

Très fort.

Non. C'était idiot. Mais je n'avais pas le choix. C'était ça ou bien me faire ramener – ce qui aurait signifié qu'on m'aurait traité comme fou. Je m'en suis voulu de ça. Après tout il ne faisait que son boulot, et j'en ai été désolé pour lui. La pitié me dégoûte, surtout quand je la découvre en moi.

Et ensuite ?

Je ne pouvais pas être certain que ma ruse avait vraiment marché. Je me suis dit que Quinn risquait de se remettre à ma poursuite. C'est pourquoi j'ai continué à bouger même quand je n'y étais pas obligé. J'ai perdu environ une année comme ça.

Où es-tu allé ?

Dans le Sud, le Sud-Ouest. Je voulais rester là où il fait chaud. Je me déplaçais à pied, vois-tu, je dormais dehors, j'essayais d'aller là où il n'y a pas grand monde. C'est un pays immense, tu sais. Absolument stupéfiant. Il y a eu un moment où je suis resté près de deux mois dans le désert. Plus tard j'ai vécu dans une cabane au bord d'une réserve hopi dans l'Arizona. Les Indiens ont tenu un conseil tribal avant de me donner la permission de demeurer là.

Tu inventes ?

Tu n'es pas obligé de me croire. Je te raconte ce qui s'est passé, c'est tout. Tu peux bien penser ce que tu veux.

Et puis ?

J'ai été quelque part au Nouveau-Mexique. Je suis entré un jour dans un petit bistro au bord de la route pour manger un morceau, et quelqu'un avait laissé un journal sur le comptoir. Je l'ai pris pour le lire. C'est comme ça que j'ai découvert qu'un de mes livres avait été publié.

Tu as été étonné ?

Ce n'est pas vraiment le mot que j'emploierais.

Lequel, alors ?

Je ne sais pas. Fâché, je crois. Bouleversé.

Je ne comprends pas.

J'étais fâché parce que le livre était de la merde.

Les écrivains ne savent jamais juger leurs œuvres.

Non, le livre était de la merde, tu peux me croire. Tout ce que j'ai fait était de la merde.

Alors pourquoi ne l'as-tu pas détruit ?

J'y étais trop attaché. Ce qui ne le rend pas meilleur. Les bébés aussi sont attachés à leur caca, mais personne ne s'extasie dessus. C'est strictement leur affaire personnelle.

Alors pourquoi as-tu fait promettre à Sophie de me montrer ton travail ?

Pour la calmer. Mais tu sais déjà cela. Tu t'en es rendu compte depuis longtemps. C'était mon prétexte. Ma vraie raison était de lui procurer un nouveau mari.

Ça a marché.

Ça ne pouvait pas faire autrement. Je n'ai pas choisi n'importe qui, tu le sais.

Et les manuscrits ?

Je croyais que tu les jetterais. Il ne m'est jamais venu à l'idée qu'on pourrait prendre ce travail au sérieux.

Qu'as-tu fait après avoir lu que le livre avait été publié ?

Je suis revenu à New York. C'était une absurdité, mais j'étais un peu hors de moi, je ne pensais plus très clair. Le livre m'a pris au piège de ce que j'avais moi-même accompli, vois-tu, et j'ai dû reprendre la lutte de zéro. Une fois que le livre avait été publié, je ne pouvais plus revenir en arrière.

Je croyais que tu étais mort.

C'est ce que tu étais censé croire. A défaut d'autre chose, ça m'a démontré que Quinn ne posait plus de problème. Mais ce nouveau problème était bien pire. C'est alors que j'ai écrit la lettre.

Un geste vicieux.

J'étais fâché contre toi. Je voulais que tu souffres, que tu vives avec les mêmes choses que je devais supporter. Dès que je l'ai lâchée dans la boîte aux lettres je l'ai regretté.

Trop tard.

Oui. Trop tard.

Combien de temps es-tu resté à New York ?

Je ne sais pas. Six ou huit mois, je crois.

Comment as-tu vécu ? Comment as-tu gagné l'argent pour vivre ?

J'ai volé.

Pourquoi ne dis-tu pas la vérité ?

Je fais de mon mieux. Je te dis tout ce que je peux te dire.

Qu'as-tu fait d'autre à New York ?

Je t'ai guetté. Je vous ai épiés, toi, Sophie et le bébé. Il y a même eu une période où j'ai campé devant votre immeuble. Deux ou trois semaines, peut-être un mois. Je t'ai suivi partout où tu allais. Une ou deux fois, dans la rue, je t'ai même bousculé et t'ai regardé droit dans les yeux. Mais tu n'as rien remarqué. C'est extraordinaire la façon que tu as eue de ne pas me voir.

Tout ça tu l'inventes.

Je ne dois plus avoir le même air.

Personne ne peut changer autant.

Je crois que je suis méconnaissable. Mais pour toi ça a été un coup de chance. S'il était arrivé quoi que ce soit je t'aurais probablement tué. Pendant tout ce temps à New York j'étais plein de pensées homicides. Sale truc. Je suis arrivé au bord d'une sorte d'horreur.

Qu'est-ce qui t'a retenu ?

J'ai trouvé le courage de partir.

C'était noble de ta part.

Je n'essaie pas de me défendre. Je ne fais que te raconter l'histoire.

Et puis quoi ?

Je suis reparti en bateau. J'avais encore ma carte de la marine marchande et j'ai signé un contrat avec un cargo grec. C'était dégoûtant, vraiment repoussant du début à la fin. Mais je le méritais ; c'était exactement ce que je voulais. Le navire est allé partout – en Inde, au Japon, dans le monde entier. Je n'ai pas débarqué une seule fois. Dès que nous arrivions dans un port je descendais dans ma cabine et je m'enfermais à clé. J'ai passé deux années comme ça, à ne rien voir, à ne rien faire, à vivre comme un mort.

Pendant que je m'efforçais d'écrire l'histoire de ta vie.

C'était ça que tu faisais ?

Ça en avait tout l'air.

Une grave erreur.

Inutile de me le rappeler. Je m'en suis aperçu tout seul.

Le navire est arrivé à Boston un jour et j'ai décidé de partir. J'avais économisé une énorme somme d'argent, plus qu'assez pour acheter cette maison. Depuis lors je suis toujours resté ici.

Quel nom portes-tu ?

Henry Dark. Mais personne ne sait qui je suis. Je ne sors jamais. Il y a une femme qui vient deux fois par semaine et m'apporte ce dont j'ai besoin, mais je ne la vois jamais. Je lui laisse un mot au pied de l'escalier avec l'argent que je lui dois. C'est un arrangement simple et efficace. Tu es la première personne à qui j'ai parlé en deux ans.

Est-ce qu'il t'arrive de penser que tu as perdu l'esprit ?

Je sais que ça te paraît comme ça, mais je ne l'ai pas perdu, crois-moi. Je ne vais pas user ma salive à parler de ça. Ce dont j'ai besoin en moi-même est très différent de ce dont les autres ont besoin.

Cette maison n'est-elle pas un peu grande pour une seule personne ?

Beaucoup trop grande. Je ne suis pas monté au-delà du rez-de-chaussée depuis le jour où j'ai emménagé.

Alors pourquoi l'as-tu achetée ?

Elle ne coûtait presque rien. Et j'aimais le nom de la rue. Il me plaisait.

Colombus Square ?

Oui.

Je ne vois pas.

C'était de bon augure. Rentrer en Amérique et trouver une maison dans une rue qui porte le nom de Christophe Colomb. Il y avait là une certaine logique.

Et c'est là que tu comptes mourir ?

Exactement.

Ta première lettre parlait de sept ans. Tu as encore une année à tirer.

Je me suis prouvé ce que je devais me prouver. Il n'est plus nécessaire de continuer à le faire. Je suis fatigué. J'en ai assez.

M'as-tu demandé de venir en pensant que je t'arrêterais ?

Non. Pas du tout. Je n'attends rien de toi.

Alors que veux-tu ?

J'ai des choses à te donner. Il est arrivé un moment où je me suis rendu compte que je te devais une explication pour ce que j'ai fait. Ou du moins m'y efforcer. J'ai passé les six derniers mois à essayer de la mettre noir sur blanc.

Je croyais que tu avais abandonné définitivement l'écriture.

C'est différent. Ça n'a aucun rapport avec ce que je faisais.

Où est-ce que ça se trouve ?

Derrière toi. Sur le plancher du placard sous l'escalier. Un cahier rouge.

Je me suis retourné, j'ai ouvert la porte du placard et j'ai ramassé le cahier. C'était un article standard à spirale de deux cents pages réglées. J'ai jeté un coup d'œil rapide au contenu et j'ai vu que tous les feuillets avaient été remplis : la même écriture familière, la même encre noire, les mêmes petites lettres. Je me suis levé et je suis revenu à la fente entre les portes.

Et maintenant, quoi ? ai-je demandé.

Emporte-le chez toi. Lis-le.

Et si je ne peux pas ?

Alors mets-le de côté pour le petit. Il pourrait avoir envie de le regarder quand il sera grand.

Je pense que tu n'as pas le droit de demander cela.

C'est mon fils.

Non. C'est le mien.

Je n'insiste pas. Lis-le toi-même, alors. C'est pour toi, de toute façon, qu'il a été écrit.

Et Sophie ?

Non. Il ne faut pas que tu lui en parles.

C'est la chose que je ne comprendrai jamais.

Sophie ?

Comment as-tu pu la laisser en plan comme ça ? Qu'est-ce qu'elle t'avait donc fait ?

Rien. Ce n'était pas sa faute. Tu devrais le savoir après tout ce temps. Il y avait seulement que je n'étais pas destiné à vivre comme les autres.

Tu étais destiné à vivre comment ?

C'est tout dans le cahier. Si j'arrivais à dire quelque chose maintenant, ça ne ferait que déformer la vérité.

Y a-t-il quelque chose d'autre ?

Non, je ne pense pas. Nous sommes sans doute arrivés à la fin.

Je ne crois pas que tu aies l'audace de me tirer dessus. Si je brisais la porte à présent, tu ne ferais rien.

Ne prends pas ce risque. Tu mourrais pour rien.

Je t'enlèverais le pistolet. Je te rosserais au point de te laisser raide.

Ça n'a aucun sens. Je suis déjà mort. Ça fait des heures que j'ai pris du poison.

Je n'en crois pas un mot.

Tu ne peux pas avoir la moindre idée de ce qui est vrai ou faux. Tu ne le sauras jamais.

J'appellerai la police. Elle défoncera la porte et t'emmènera à l'hôpital.

Un bruit à la porte, et une balle me traverse la tête. Tu ne peux gagner d'aucune manière.

La mort est-elle si attirante ?

Il y a si longtemps que je vis avec elle, c'est la seule chose qui me reste.

Je ne savais plus que dire. Fanshawe m'avait épuisé, et, quand je l'entendais respirer de l'autre côté de la porte, c'était comme si on me pompait ma vie. Tu es un imbécile, ai-je lancé, incapable de penser quoi que ce soit d'autre. Tu es un imbécile et tu mérites de mourir. Puis, submergé par ma propre faiblesse et ma stupidité, je me suis mis à donner des coups de poing sur la porte comme un enfant, tremblant et bredouillant, au bord des larmes.

Tu ferais mieux de partir, maintenant, a déclaré Fanshawe. Il n'y a aucune raison de s'éterniser.

Je ne veux pas partir, ai-je répondu. Nous avons encore des choses à discuter.

Non, nous n'en avons pas. C'est terminé. Prends le cahier et retourne à New York. C'est tout ce que je te demande.

J'étais tellement éreinté que pendant un instant j'ai cru que j'allais tomber. Je me suis raccroché au bouton de porte tandis que tout s'obscurcissait dans ma tête et que je luttais pour ne pas m'évanouir. Ensuite je n'ai aucun souvenir de ce qui s'est passé. Je me suis retrouvé dehors devant la maison, le parapluie à la main et le cahier rouge dans l'autre. La pluie s'était arrêtée mais l'air était encore âpre et je pouvais sentir sa froide humidité sur mes bronches. J'ai regardé un gros camion passer avec la circulation dans un bruit de ferraille, suivant ses feux arrière rouges jusqu'à ce que je les perde de vue. Lorsque j'ai levé les yeux, je me suis aperçu qu'il faisait presque nuit. J'ai commencé à m'éloigner de la maison, plaçant machinalement un pied devant l'autre, incapable de me concentrer sur ma destination. Je pense être tombé une ou deux fois. Je me souviens qu'à un moment j'ai attendu à une intersection pour essayer d'avoir un taxi mais personne ne s'est arrêté pour me prendre. Quelques minutes après, le parapluie m'a glissé des mains pour tomber dans une flaque. Je ne me suis pas donné la peine de le ramasser.

Il était juste sept heures passées lorsque je suis arrivé à la gare South Station. Un train pour New York était parti un quart d'heure plus tôt et le suivant n'était annoncé que pour huit heures et demie. Je me suis assis sur l'un des bancs de bois avec le cahier rouge sur mes genoux. Quelques tardifs banlieusards sont arrivés en ordre dispersé ; un homme d'entretien a traversé en poussant son balai-éponge sur le sol de marbre ; j'ai prêté l'oreille à la conversation de deux hommes derrière moi qui parlaient de l'équipe des *Red Sox*. Après une dizaine de minutes passées à refréner mon impulsion, j'ai fini par ouvrir le cahier. J'ai lu sans discontinuer pendant une heure, feuilletant ici et là, essayant de me faire une impression de ce que Fanshawe avait écrit. Si je ne dis rien de ce que j'y ai trouvé, c'est parce que je n'ai compris que très peu de chose. Tous les mots m'étaient familiers, mais ils semblaient pourtant avoir été rassemblés bizarrement, comme si leur but final était de s'annuler les uns les autres. Je ne peux pas

trouver d'autre façon de dire cela. Chaque phrase effaçait la précédente, chaque paragraphe rendait le suivant
impossible. Il est donc étrange que le sentiment que ce
cahier a laissé surnager en moi soit celui d'une grande
lucidité. C'est comme si Fanshawe savait que sa dernière œuvre devait subvertir toute attente que je nourrissais à son égard. Ce n'étaient pas là les paroles d'un
homme qui regrettait quoi que ce soit. Il avait répondu
à la question en posant une autre question et tout restait
donc ouvert, inachevé, à recommencer. Je me suis égaré
après le premier mot, et dès lors je n'ai pu qu'avancer à
tâtons, vacillant dans l'obscurité, aveuglé par le livre
qui avait été écrit pour moi. Et pourtant, sous cette
confusion, j'ai senti qu'il y avait quelque chose de trop
voulu, de trop parfait, comme si en fin de compte la
seule chose qu'il eût vraiment désirée était d'échouer
– au point de se vouer lui-même à l'échec. Il se pourrait cependant que j'aie tort. J'étais à ce moment-là bien
peu apte à lire quoi que ce soit et mon jugement peut
fort bien en être biaisé. J'étais là, j'ai lu ces mots de mes
propres yeux et pourtant j'ai du mal à avoir confiance
en ce que je dis.

Je suis sorti, déambulant vers la voie quelques minutes
en avance. Il pleuvait à nouveau et dans l'air je pouvais
voir mon haleine s'échapper de ma bouche par petites
bouffées de buée. Une après l'autre j'ai déchiré les pages
du cahier, je les ai froissées dans ma main et je les ai
jetées dans une poubelle sur le quai. Je suis arrivé à la
dernière feuille juste au moment où le train démarrait.

LECTURE

LE MONDE PSEUDONYME DE
PAUL AUSTER

Dans *Cité de verre*, Quinn, qui écrit sous un pseudonyme des romans policiers populaires, attend son train. A côté de lui, une jeune fille ovine broute l'un de ses livres : elle "ne lui plaisait pas, et il était offensé de la voir parcourir avec désinvolture ces pages qui lui avaient demandé tant d'efforts". Dans *Revenants*, Bleu, d'abord peu enclin à partager les lectures de Noir, aborde enfin le chapitre trois du *Walden* de Thoreau : "Les livres doivent être lus avec autant de considération et de réserve qu'on a mis à les écrire." Lisons, donc, sans désinvolture, avec considération et réserve ; au moins cette fois.

Débarrassons d'abord la *Trilogie* des oripeaux qui l'encombrent. De même que la "danseuse" de Mallarmé ne pouvait pas être "une femme qui dansait" pour la double raison qu'elle n'était "pas une femme" et qu'elle "ne dansait pas", deux causes assez simples font en effet qu'il ne s'agit pas ici d'une trilogie policière à New York : elle ne se passe pas à New York et elle n'est pas policière. Cette mise au point, l'évidence l'impose et non quelque goût pervers du paradoxe. Voyez comme Quinn lui-même, détective improvisé et auteur spécialisé, ignore tout de son emploi, n'ayant jamais tué personne, ne connaissant rien au crime, ne craignant

pas pour sa vie ; constatez que nul cadavre ne vient en-
traîner ce privé sur les pas d'un coupable nulle part
incriminé ; voyez comme au bout du compte nul
dénouement n'intervient : constatez, en un mot, que
nulle part ne se tendent les ressorts consacrés du genre.
Enigme, certes ; mystère, à dire le plus ; mais de policier, point. Du policier, il s'en moque bien, Paul Auster,
Mister Auster, mystère austère, même si lui aussi en a
écrit un vrai, "pour de faux", sous un nom d'emprunt.
Et puis écoutez la voix narrative de *Revenants* nous
dire d'où Bleu va opérer : "L'adresse n'a pas d'importance. Disons qu'il s'agit de Brooklyn Heights, par
exemple." "Par exemple", oui, mais le texte original dit
for the sake of argument, c'est-à-dire, aussi, de "manière
que fonctionnent et l'intrigue et le genre", car "l'argument", ici, est de théâtre. Une rue, donc, dans Brooklyn
Heights. Dans cette rue, Whitman composa à la main
Feuilles d'herbe et H. W. Beecher fulmina "contre
l'esclavage du haut de la chaire de son église en brique
rouge. Voilà pour la couleur locale." Voilà pour qui
veut du roman normal et bien ficelé. Voilà aussi pour
qui saura lire que ces feuilles-ci sont bien littéraires et
que le paterne Auster n'a pas un respect fou pour les
règles du genre. Magritte vous le dirait : "Ceci n'est
pas un polar." Le simple rappel "sténophonique" d'un
thème permet à Dolphy ou à Coltrane d'y accrocher les
accords et les improvisations qu'ils veulent bien. Alibi.
Faux nez. Parasitisme. Le policier et New York sont à
ce livre ce que, si l'on veut bien, la figure humaine est
à Arcimboldo : un prétexte à figurer des carottes et des
choux. Des feuilles.

En évacuant la désinvolture, on fait aussi litière de
ce qui peut trop facilement attirer chez Auster et conduire par faux rebond à le trouver facile : aguichements

d'un exotisme tempéré auquel le public français est sensible ("New York !" – se précipiterait-on sur la *Trilogie de Dubuque* ou d'*Iowa City*, cités non moins "grillées", orthonormées, où se dérouleraient des traques identiques ?), charmes d'un roman noir que Chandler, Chase et les autres ont *post mortem* prêtés au *Privé à Babylone* de Brautigan, au pentaptyque de Jerome Charyn, au Thomas Berger de *Who is Teddy Villanova ?* On peut dès lors témoigner à Auster une considération que les superlatifs convenus et pressés tendent à lui refuser, faire apparaître ce qui, en lui, profondément, importe. On a trop et mal loué Auster de nous fournir les pâtures attendues ; bien appliqué, le coup d'encensoir vous tue son homme.

Retour aux sources, par conséquent, où l'on verra que l'enquête policière ne fait que vêtir d'obsessions anciennes un squelette narratif, que les murs de la "cité de verre" reflètent d'autres surfaces et cèlent d'autres profondeurs, que les hantises ne sont pas récentes et que telle pièce verrouillée *(The Locked Room)* ne peut être dite "chambre" et "dérobée" que pour autant que le centre ardent d'une conscience douloureuse (*chamber of consciousness*, disait James) s'y trouve bel et bien mis à nu.

Car si un arbitraire revendiqué permet à Paul Auster de loger au cœur des fictions nombre de notations autobiographiques sous le couvert de portraiture sans pour autant exiger notre crédulité, si le goût du jeu biaisé avec la référence personnelle brouille les pistes du lecteur en éclairant celles du privé, Auster ne cesse néanmoins d'inscrire en filigrane les traces d'une présence autoriale que ses aveux ironiques ou drôles ne parviennent pas à gommer. Au fil des pages, tout nous invite à ne pas prendre pour argent comptant ce que l'on reconnaît de l'auteur sous les traits de ses personnages. Fausses pistes pour conclusions superficielles, enquêtes promises à l'impasse. Ainsi, jeune homme, Quinn a-t-il écrit plusieurs recueils de poèmes, des essais critiques, publié des traductions. On voit passer une femme du même nom et de la même origine nationale que l'épouse d'Auster, qui vient du même Etat, de la même ville ; le narrateur de *la Chambre dérobée* a occupé les mêmes emplois précaires que son créateur ; le prénom du fils de Paul Auster est prêté à l'un de ses héros, quand il ne donne pas le sien au fils d'un autre. "Schiff", nom d'un prénommé Paul, a beau être aussi celui d'un parent – à qui sera d'ailleurs dédié *Moon palace* – le mot pourra renvoyer au navire sur lequel Auster travailla ; à son art aussi, si l'on veut bien faire jouer *craft* ; le goût qu'a l'auteur pour l'écriture manuelle sur des cahiers à spirale est prêté à Quinn... L'aveu est en tout lieu si énorme qu'il n'a en dernière analyse pas plus d'importance que les astuces gratuites auxquelles un autre protagoniste avoue devoir les patronymes de ses propres créations. Si le narrateur du troisième volume nous invite lui-même à lire le nom de l'auteur grossièrement anagrammatisé sous celui d'un de ses proches – Stuart –, les Paul Auster qui interviennent çà et là manifestent brutalement ce que le choix des noms peut avoir de gratuit. Dans un monde du pseudonyme, le nom vrai se gangrène des incertitudes de l'identité. Leurres ou gluaux, les références manifestes à la vie de l'auteur n'ont pour effet que d'appliquer plus étroitement un masque que seules permettraient de lever des allusions plus fines. Les clins d'œil autobiographiques sont banalisés afin de dissimuler les seules similitudes qui vaillent : celles qui ont trait à l'œuvre, à ses interrogations, à l'activité d'écriture, et dessinent un portrait de Paul Auster en "dépeupleur".

Superposer les titres des œuvres de Paul Auster précédant la *Trilogie*, c'est en effet confectionner à peu de frais une photographie de Galton où se liront les grandes articulations thématiques de l'œuvre. De Wall Writing et Facing *the Music* à White Spaces et *Fragments from* Cold en passant par Unearth, *The Art of* Hunger et *The Invention of* Solitude se repèrent les accents d'une œuvre placée sous le signe du manque, de la blancheur, du silence, de la lumière froide, de la perte et de la privation.

The Invention of Solitude demeure, on l'affirmera ici avec force, le livre le plus important de l'écrivain. Il est aussi la matrice de toute son œuvre. Qui ne retrouverait en effet, dans la *Trilogie* mettant en scène un pseudo *private eye*, les échos anxieux du moi privé *(private I)* qui invente sa solitude en se glissant dans l'entre-deux des filiations et des rapports à l'autre, qui traque le réel avec des mots impuissants ? "La solitude est devenue un accès à l'intérieur de soi, un instrument de découverte", dit le narrateur de *la Chambre dérobée*. Et c'est précisément la force heuristique de la solitude qui innerve et organise les récits d'autodécouverte de tous ces enquêteurs de l'identité. "Eteindre la lumière et verrouiller la porte" *(Revenants)* ; "j'ai verrouillé le secret à l'intérieur de moi-même", "cette chambre «verrouillée», je m'en apercevais à présent, était située sous mon crâne" *(La Chambre dérobée)* ; "le frère intérieur, le camarade de solitude" *(Cité de verre)* : autant d'indications que l'enquête ne saurait se tourner vers le monde, qu'elle peut seulement renvoyer vers l'intérieur de soi, là où bouillonne l'inconscient.

Sur tous les titres antérieurs de Paul Auster règnent les caractéristiques atmosphériques de la *Trilogie*. Face à la Frick Gallery, "blanche et austère", dans l'appartement aux cloisons blanches de Stillman ("Virginia", elle aussi blanche, y accueille Quinn), devant les murs muets réfléchissant de pauvres rayons d'hiver, on baigne dans une lumière crue, omniprésente, dans un air transparent, impalpable : cette lumière qui isole dans un for intérieur incertain les figures blafardes de Hopper, leur vulnérabilité baignée de soleil pâle, qui cerne les silos et les toits du précisionniste Sheeler, cet "air usé" où leurre, le grammairien central au *Carus* de Pascal Quignard, voit la nature et la substance mêmes de la parole et des mots ; lumière crue, envahissante, mais qui n'éclaire le monde que pour n'en rien révéler, lumière-housse, lumière-couvercle ; air "plein de lumière", dit Peter Stillman, air où s'ébroue cet homme dont le nom même dit la paralysie, l'atonie et l'immobilité, un nom qui dirait le quiétisme si l'air qui s'exhale de sa bouche en mots fous ne parvenait encore à en faire un agité ; lumière qui recouvre, air intérieur soufflé sur le monde de l'obscurité des poitrines, vents de l'âme, épuisements : *petering out*. Dans ces contrastes violents de l'éclat et de l'ombre surgit déjà le trouble d'une nuit intime où vacille l'illumination. Aux traits nets d'un monde découpé dans la couleur primaire, au dessin des formes et des choses, s'opposent les errances et les dérives d'êtres dont le destin, puis le seul espoir, est de rentrer en eux-mêmes, au sein d'un "vide salutaire", d'un espace non encombré, solitude, vacuité, lieu que nul repère ne marque et où il n'est par conséquent plus possible de se perdre, où le "sentiment d'être perdu" que l'être ressent face au monde se compense de l'absence de toute Loi. D'où cet amour pour les non-lieux protecteurs : "Tout ce qu'il avait jamais demandé aux choses : être nulle part. New York était le nulle part que Quinn avait construit autour de lui-même." Devenir personne, tout aussi bien. Aux premières pages des romans se met en place toute une rhétorique de la négation et de la privation ; tous s'achèvent au terme d'un dépouillement progressif, figuré, intime ou littéral qui tend vers l'évanouissement. Austérité : nudité, silence, déréliction, épure. Stoïcisme. Diogène dans son tonneau. Quinn sur son plancher nu. Et Bleu dans sa poubelle, "saint de la pénurie". Oh ! les beaux jours...

Reste l'Autre : ce trou, cette béance, cette absence au cœur de soi-même que les récits doivent emplir, meubler, vêtir. Alors même qu'il s'attache à déconstruire ses récits par la stylisation, l'arbitraire présidant au choix des instances, le mélange de noms vrais aux noms empruntés, l'absence de résolution et de clarification des énigmes, en faisant suivre de nouvelles ouvertures sur l'inconnu la frustration de piètres "dénouements", le goût qu'a Auster de raconter des histoires naît de la conviction que hors de l'Autre, il n'est pas de définition de soi. Fanshawe est "le lieu où tout commence" pour le narrateur de la *Chambre dérobée* et "sans lui c'est à peine s'[il] saurait qui [il est]". Surveiller, suivre, jouer les voyeurs, c'est tenter de définir son identité par défaut. D'où l'invraisemblable série des doubles, si souvent explorée par les commentateurs, qui peuplent les pages de la *Trilogie*. Miroirs, jumeaux, pères et fils innombrables, reflets, spectres, éponymes : tous instruments qui permettent de "comprendre ce qui relie l'intérieur à l'extérieur", de "faire entrer l'extérieur et [d']usurper ainsi la souveraineté de l'intériorité". Nul ne peut se rencontrer en face que hors de soi : "Ma véritable place dans le monde se trouvait quelque part au-delà de moi, et si cette place m'était intérieure elle était également impossible à situer. C'était le trou minuscule entre le moi et le non-moi, et pour la première fois de ma vie je percevais ce nulle part comme le centre exact du monde." Cette béance, au reste, ce *noselfland* dira-t-on, ne cesse d'aller s'élargissant, et l'espace de blancheur qu'elle définit est le lieu où tout – destin, sens, rapport à l'Autre, langage – vient s'abîmer : lieu de l'inassignable, réel. Le travail du couple est centrifuge et ne cesse de forer l'abîme : si l'Autre fascine pour sembler procurer une voie d'accès à soi, "nul ne peut franchir la frontière qui le sépare d'autrui – et cela simplement parce que nul ne peut avoir accès à lui-même". Pour être, il faut être deux ; or, si l'Un est toujours fonction de l'Autre, pour connaître cet Autre il faudrait se connaître soi-même.

La thématique affichée du double se double donc elle-même tout naturellement d'un – double – redoublement "métafictionnel", l'un interne à l'œuvre, l'autre externe, fondé sur l'entour littéraire. La *Trilogie* ne cesse de ressasser les références à elle-même, jusqu'à avouer son unité à la fin du troisième volume par le truchement du narrateur que l'on jurerait pourtant étranger aux deux premiers. Outre les renvois systématiques, bien que diffus, aux œuvres précédentes, outre le recours permanent à une esthétique du blanc, de l'absence et de l'émergence, nombre de mises en abyme replient le texte sur ses procédés et ses tâtonnements. Ce n'est pas seulement que l'activité d'écriture occupe des protagonistes toujours pris par la rédaction de quelque rapport, ni qu'un énorme travail se cache sous le nom d'un narrateur (Max Work) ; c'est aussi ce stylo acheté à un sourd-muet, ce manuscrit "lourd comme un homme", tel nom d'éditeur fleurant l'encre : "Walter J. Noir, S.A."... La circulation de signes identiques, plus qu'elle n'est joueuse, renforce les effets de pli, dit l'inéluctable enfermement du symbolique, son incapacité à dire le réel, les efforts grotesques du soulignement, de la répétition, de l'insistance enfin, la clôture d'un monde que le langage contraint à bégayer aussi. Noir, d'éditeur, devient personnage ; Quinn circule dans un volume qui n'est pas le sien ; le livre de Thoreau commenté dans *Revenants* fournit son patronyme au Dennis Walden de *la Chambre dérobée* ; un Stillman qui n'est plus celui de la *Cité de verre* prête une fausse identité à Fanshawe ; le nom de Henry Dark, faussement historique dans le premier volume, sert au même Fanshawe à se cacher lorsqu'il est dans la marine… Les renvois de volume à volume, l'intrication de références similaires et distinctes, les métamorphoses et les rémanences, le recyclage des vraies informations fausses et des faux détails vrais ne sont pas pure coquetterie ; ils commentent une conviction dont l'aveu est confié à Quinn : "Ce qui l'intéressait, dans les histoires qu'il écrivait, ce n'était pas leur relation au monde mais leur relation à d'autres histoires." Si le monde n'est pas fait de textes, nul ne peut en parler et, s'il en est constitué, il n'est guère possible d'en parler que par leur biais. *L'Invention de la solitude* le disait déjà : Auster ne peut se définir que par l'écriture, n'établir de rapports, ne vaincre la solitude qu'en parlant d'écriture à d'autres écritures. Américain, il parle de/à toute la littérature américaine classique et l'entretient de Beckett ; Américain d'aujourd'hui, il parle à/de ceux de ses contemporains, américains ou non, qui lui parlent. La *Trilogie* de New York a pour objets fondamentaux la littérature et le langage, seuls modes d'exploration du sujet.

Bleu, d'abord, s'ennuie à lire *Walden*, comme nos contemporains rechignent à lire les textes américains essentiels. Sous prétexte de policier, Auster présente une synthèse de leur ancestral questionnement. Au reste, peu faraud, il ne prétend nullement à quelque statut d'écrivain original ou prodige.

Stevenson, Dickens, Cervantes – caché sous le nom du mari d'une Mme Saavedra (Michael) – font des apparitions plus ou moins significatives ; ce dernier, en particulier, souligne les emboîtements inhérents à toute œuvre littéraire consciente de ses procédés et de ses objectifs. Que les initiales de Daniel Quinn renvoient à celles de don Quichotte ne surprend pas dans un texte où les rencontres entre auteur et personnages foisonnent. Parce que se trouve aussi dans *Don Quichotte* l'autre livre auquel songeait Cervantes en l'écrivant, on découvrira sans crainte sous la *Trilogie* le grand livre de la littérature américaine dont, avec Whitman et Thoreau déjà mentionnés, Hawthorne, Melville et Poe écrivirent les chapitres les plus significatifs.

Outre que le Wakefield de Hawthorne prête son argument aux aventures de Bleu, Fanshawe est emprunté au premier roman de ce romancier ; le nom de l'épouse de ce dernier, Sophie, devient celui de l'héroïne de *la Chambre dérobée*. Melville, lui, est partout ; d'abord parce qu'il fournit les patronymes de personnages fictifs au second degré ; ensuite parce qu'un *Call me Redburn* ironique vient relayer, dans une lettre de Fanshawe, l'usage récurrent du "Disons, admettons" qui, sous l'invocation d'Ismaël, l'errant, met l'incertitude en facteur ; enfin et surtout en raison de ces murs obstinés où des personnages évocateurs de Bartleby tentent, "scriveners" de plein droit, de lire ou d'inscrire les signes de leur identité et de leur obscur désir. Quant à Poe, il gouverne toute l'esthétique du double par le biais d'un William Wilson directement issu de sa célèbre nouvelle, ainsi, bien sûr, que la double dimension policière et métaphysique de la *Trilogie*. Dupin, *Le Puits et le Pendule*, *Al Aaraaf*, *Eureka* : l'œuvre de Poe est le soutènement d'un travail qui, à l'instar de

440

celui de Poe, emporte toujours plus avant vers la disso-
lution des signes et les grandes blancheurs vides de la
fin d'*Arthur Gordon Pym* ; en témoigne l'"expédition
méridionale vers l'oubli" *(my southward trek to obli-
vion)* qui annonce la fin de la quête du narrateur de *la
Chambre dérobée.* La *Trilogie* constitue ainsi un
résumé-commentaire de la réflexion littéraire américaine classique sur la nature et le sens des mots à inscrire sur le mur blanc de la conscience : que serait-ce
que comprendre ? Il n'est pas indifférent que les runes
de Pym soient ici relayées par la mention de H. D. qui,
plus que prétexte à spéculation sur la lettre et le sens
ironique des signes (Héraclite ou Démocrite ? Humpty
Dumpty ?), renvoie à la partie hiéroglyphique de l'œuvre
de Hilda Doolittle ; poète, elle n'eût pas renié la recherche
des liens entre les constellations et leurs noms – évoca-
trice de la cabale – dont il est question dans *Cité de
verre.* Les noms qui importent, ce roman y insiste, ne
peuvent se trouver que dans "les pages blanches", même
s'il s'agit en l'occurrence de celles d'un annuaire. Les
lieux véritables, disait Melville, ne se trouvent sur aucune carte.

On aura compris que cet appel à la fraction la plus
radicale et la plus essentielle de la tradition américaine
permet de faire s'engouffrer dans son sillage une bonne
part des préoccupations littéraires et philosophiques de
notre temps. Si on a pensé à peindre Auster en "dépeupleur", c'est naturellement que le Beckett de *Pour
finir*, de *Sans* ou d'*Assez* lui sert de référence obligée,
que les méditations de Blanchot resurgissent au hasard
des situations et que le thème obsédant des lettres con-
temporaines – la non-adéquation de la langue au monde –
se trouve à tout moment présent dans ses écrits. L'in-
nommable... Le sentiment de la perte en provient

directement et s'y rattachent les thèmes alliés de la négation, de l'absence, de la déréliction et de l'incertitude, les réflexions sur la dissémination et la prolifération du sens. Il se peut qu'une allusion à la sémiologie folle de Peirce soit parfaitement imaginaire, mais il est permis d'avancer que le rapport est de même nature qui lie, d'une part, ses réflexions sur la motivation relative des signes à celle que mène Auster dans la *Trilogie* et, de l'autre, l'ultime phrase du mémoire sur lequel est fondé *Cité de verre* ("Que se passera-t-il lorsqu'il n'y aura plus de pages dans le cahier rouge ?") à celle qu'un Peirce au bord de la folie adressait à William James : "Bientôt l'encre gèlera dans mon encrier. Après ça, quoi ?"

Lire Auster, c'est entendre en écho nombre de ses contemporains immédiats. Cette recherche d'une cohérence quelconque dans le chaos de l'événementiel, serait-ce au prix d'une paranoïa plus ou moins aiguë, cette quête d'un sens fuyant et instable dans les ressemblances et les récits possibles, cette enquête intransitive à la Œdipa Maas, ces descriptions de "prétérits" que le refus du Sens chasse des rangs des "élus", comment n'inviteraient-elles pas à relire Pynchon et tout particulièrement *la Vente à la criée du lot 49* ? Comment alors ne pas trouver plus d'un clin d'œil dans la *Trilogie* ? Comment ne pas succomber à la tentation de retrouver l'extraordinaire manipulation linguistique qui préside à la destinée du "Kenosha Kid", dans *l'Arc-en-ciel de la gravité*, sous l'utilisation, dans la *Trilogie*, du nom de cette bourgade peu connue mais où naquit le père de Paul Auster ? On suit, dans les trois volumes qui nous occupent, les mouvements du désordre et de l'entropie, centraux chez Pynchon pour qui seule la mise en fiction permet la moindre maîtrise. Les épiphanies de ce dernier fusent ici sous telle "brûlure brève", telle "étincelle bizarre de reconnaissance" (la grande ombre de William Gaddis plane aussi). On songe à William Gass quand Auster décline à son tour les harmoniques du mot "bleu" dans la langue américaine, à Rudolph Wurlitzer, si beckettien lui-même, quand s'accentuent ces évanouissements de l'être et de la conscience, à Don DeLillo, enfin, dont *les Noms* constituent une glose presque obligée de la *Trilogie* d'Auster, son ami, et qui, sachant lire *means* sous *names*, sait que le réel est fonction directe des outils pour le dire. Certes, ni Wurlitzer, ni Pynchon, ni *Les Noms* ne constituent ce que l'histoire littéraire ancienne nommait des "influences", Auster ne les ayant pas lus avant de composer sa *Trilogie*. Mais le chasseur d'intertexte notera qu'un énorme pan de la fiction contemporaine américaine, et non le moindre, explore ainsi les mystères du "faire sens", traquant les "patterns" et les motifs, qui diraient un ordre des choses avant de les mettre en accusation comme purs effets de langage.

Au cratylisme naïf de Bleu à ses débuts s'opposerait ainsi la nature "langagière" de l'utopie dans les travaux de Henry Dark (*wordhood*, dit Stillman : sa "motité"). Au bout du compte, chez Auster, la langue est dépouillée de toute transcendance et ne trouve ses motivations que dans les effets de pouvoir. Hors tentative poétique et rebelle, la langue du Père s'impose et règne, interdisant l'émergence à soi ; la levée de son autorité permet immédiatement les glossolalies de Peter Stillman ; son retour dicte les clichés normés des conversations échangées entre père et fils. La langue, les mots, l'écriture chez Auster sont moins simple question de noir sur du blanc *(black and white)* que, comme le disait superbement le plasticien Robert Smithson, prolongeant les œuvres de Melville et de Poe, des superpositions de *blank and want* (de vide et de désir). Le spectre du sens hante toujours une littérature qui a compris, avec Hoffmannsthal, que c'est "à la surface qu'il faut cacher la profondeur", qu'entre les lignes ne se cache jamais rien sinon l'obscénité blanche et insistante d'un non-sens que les mots cherchent à recouvrir et que runes et signes, mystérieux et insensés, suggèrent d'autant mieux qu'ils ne le nomment pas. D'où le "certain plaisir" que ressent le narrateur à l'étranger, dû au "fait d'éprouver la langue comme un assemblage de sons, d'être forcé d'aller à la surface des mots où les significations disparaissent". Peter Stillman ne jouit pas d'autre chose : "Blambe clic craquecrunch touba. Clac clac patrac. Bruit sourd, tas de flac, mâchenomme. Ya ya ya." Au demeurant, et pour citer Molloy, "tout ce que je sais, c'est ce que savent les mots". Et Auster doute qu'ils sachent grand-chose. Même en tentant de refonder la langue en monde, on ne lira jamais de la réalité que ce que l'on y inscrit, on ne déchiffrera jamais du réel que ce dont on le nourrit : le monde est toujours pseudonyme, puisque les noms ne s'appliquent pas aux choses et que les noms lui créent une réalité dont il est peut-être dépourvu ("Dire c'est inventer", disait Malone) ; l'être, lui, n'est qu'une misérable auberge espagnole où l'on chipe ses discours dans l'assiette de l'Autre qui, n'arrivant jamais, ne permet pas qu'on se reconnaisse en lui. Godot n'est peut-être pas Dieu mais, à l'attendre, le sens dépérit, la langue tourne en rond et se fait pauvre, la nuit descend. Reste le hasard… Mais ceci, disait l'autre, est une autre histoire.

J'en vois au fond qui ont l'air déçus. Alors lisons, lisons encore, comme d'habitude si l'on veut : allons, il s'agit bien d'une trilogie policière, à New York. Si Malraux voyait dans *Sanctuaire* "l'intrusion de la tragédie grecque dans le roman policier", ne comprendrons-nous pas que toute énigme est tragédie, que le sphinx, "sourire douteux, voix ambiguë", c'est toujours la mort ? Mais le chevalier à la Triste Figure, Auster nous le rappelle, se demandait déjà "jusqu'à quel point les gens toléreraient le blasphème pourvu qu'ils s'en divertissent"...

MARC CHÉNETIER

TABLE

BABEL

Collection dirigée par
Jacques Dubois, Hubert Nyssen
et Jean-Luc Seylaz

Extrait du catalogue

Ouvrage réalisé
par les Ateliers graphiques Actes Sud.
Photocomposition : I.L.,
à Avignon.
Achevé d'imprimer
en juillet 1995
dans les ateliers de B.C.I.
à Saint-Amand-Montrond
pour le compte des éditions
ACTES SUD
Le Méjan
13200 Arles.

Dépôt légal
1re édition : juin 1991
N° d'éditeur : 1057
N° impr. : 1/1814